MAYBE BABY

DU MÊME AUTEUR

Popcorn, L'Archipel, 1999.

BEN ELTON

MAYBE BABY

traduit de l'anglais
par Philippe Vigneron

l'Archipel

Ce livre a été publié sous le titre
Inconceivable
par Bantam Press, Londres, 2000.

Si vous désirez recevoir notre catalogue et
être tenu au courant de nos publications,
envoyez vos nom et adresse, en citant
ce livre, aux Éditions de l'Archipel,
34, rue des Bourdonnais, 75001 Paris.
Et, pour le Canada,
à Édipresse Inc., 945, avenue Beaumont,
Montréal, Québec, H3N 1W3.

ISBN 2-84187-269-6

A maman, papa,
Bob et Kate

Cher… ?
Cher.
Cher journal ?
Cher moi-même ? Cher Sam.
Bon. C'est un début. Ensuite ?

Lucy m'a demandé de tenir un journal. Sauf que ce n'est pas un journal. C'est un « livre de pensées ». Des « lettres à moi-même », comme elle dit. D'où le « Cher Sam ». Lucy m'a expliqué la théorie d'une de ses amies – dont le prénom m'échappe : entretenir cette sorte de correspondance interne devrait nous réconcilier avec la vie et nous permettre de la considérer sous ses bons côtés. L'idée, c'est qu'en couchant sur le papier nos pensées, nos sentiments, on arrête enfin de se voir comme des bouchons de liège ballottés sur les flots du destin. Pour ma part, je vois mal comment passer une demi-heure par jour à ressasser nos problèmes pourrait nous aider à les oublier, mais bon. Lucy a sans doute raison : tout irait mieux si je commençais par arrêter de faire le malin et si je lui manifestais un peu plus mon soutien.

Cinq minutes sont écoulées et je ne vois déjà plus quelles pensées ou quels sentiments je pourrais coucher sur le papier. Comme si j'étais une terre trop aride pour que des sentiments y poussent. Lucy prétend que je préférerais lire le journal plutôt qu'éprouver une émotion. Elle exagère toujours.

Ma chère Penny,
Je t'écris parce que tu étais l'amie imaginaire de mon enfance. J'ai le sentiment que je m'exprimerais plus librement si je person-nifie cette part de moi-même à laquelle je veux adresser ces quelques réflexions. J'espère que tu vois ce que je veux dire, parce

que, pour être tout à fait honnête, je n'ai jamais eu autant besoin d'une amie imaginaire que ces temps-ci.

Autant te mettre tout de suite au parfum : je veux un bébé. Tu te rappelles, quand j'étais gamine, mon jeu préféré, c'était de m'occuper des bébés. Eh bien ! rien n'a changé. Et je n'ai toujours pas de bébé. La plupart des femmes ne connaissent pas ce genre de problème. Pour moi, c'est un obstacle insurmontable. Avec Sam, voilà cinq ans qu'on essaye (rien que le mot me répugne… avant, on faisait l'amour, ou bien on tirait un coup ; maintenant, on essaye). Sans résultat. Mes règles sont aussi ponctuelles que l'horloge parlante.

Parfois, je me dis que c'est sans espoir. Je dois me retenir pour ne pas être jalouse de toutes ces femmes qui ont des bébés, au point que je me dégoûte moi-même. Ça me coûte de l'écrire, mais il m'arrive d'envier celles qui font des fausses couches. Je sais, c'est ignoble, et je sais aussi que si ça m'arrivait, je regretterais ces mots… mais au moins, ça voudrait dire que je suis féconde. Or, je n'ai même pas cette certitude. Mon pauvre corps refuse de réagir, c'est tout.

Quoi qu'il en soit, Penny, et que ce soit clair entre nous, je suis bien décidée à ne pas, je dis bien NE PAS en faire une fixation. Si – Dieu m'en garde – on finit par m'apprendre que je ne pourrai jamais avoir d'enfants, eh bien ! tant pis. C'est mon destin, je l'accepte. Je jure de ne pas adopter huit chiens, deux chats, un lapin et un cochon de lait ! Je ne perdrai pas la boule, je ne me mettrai pas à bassiner mes voisins de table en parlant horticulture dans les dîners en ville. Je ne vais pas commencer à en vouloir à tous ceux qui ont des enfants, à les traiter de prétentieux, de bornés, de maniaques obsédés par leur progéniture. Je ne vais pas non plus me mettre à délirer sur mon boulot en or (il n'y aurait vraiment pas de quoi) pour faire baver ces mères harassées qui n'ont pas parlé le langage adulte depuis deux ans et demi et qui ont les épaules et le dos en compote.

Et puis, je cesserai aussi d'écrire des lettres à des amies qui n'existent même pas. Ne le prends pas mal, Penny, mais si ça doit arriver, autant que je sois ferme. Quel que soit le sort que me réserve le destin, j'entends rester une femme équilibrée, et je jure devant Dieu que je ne fondrai pas en larmes en passant devant

Natalys la prochaine fois que j'irai acheter des alcools, comme la semaine dernière.

Mais qu'est-ce qu'elle peut bien trouver à écrire? Ça fait dix minutes que je suis assis à la regarder et elle n'a pas arrêté. Qu'est-ce qu'elle est en train de raconter?

Il faut bien comprendre une chose, Penny : il y a mille façons d'être une femme pleinement épanouie. La maternité en est une parmi d'autres. Il se trouve simplement que c'est la plus magnifique, la plus enrichissante, la plus naturelle et la plus indispensable qu'il soit donné de vivre à une femme. Et j'ai comme l'impression que c'est la seule raison de ma présence sur terre. C'est tout.

Cependant, malgré ma ferme résolution de ne pas en faire une idée fixe, je n'ai pas l'intention de me rendre sans me battre. Cinq ans, c'est trop long. C'est décidé : si j'ai encore deux fois mes règles, je me tourne vers la médecine. Cette perspective n'a pas l'air d'emballer Sam. « C'est psychologique ! qu'il dit. Pour l'instant, on peut toujours se persuader que c'est la faute à pas de chance ; tandis que, si on voit un médecin, ce sera la preuve qu'on est stériles. Et on n'aura plus que les yeux pour pleurer. » Bien entendu, Sam a une bien meilleure raison de ne pas vouloir consulter : ce serait pour lui le premier pas vers une séance de masturbation dans l'isoloir d'une quelconque clinique... Mais peu importe : on consultera. Même si c'est VTF : Vraiment Trop Flippant.

Ça commence à devenir déprimant.

Et moi qui rêvais de devenir écrivain... Enfin. Au moins, ce petit exercice de *mea culpa* aura servi à dissiper pour toujours mes dernières illusions concernant les modestes ressources de ma créativité. Si je suis incapable d'écrire ne serait-ce qu'une lettre à moi-même, alors il y a fort à craindre que les scénarios étincelants et les séries télé décapantes et branchées soient quelque peu hors de portée de ma plume.

Ah! ça y est. Elle a enfin terminé.

Alors maintenant je vais juste continuer d'écrire cette phrase... un peu plus longtemps... comme ça elle n'aura pas l'impression que je m'arrête à cause d'elle… voilà, voilà… bon, bon… que dire ? Demain, samedi, invités chez George et Melinda à contempler leur progéniture.

Bravo, Sam. Ce garçon mérite le Pulitzer. C'est tout, *finito*.

Ma chère Penny,

Aujourd'hui, Melinda et George nous ont invités à venir voir leur bébé. Je dois reconnaître que ça n'a pas été une partie de plaisir. J'étais verte de jalousie – quelle honte ! Son petit garçon est absolument a-do-rable, trop mignon. Il a déjà quelques petits cheveux bruns et il est énorme, mais en même temps si petit ! Et ses mimines, comment résister ? Moi, les nouveau-nés, ça me fait toujours craquer. Je trouve ça génial.

Cher journal,

Le chiard de George et Melinda m'inquiète. Un vrai cul de chimpanzé. Pas question de faire la moindre remarque, bien sûr, mais même ce pauvre George semblait sceptique. Il l'a surnommé « Pruneau », ce qui est assez bien vu, quoique « vieux scrotum » me paraît plus proche encore de la réalité ; avec ces drôles de cheveux noirs et cette masse de chair, on l'imaginerait assez bien pendouillant entre les cuisses de quelque octogénaire.

J'espérais que la vue de Pruneau (Cuthbert, de son vrai nom) calmerait un peu les ardeurs de Lucy, lui ouvrirait les yeux sur les risques terrifiants liés à la procréation. Lui rappellerait que, pour chaque Shirley Temple, il existe un Cuthbert. A la seule idée d'être obligée d'affronter cinq fois par nuit ces marshmallows braillards aux gigantesques bouches sans dents, toute femme normalement constituée devrait se ruer sur sa réserve de préservatifs. Mais là, c'était tout le contraire. Lucy l'a trouvé tout bonnement craquant. Étrange. C'était comme si nous avions regardé deux bébés différents. Bien sûr, il va certainement s'arranger en grandissant. Tous les bébés finissent par cesser de ressembler à une vieille tomate fripée oubliée dans le frigo, mais « mignon », « craquant » et « adorable », qui furent les adjectifs employés par Lucy avec une joyeuse inconscience, me firent l'effet d'une litanie délirante hurlée par une aveugle à moitié folle.

A vrai dire, je commence à voir le roi Hérode sous un tout autre jour.

En rentrant à la maison, je me sentais triste et un peu conne. Mais je suis déterminée à ne pas verser dans les lamentations écœurantes du style « je suis stérile, je suis stérile »... Pourtant, c'est la vérité : j'ai peur d'être stérile. Il y a franchement de quoi être écœurée, non ? Il y a des filles qui n'ont qu'à claquer des doigts pour être enceintes jusqu'au menton, les chiennes ! On dirait qu'elles ont des ovules génétiquement programmés pour aimanter le sperme ! A la fac, j'avais une amie, Roz, qui n'avait qu'à téléphoner à son mec pour tomber enceinte. Et, si l'on en croit les journaux, 50 % des lycéennes de ce pays seraient filles- mères ! Certaines femmes – dont moi – ont un peu trop tendance à l'oublier. C'est simple, je suis aussi féconde que le Premier Eunuque de la cour impériale de Mandchourie. Même au lycée, je n'étais pas fichue de tomber en cloque. Pour moi, ça se finissait toujours avec une saleté de gant de toilette...

Quoi qu'il en soit, je reste plus que jamais déterminée à abor- der cette nouvelle période de ma vie avec un esprit positif. C'est d'ailleurs pourquoi, chère Penny, je t'écris ces lettres. Selon mon amie Sheila (qui en a entendu parler chez Oprah Winfrey), elles devraient nous permettre, à Sam et à moi, de nous impliquer résolument dans notre voyage affectif. Nous ne voulons plus être de simples bouchons de liège ballottés sur les flots du destin, mais au contraire devenir les partenaires de nos sentiments. Selon cer- tains experts américains interrogés par Oprah, rien n'est plus naturel et louable que de vouloir être mère ; il faut s'y préparer, que l'on soit ou non fertile (j'ai horreur de ce mot, ça me donne l'impression d'être une génisse qui a mal tourné).

Sheila, elle, n'a pas d'enfant, mais elle comprend très bien qu'on ait envie d'en élever. Elle n'est pas agent artistique pour rien.

Encore une soirée, encore des efforts pitoyables pour trouver quoi écrire.

Bon sang, j'ai envie de tirer un coup. J'ai *vraiment* envie de tirer un coup. Mais nous ne pouvons pas. En ce moment, c'est « rien en dessous de la ceinture », et ça commence à faire long. Lucy est là, devant moi, plus bandante que le rayon « Sauces et condiments » de Sainbury's. La définition vivante de « baisable » : assise sur le lit, simplement vêtue d'une veste de pyjama, jambes nues relevées, la langue pointant à la commissure des lèvres et le nez froncé sous l'effet de la concentration. Elle peut être si belle, parfois. Mais je n'ai pas le droit de lui sauter dessus. Oh ! non. Non, non, non ! Pas même de me précipiter aux toilettes pour un petit paluchage, histoire de relâcher la pression. Car, voyez-vous, nous économisons mon sperme. C'est sa théorie du mois – et ce n'est pas celle que je préfère.

Ma chère Penny,

Ces temps-ci, Sam est d'assez mauvaise humeur. Il se sent frustré sexuellement. Ça me manque un peu aussi, et pour être tout à fait honnête – car je me dois d'être honnête avec toi –, je m'enverrais bien en l'air, là, maintenant. Mais c'est non. Non, non et non ! C'est impossible. Ma chère Penny, je crois que je te dois quelques explications : ce mois-ci est un MSB, un Mois Sans Baise. Ce que je veux, c'est que Sam se constitue une bonne réserve de sperme ; le moment venu, il pourra me posséder trois fois en vingt-quatre heures. Il y a une théorie là-dessus : attendre un mois, puis soumettre les ovules à une riche aspersion de sperme haute densité pendant toute une journée.

Mais comment savoir si c'est le bon moment ? Se faire mettre ou ne pas se faire mettre, telle est la question...

Quand se situe la période d'ovulation optimale ? Certaines filles disent qu'elles arrivent à sentir quand elles commencent à ovuler. Leur corps leur envoie des messages. Alors que le mien, tout ce qu'il arrive à me dire, c'est : « J'ai faim » ou : « Je boirais bien un autre gin tonic »...

Il n'y a qu'une façon de déterminer le meilleur moment pour baiser, c'est d'appliquer des méthodes de calcul scientifiques. Et moi qui ne suis même pas fichue de programmer mon mobile ! En théorie, c'est simple. Il suffit de compter les jours, d'examiner son pipi et de prendre sa température toutes les heures. En fait, il n'y a rien de plus affreux. Je compte les jours, je recueille mon urine, je fais pipi sur un petit feu tricolore, je prends ma température, je dessine mes courbes, je repisse un coup, je rajoute quelques petits points rouges sur le calendrier jusqu'à ce qu'il soit complètement maculé de petits points rouges rajoutés et de petits points rouges raturés, si bien que, finalement, je ne sais plus lesquels sont les bons. Aussi excitant qu'une partie de jambes en l'air dans un service de réanimation.

Mais tous ces calculs minutieux ne sont rien, car le plus difficile, c'est de savoir quand commencer à compter. A partir du premier jour des règles ou à la fin ? Selon Joanna, qui a la bosse des maths (elle est comptable à l'agence), ce serait plus ou moins à la fin du début des règles, pas quand on commence à sentir qu'elles ne vont pas tarder, mais quand elles ont vraiment commencé. Mais Melinda (qui, elle, a eu un bébé) dit qu'il faut compter à rebours en partant des prochaines règles... ce qui n'a aucun sens. Quant à moi, je me souviens d'avoir lu dans Elle *ou je ne sais plus quel magazine que la couleur du sang donne parfois de bonnes indications. Euh, entre nous...*

Je préférais sa théorie du mois dernier. Celle-là était vraiment géniale. J'adorais. Nous avions décidé d'expérimenter la théorie dite de « la baise à tout-va ». Fondée sur le constat que la fertilité se résume à une mystérieuse et imprévisible loterie. Ce qui, bien sûr, est le cas.

Dans un louable effort pour organiser ses pensées, Lucy avait noté noir sur blanc ses réflexions. Je les reproduis ci-dessous. C'est toujours ça de pris si je ne trouve rien d'autre pour remplir la page.

« LA BAISE À TOUT-VA » : UNE THÉORIE DE LUCY

1. Personne ne sait exactement quand l'ovulation se déclenche.

2. Apparemment, personne non plus ne sait quand, pendant l'ovulation, le taux de fertilité est à son plus haut.

3. Quand bien même ces données seraient connues, ça ne changerait rien du tout. Car personne ne sait combien de temps met une escouade de spermatozoïdes paresseux et réticents à

parcourir, si mes souvenirs de cours de biologie sont bons, l'équivalent de la longueur de l'Amazone pour un piranha. En conséquence, même si on sait à quel moment exact se produit l'ovulation, on ne peut pas calculer combien de temps après le boulot commence vraiment.

Lucy déduisait de ces remarques liminaires que la seule façon de taper dans le mille, c'était de baiser tout le temps. Quand je dis « tout le temps », comprenez : une fois par nuit. Parce que, si madame s'était mise en tête de s'accorder une petite sieste crapuleuse, j'aurais eu besoin d'une cure de Viagra – on m'en propose tous les jours sur mon e-mail.

Ce fut un mois heureux, sauf le jour où Lucy s'est ébouillantée. Pas à cause de moi, je m'empresse de le préciser. Après l'amour, madame a décidé de surélever ses fesses à l'aide d'un oreiller pendant une demi-heure pour que mon sperme n'ait plus qu'à se laisser glisser. Mais, comme ce n'est pas la position rêvée pour déguster une tasse de thé, tout a fini par atterrir sur elle et sur le duvet.

J'ajoute qu'à mon avis elle le méritait. Qu'elle ait éprouvé le besoin de faciliter, par un grossier artifice, la descente de mes spermatozoïdes veules et démotivés jusqu'à ses ovaires était assez vexant.

Ce qui m'ennuie, avec les Mois Sans Baise, c'est que Sam et moi n'avons plus aucun contact physique. Sam n'a jamais été du genre câlin. Pour lui, les câlins, c'est tout juste un échauffement avant de passer aux choses sérieuses. Lamentable. Personnellement, j'ai souvent besoin de marques d'affection non sexuelles – juste des marques physiques d'affection. Sheila (qui sait de quoi elle parle, puisqu'elle est lesbienne) m'a expliqué que les marques d'affection non sexuelles ne sont pas un truc d'hommes, encore moins après une année de vie commune. Conclusion ? Faire une croix dessus. Ou devenir lesbienne.

Cher journal,

Première ligne depuis quatre jours. J'ai intérêt à améliorer la moyenne, sinon Lucy va croire que je ne fais aucun effort. La difficulté majeure, avec cette idée de noter ses sentiments dans un cahier, c'est qu'éprouver un sentiment peut en soi prendre beaucoup de temps. Quand j'étais à l'école, je me souviens, j'avais essayé de tenir un journal intime. Mais tout ce qui me venait à l'esprit, c'était ce que j'avais mangé à la cantine. J'avais lu quelque part que le truc sympa pour un mec, c'était d'établir le palmarès de ses conquêtes, en donnant à chaque fille une note sur dix. Mais comme, à l'époque – et ça durerait quelques années encore –, je n'avais pas la moindre conquête à mon actif, ça ne collait pas. Un temps, j'avais bien essayé de noter mes visites à la veuve Poignet et à ses cinq jolies filles, mais c'était absurde, elles avaient toujours la note maximum.

Lucy, contre toute attente, aime beaucoup cet exercice d'écriture. Actuellement, elle est assise dans la chambre, griffonnant sans relâche et occupant tout le lit. Je dois donc me replier avec mon cahier sur la coiffeuse, laquelle est envahie, comme il se doit, de flacons remplis de substances hydratantes. De combien de sortes de produits hydratants une femme a-t-elle besoin ? Et, surtout, jusqu'à quel point une femme a-t-elle besoin d'être hydratée ? Jusqu'à pouvoir être versée dans un verre et servie en apéritif ?

Bon sang, mais qu'est-ce qu'elle est train de raconter ? Je n'ai pas le droit de le lui demander. Ni de lire son cahier, évidemment. Si chacun de nous s'amusait à lire le journal de l'autre, nous n'aurions plus qu'à l'écrire à sa place, et ce n'est pas le but de l'opération.

J'imagine bien Lucy écrivant sur ma triste condition d'handicapé du sentiment. C'est sûrement ça. Elle ne me pardonne pas d'envisager plus sereinement qu'elle cette question d'avoir ou pas des enfants. Et, je le sais, en secret, elle est persuadée que cet état d'esprit a corrompu mon sperme. Que si mes spermatozoïdes refusent de remonter aux sources du fleuve de la fertilité en bondissant comme de joyeux saumons pour venir donner de la tête contre ses ovules, c'est uniquement à cause de ma lâcheté. Elle les voit déjà opérant une retraite stratégique, cherchant refuge dans les moindres replis de son utérus et se disant : « Après tout, le boss se fiche bien d'avoir des gosses ou pas, pourquoi on se prendrait la tête ? »

Ma chère Penny,

Je regarde Sam, voûté sur sa bedaine, exhalant le ressentiment par tous les pores de sa peau. Ça l'énerve. Si le langage du corps existe, le sien doit être en train de dire quelque chose comme : « Tout ça, c'est rien que des foutaises New Age ! » Peut-être parce que cet exercice le confronte à sa propre vacuité. Il faut dire que ça ne doit pas être commode d'être partenaire de ses sentiments quand on se fout royalement de ses sentiments. Je crois qu'il ne sait même pas s'il veut devenir père un jour. Il va falloir que je le lui demande. Je ne suis pas sûre de lui avoir jamais posé la question en face.

Lucy vient de reposer son stylo et me demande pour la millionième fois si je suis certain, au moins, de vouloir *un jour* devenir père, car elle a de sérieux doutes. Seigneur, encore cette discussion ! Et si on l'enregistrait une bonne fois pour toutes ? On n'aurait plus qu'à se la passer en boucle...

Ce n'est pas que je ne veuille pas d'enfants. Je ne suis pas de bois, bon sang. Simplement, ce n'est pas ma priorité. J'ai la faiblesse de croire que j'ai été créé par Dieu dans un autre but que celui de consacrer ma vie entière à me reproduire. A quoi Lucy répond que, le jour où Dieu m'a créé, il a aussi créé des millions d'autres hommes et que, si ça se trouve, il est incapable de se souvenir de mon nom – remarque, selon moi, d'une rare perfidie. Je rétorque alors que, puisque ma place sur cette terre est à ce point insignifiante, je ne vois aucune raison d'aspirer à la reproduction. En toute logique, je devrais même me suicider sur-le-champ, soulageant ainsi notre planète d'un vaste gâchis. Et Lucy m'accuse de monter sur mes grands chevaux, de devenir désagréable, avant de se mettre à pleurnicher – façon grossière et simpliste, on en conviendra, d'avoir le dernier mot.

Vraiment, il m'arrive de penser que je préférerais mourir jeune. Ça m'éviterait d'avoir à être confronté à mes propres limites.

Sam me parle de remise en question et d'humilité. Moi, je ne vois qu'arrogance et frustration. S'il déprime, c'est seulement parce qu'il n'écrit plus. En fait, ça relève plutôt de l'autoprophétie. Il dit qu'il ne peut plus écrire, donc il n'écrit plus. Ce n'est pas plus compliqué. Selon moi, il serait meilleur écrivain s'il cessait de

*passer son temps à se plaindre et s'il en consacrait davantage à
écrire pour de bon. Tout ce qu'il trouve à répondre à ça, c'est
qu'il voudrait bien, mais que je lui fais perdre le peu de temps
qu'il lui reste à rédiger ce stupide recueil de « lettres à soi-même ».
C'est ridicule ! Au moins, grâce à moi, il écrit quelque chose. Ça
lui change de l'ordinaire ! Et puis, ça ne peut pas être mauvais,
pour un écrivain, d'explorer ses propres sentiments de temps à
autre. En temps normal, son boulot de producteur à la BBC
consiste à encourager ses auteurs à imaginer des vannes toujours
plus grossières. Il me semble que notre situation devrait le confor-
ter dans cette voie et lui donner quelques idées... Mais, quand je
lui dis ça, il ne daigne même pas me répondre. Parce qu'il sait
que j'ai raison. Il se contente d'émettre des grognements d'une élégance rare. Je sens bien qu'il y a comme un froid entre nous...*

C'est bien joli de me demander d'écrire. Mais je ne peux pas.
Je suis un trou noir de la créativité. Les seules choses qui sont
moins créatives que moi, ce sont mes couilles. Reste que Lucy a
quand même tout faux à propos de moi et des enfants. Elle veut
des enfants, soit. Moi aussi... enfin je crois – il y a toujours eu un
tel psychodrame autour de cette question que j'ai fini par oublier
mes conceptions de départ. Mais une chose est sûre : si je veux
des enfants, c'est parce que j'aime Lucy. C'est la seule façon dont
je puisse considérer le problème. Parce que quand j'essaye de
penser « enfants » dans l'absolu, je deviens aussitôt insomniaque
et je me mets à vomir sur ma chaîne hi-fi. Avoir des enfants signifie la fin de la vie telle que je la conçois, or j'aime la vie telle que
je la conçois. J'aime travailler, j'aime boire, j'aime dormir et avoir
des vêtements et des meubles qui ne soient ni baveux ni souillés.
Dans l'absolu, je ne suis pas tenté par la paternité et je ne vais
pas mentir à Lucy sur ce sujet, même si ça doit me faire passer à
ses yeux pour une raclure sans cœur et sans âme.

Mais, perçus comme une partie de Lucy, un prolongement et
une preuve de notre amour, les enfants deviennent très envisage-
ables. Peut-être même qu'être père m'enchanterait. Me révèle-
rait à moi-même. Serait la plus belle expérience que j'aie jamais
vécue. Maintenant, si ça ne doit pas arriver, ça n'arrivera pas.
C'est comme ça que je vois les choses. Si nous avons des enfants,

ils représenteront une autre part de nous-mêmes, de notre amour. Et, si nous n'en avons pas, nous nous aurons toujours l'un l'autre. Notre amour ne s'en trouvera pas moins fort. Je n'ai pas l'intention de devenir geignard, mais c'est vraiment ce que je ressens.

Je viens d'expliquer le topo à Lucy et de nouveau elle s'est mise à pleurer. J'ai d'abord pensé que je l'avais rendue à mes raisons ; en réalité, elle s'imagine que j'ai renoncé à tout projet et que nous allons finir nos jours tristes, amers, frustrés, condamnés à une tragique solitude...

Ma chère confidente,

*Aujourd'hui, au travail, j'ai papoté avec Druscilla. Sheila (ma patronne, celle qui m'a conseillé de t'écrire) venait de sortir en coup de vent parce qu'elle avait entendu dire qu'un type vendait des clopes à une livre le paquet sur Oxford Street (elle fume comme un pompier), si bien qu'avec Joanna on s'est retrouvées sans rien à faire. On a commencé à jouer à Spotlight – on était mortes de rire. Tu prends un numéro d'*Actor's Spotlight *(une revue pleine de photos d'acteurs), tu l'ouvres au hasard, tu regardes qui c'est, et après tu couches avec ! Pas pour de vrai, bien sûr. Virtuellement.*

Moi, je venais de tomber sur Sir Ian McKellen[1], et je commençais déjà à oublier que j'étais au bureau quand Druscilla a fait son entrée.

Druscilla est actrice. Elle entretient un rapport quasi mystique avec les herbes et les tisanes. Aussi loin que je me souvienne, je l'ai toujours vue en train d'agiter une ficelle dans une tasse d'eau chaude. Elle est convaincue que la solution à mon problème, c'est d'arriver à combiner les bonnes tisanes. Si j'y parviens, j'accouche de triplés à la première gorgée.

J'en doute. Les tisanes aux fruits, ça ne m'a jamais branchée. D'ailleurs ça n'a pas le goût de fruit. Ça sent le fruit mais, au goût, que dalle ! En fait, les tisanes m'ont toujours gravement déçue. On commence par respirer cette délicieuse odeur de cassis,

---

1. L'un des plus célèbres acteurs anglais, shakespearien renommé, notamment à l'affiche du *Richard III* de Richard Loncraine (1996) mais aussi de *X-Men* de Bryan Singer (2000). (N.d.T.)

d'orange ou de gingembre en se disant : « Cette fois, à moi les bienfaits naturels ! » Et patatras : encore une tasse d'eau chaude à remuer jusqu'à ce qu'elle soit complètement refroidie...

Il n'y a pas longtemps, Druscilla a décroché un rôle d'allumée mystique dans un épisode de Casualty[1]. Je peux témoigner que c'était du sur-mesure. On espérait pour elle qu'elle réapparaîtrait dans d'autres épisodes. Hélas... A mon avis, il y avait largement de la place pour une sorcière dans Casualty. Tant pis. En tout cas, elle se sent très concernée par mes angoisses de stérilité. Selon elle, la réponse à tous mes problèmes se trouve dans les runes. Elle est arrivée au bureau avec un cristal de roche qu'elle a commencé à balader dans tous les coins. Elle avait lu un truc sur les anciens rites druidiques de fécondité, quelque chose comme ça. Selon elle, notre société occidentale est la seule à avoir tourné le dos à tous ces rituels ancestraux, et – « comme par hasard » – la seule dont le taux de natalité s'effondre. Aussi sec, elle nous a proposé de célébrer une cérémonie de fécondité improvisée.

Je savais qu'elle était givrée, mais à ce point... J'étais sciée. Elle m'a demandé de m'allonger sur le sol pendant qu'elle et Joanna s'accroupissaient au-dessus de moi. Je jure que je n'invente rien ! Ensuite, elle nous a demandé de former un symbole vaginal avec nos pouces et nos index. Consternant. En même temps, on devait psalmodier les mots « flux » et « matrice » d'une voix grave et pénétrée, pour les faire vibrer jusqu'au tréfonds de nos corps... Tout ça était complètement absurde, et je ne me suis pas privée de le lui dire. Quand elle est revenue de ses courses avec ses clopes, Sheila n'en croyait pas ses yeux...

Si le Mois Sans Baise donne des résultats et que je suis enfin enceinte, Druscilla pourra toujours crier victoire, je m'en moque. J'en ai tellement marre que je suis prête à croire aux fées...

Cher journal,

Lucy a décidé que le moment crucial du Mois Sans Baise tomberait pendant le déjeuner. *Mon* déjeuner, pas le sien. Elle était à la maison, entourée de calendriers, de thermomètres et de tests

---

1. L'une des séries vedettes de la BBC. Sorte d'*Urgences* à l'anglaise (N.d.T.).

de grossesse. J'avais un déjeuner au 1-9-0 (ainsi nommé parce qu'il se trouve 190, Ladbroke Park Gate – bien pensé, hein?), la cantine des médias de tout poil, un restaurant où je peux donner toute ma mesure de vétéran des repas d'affaires.

Mes invités étaient Dog et Fish, un duo comique qui a le vent en poupe. Tous deux sortent d'Oxbridge (à moins que ce soit de Camford?) et sont convaincus que la comédie telle qu'on la pratique actuellement est « inutile et ringarde ». Ce que veut le public, c'est une nouvelle forme de comédie, fondée sur du comique post-comique. Leur credo? Être au comique ce que la techno a été pour la musique. Je leur ai demandé s'il fallait être défoncé pour apprécier leur humour et ils m'ont répondu, avec un air entendu : « Ça pourrait aider, oui. »

J'ai vu leur numéro à Édimbourg. Terrible. Littéralement. Mais, comme *Time Out* les trouve « intéressants » et « décalés » (rien sur leur humour – pas vendeur, coco), la BBC se doit de les approcher sans tarder. Ne serait-ce que pour griller la concurrence et avoir l'air – pour une fois – plus branché que Channel 4.

Ils m'ont expliqué leur projet : une sitcom post-moderne orientée docudrama. Concrètement, on leur colle une équipe de cameramen sur le dos toute la journée pour filmer leur vie. Chaque semaine, un *best of* de vingt-six minutes et une version longue de quatre heures à diffuser la nuit, « pour les allumés du comique post-comique ». De cette façon, on oublie ces conneries de séries à base de scénarios, de jeux de mots et de mise en scène, pour atteindre l'improvisation pure et dure qui fait tout leur génie.

— En fait, c'est de l'existentialisme avec du cul, a résumé Fish.

Parfois, je suis frappé par l'ironie de mon job. Dans ma jeunesse, je rêvais d'écrire des scénarios de comédies. Aujourd'hui, je suis payé pour commander ce boulot à d'autres. Des gens dont je dois reconnaître qu'ils n'ont pas une once de talent. C'est mon drame. Mais je n'ai pas à me plaindre : je fais beaucoup d'excellents repas d'affaires.

Bref. Lucy a appelé pendant les hors-d'œuvre. Apparemment, après des jours et des jours d'intenses calculs, l'ovulation s'était déclenchée. Coïncidence, je venais justement de commander des œufs bénédicte. Ses œufs et les miens furent prêts au même moment.

Je déteste les téléphones mobiles mais Lucy m'avait forcé à en acheter un en prévision de ce genre de situation. Il va d'ailleurs falloir que je trouve comment on règle le volume car, à moins que ce soit de la parano, j'ai eu l'impression que notre discussion était retransmise par la sono du restaurant.

— Sam, ça y est, je crois que j'ovule ! Rentre vite pour me sauter !

Bon, je ne sais pas si les gens ont entendu ou non, mais ce qui est sûr c'est que ma réponse – un murmure qui s'est mué en éructation – n'a pas pu leur échapper.

— Pour te sauter ? Mais je suis en rendez-vous !

A ces paroles, Dog et Fish ont eu un sourire incrédule et j'ai senti que, dans ce délicat ballet que sont les rapports sociaux, je venais de commettre un faux pas. J'ai réfléchi à toute allure et choisi de répéter la même phrase, à quelques variantes près :

— Un problème de santé ? Mais je suis en rendez-vous !

Lucy a dû entendre Dog et Fish éclater de rire car elle m'a fait jurer de ne rien leur dire de notre conversation – elle avait trop peur qu'ils en fassent le sujet d'un de leurs sketches post-modernes. Aucun risque, pourtant : le seul sujet qui intéresse Dog et Fish, c'est Dog et Fish.

Me demander de garder le silence était une chose ; exiger de moi que je plante là mes invités pour rentrer à la maison était une autre paire de manches. Pas évident de trouver la bonne excuse. Je veux dire, annuler un rendez-vous, c'est un jeu d'enfants. Tout le monde peut annuler un rendez-vous. Personne ne s'en prive, d'ailleurs. Mais être en plein rendez-vous, après des mois passés à établir le contact, à préparer le terrain, et s'éclipser brusquement après un coup de téléphone imprévu, laissant seuls à table vos deux invités que tout le show-biz s'arrache, nécessite une petite explication. Que faire ? J'optai pour une franchise… ambiguë.

— Désolé, lançai-je, ma femme est en pleine ovulation, je vous laisse.

Pas génial mais, sur le coup c'était ma meilleure réplique. Ils crurent à une plaisanterie.

— *Cool*, mec !

Leur rire, qui se voulait cynique, avait un je-ne-sais-quoi d'efféminé.

Je laissai mon numéro de carte de crédit au maître d'hôtel et sautai dans un taxi. En route, j'essayai de me concentrer sur des images érotiques en prévision de ce qui me tomberait dessus dès que j'aurais franchi la porte.

Bien entendu, Lucy m'attendait au lit. Facile pour elle : à l'agence, ça ne pose aucun problème qu'elle s'absente toute une journée. La plupart de ses clients font les voix *off* dans les documentaires télé, c'est du tarif syndical. Vous voulez le fond de ma pensée ? Dans cette boîte, c'est radio-potins de 9 heures à 18 heures. Mais ça, ça reste entre nous.

— Vite, vite ! hurlait Lucy. Le feu est vert, ma température est idéale et tous les petits points rouges sont en phase ! Mes œufs sont prêts *maintenant* ! Dans une minute, ils seront durs !

La pression…

Bordel de bordel de bordel, je me déteste, parfois. Depuis un mois, je ne pense qu'à la sauter et là, le trac. Je voudrais vous y voir. Pas facile d'avoir la trique quand votre partenaire ne quitte pas sa montre des yeux et se voit déjà condamnée à finir ses jours seule et sans enfants. On aurait dit qu'un Dieu cruel s'était amusé à remplacer ma queue par un tortillon de pâte à modeler rose. Dire qu'elle était « sans vie » aurait été flatteur. Lucy fit de son mieux pour la remettre d'aplomb – en vain. Et, pendant tout ce temps, je l'entendais penser : « Vas-y, bon sang, tu vas bander, oui ? Mes œufs sont prêts !!! »

En fin de compte, je redressai péniblement la barre et m'écroulai quelques minutes plus tard dans un orgasme peu glorieux. Un orgasme plutôt ennuyeux. Je ne trouve pas les mots pour décrire mon état de gêne. Je m'étais désintéressé de Lucy comme le pire des goujats. Elle m'assura sans conviction que ç'avait été très bien pour elle. Je lui fis part de mes craintes quant au faible volume de sperme produit. « C'est la qualité qui compte, pas la quantité », me répondit-elle. Gentil de sa part.

Ma chère Penny,

Aujourd'hui, c'était Jour de Baise, clef de voûte du Mois Sans Baise. L'expérience s'est révélée particulièrement nocive pour notre vie sexuelle. La sexualité, ça doit être spontané, érotique, surtout pas forcé et mécanique. Qu'y puis-je ? J'avais besoin d'une visite de routine, je l'ai eue, et maintenant c'est terminé. J'ai bien remarqué que Sam était contrarié. Je crois qu'il se sent dans la peau d'un vulgaire animal de ferme, un verrat ou un étalon reproducteur auquel on aurait brutalement extrait sa semence. Quoique le terme « étalon » soit sans doute exagéré. Il me semble avoir vu des béliers cogner plus fort à la porte du château... Pendant une minute, j'ai bien cru qu'il n'y arriverait jamais. J'ai dû user de toutes mes ruses de femme, j'ai même été jusqu'à lui « tailler une pipe », comme on dit, alors que ce n'est pas vraiment mon fort. Que veux-tu, je ne sais jamais comment m'y prendre. La mettre en bouche, ça va, mais après ? Il faut mâcher ? Ce qui est sûr, c'est qu'il ne faut pas s'amuser à la tailler avec les dents, comme on pourrait s'y attendre. De toute façon, ça n'a pas eu l'air de lui faire de l'effet ; après, on aurait dit qu'il essayait d'introduire de la guimauve dans la fente d'un distributeur automatique...

C'était carrément décourageant. Je sais bien que je ne suis pas une bombe sexuelle, mais c'est rassurant pour une fille de savoir qu'elle peut toujours faire bander son mec... La pression était trop importante, voilà ce qu'il y a. Tu comprends, il m'a vue faire des calculs pendant un mois, il ne pouvait pas ignorer que j'attendais le maximum. Pas facile pour lui, j'en conviens, mais, en tant que femme douée de sentiments, je n'ai pas eu l'impression de lui demander la lune.

Qu'importe, n'en parlons plus. L'honneur est sauf. Comme dit Sam, si ce coup-ci est le bon, notre enfant sera sûrement maître nageur, parce qu'on ne peut pas dire qu'il lui ait facilité le trajet...

Ensuite, Sam est sorti de la chambre sans attendre. Je lui ai demandé de rester un peu avec moi ; je trouve que c'est important sinon, c'est du cul et rien d'autre. Il m'a répondu qu'il devait retourner au travail. Belle excuse ! Lui qui n'arrête pas de se plaindre que son travail consiste en tout et pour tout à tresser des lauriers à de sombres crétins et à leur répéter qu'ils ont du talent ! Je lui ai dit que nous devrions nous consacrer davantage au versant affectif de notre relation, de peur de réduire notre vie amoureuse à une simple mécanique, dénuée de toute sensualité, de tout

romantisme. Il m'a répondu : « Ah oui, le romantisme, c'est ça,
c'est exactement le mot que je cherchais », et il est sorti.

A mon retour au bureau, trois messages m'attendaient.
« Rappeler Aiden Fumet », « Rappeler Aiden Fumet », « Rappeler
Aiden Fumet ». Fumet est l'impresario de Dog et Fish. Il s'occupe également de seize autres artistes comiques qui ont tous
été successivement décrits par *Time Out* puis le *Guardian*
comme « ce qui se fait de mieux aujourd'hui sur la scène
anglaise ». C'est un homme très agressif, ce qui n'a rien d'étonnant – il fait partie de cette race d'agents artistiques qui ont toujours été très agressifs. Mais ce qui le rend unique, c'est sa
façon d'être toujours convaincu d'être dans son bon droit.
Quand la BBC refuse l'antenne à ses protégés, ce n'est pas
parce qu'elle les trouve mauvais (une telle éventualité n'a jamais
traversé l'esprit de Fumet), c'est une nouvelle preuve qu'il
existe en Angleterre une conspiration visant à priver les jeunes
de leur ration quotidienne d'humour.

— Sam, c'est quoi c'te connerie d'lapin qu't'as posé à Dog et
Fish, au 1-9-0 ? J'te préviens, vieux, un coup d'fil et mes gars se
r'trouvent en *prime time* sur Channel 4, pigé ? Un putain d'coup
d'fil et la BBC peut aller s'faire mettre !

Franchement, je n'avais pas la tête à ça. D'ordinaire, je suis du
genre à laisser filer et à m'aplatir. Parce que la simple idée d'avoir
à discuter avec ce genre de types me file des boutons. Mais, parfois, le vermisseau peut faire face et montrer les dents (si tant est
qu'un vermisseau ait des dents), notamment quand il vient de se
ridiculiser au lit avec la femme qu'il aime et qui attend d'être
fécondée par sa généreuse semence.

— Eh ! oh ! Pour commencer, *vieux*, tu vas te calmer...

Et je lui balançai dans les gencives une réplique sévèrement
burnée. Dommage qu'il ait raccroché juste après ses menaces.

Pendant le dîner, j'ai raconté toute l'histoire à Lucy – et
provoqué malgré moi un léger quiproquo. Elle m'a dit qu'elle
était désolée pour ce qui s'était passé aujourd'hui et, compre-
nant qu'elle faisait allusion à ma prise de bec avec ce connard
de Fumet, je lui ai dit de ne pas s'en faire, qu'après tout c'était

mon boulot. En réalité, elle pensait à notre petit intermède sexuel ; elle craignait que je me sois senti utilisé « comme une vulgaire vache à traire », ainsi qu'elle me le dirait plus tard. Aussi m'a-t-elle sèchement envoyé à la figure : « J'espère que tu ne considères pas *ça* comme un boulot ? » Moi, interprétant ce ton cassant comme une critique mesquine envers la façon si peu gratifiante dont je gagne ma vie, j'ai répliqué : « Si, un boulot, parfaitement, un boulot emmerdant mais un boulot quand même. Et crois bien que je n'ai aucun plaisir à me le coltiner. »

De malentendu en malentendu, l'atmosphère s'est atrocement alourdie jusqu'à ce que nous tirions l'affaire au clair. J'en ai profité pour remettre aussitôt les pieds dans le plat. Lucy a déduit de ce quiproquo que nous avions peut-être besoin de communiquer davantage et de nous montrer plus tendre l'un envers l'autre. Pensant qu'elle cherchait à me consoler, je lui ai assuré que non, vraiment, elle n'avait pas à s'inquiéter pour moi, que moi-même je n'étais pas inquiet. Réponse très maladroite : elle essayait en réalité de me faire comprendre qu'un peu plus de sensualité dans mon comportement ne serait pas du luxe.

Après ça, plus un mot ne fut échangé et Lucy s'est mise à faire la vaisselle avec ostentation.

Ma chère Penny,

Aujourd'hui, j'ai mes saloperies de règles…

Je t'écris ces mots une bouteille d'eau brûlante coincée contre mon ventre, à cause des crampes. Oh ! quel bonheur d'être une femme… Voilà des jours que je m'y attendais.

Pourquoi cette sensation de douleur diffuse ? Dans quel but ?

Eh bien ! c'est un signal. Le signal que je vais encore souffrir le martyre pour quelques jours et me nourrir de calmants. Ah ! j'oubliais : ça signifie aussi que je suis stérile.

Druscilla dit que je devrais apprendre à aimer et à respecter mes règles car elles font partie du grand cycle sacré de la Terre et de la Lune. Sur le coup, je n'ai rien trouvé à lui répondre. Heureusement, car je lui aurais volontiers conseillé d'aller faire un tour de manège sur son sacré cycle à la noix.

C'est vraiment trop déprimant... Mon corps refuse de remplir les fonctions pour lesquelles il est fait avec l'obstination d'une horloge à coucou. C'est à vomir... Il y a quelques mois, je suis tombée en panne sur l'autoroute – plus exactement, ma voiture est tombée en panne, encore que j'étais moi-même complètement vidée. J'étais là, à attendre les dépanneurs, ça faisait peine à voir. Assise dans ma voiture apparemment en parfait état de marche, je me sentais tout à fait inutile, incapable d'obtenir le moindre début de réaction de cette bécane (en fait, c'était un conduit d'essence qui s'était obstrué). Pendant ce temps-là, je voyais filer des millions de voitures, tandis que moi, j'étais clouée au sol, sans savoir comment j'allais m'en sortir. Tu ne peux pas savoir comme c'est humiliant. Depuis, je me suis rendu compte que tout est comme ça dans ma vie. Mois après mois, je me retrouve en panne sèche, et comme je suis nulle en mécanique, je suis infoutue de redémarrer le moteur. Dans ces cas-là, il n'y a pas trente-six solutions : essayer, réessayer, chercher de l'aide, se préparer à une marche forcée sur le bas-côté jusqu'à la plus proche borne téléphonique, certainement en panne elle aussi, appeler l'équipe de secours, attendre des heures qu'elle daigne répondre, ou, si elle répond, qu'elle finisse par arriver sur les lieux, pour l'entendre dire qu'elle ne trouve pas l'origine de la panne ou qu'elle n'a pas les bons outils... Et, pendant ce temps-là, voir passer en trombe toutes les autres femmes de la Création en monospace Renault avec huit sièges pour bébé à l'arrière... Je file un peu trop la métaphore ? Possible. Ça m'est égal.

Je sais ce que tu vas dire : tout ça, c'est des jérémiades. Mais si je ne peux même pas pleurer dans les jupes de mon amie imaginaire...

Mes règles sont un véritable cauchemar ; quant au spectre de ma stérilité, c'est la cerise sur le gâteau. Depuis l'âge de treize ans, j'endure ce supplice abject douze fois par an, et tout cela pour rien ! Si on m'apprenait qu'il n'y a plus aucun moyen de réparer toute cette tuyauterie de merde, et que j'aurais mieux fait de réclamer une hystérectomie il y a déjà vingt ans, je crois que je préférerais encore mourir.

Cher journal,

Nouvel échec ! Bordel... Lucy dit que Sheila dit que le crétin de chez Oprah dit que je ne dois pas employer ce mot (« échec », pas « bordel »). « Échec » implique un jugement de valeur et sous-entend que nous nous considérons comme fautifs, ce qui est une erreur. Lucy a lu à peu près huit millions et demi de bouquins traitant de l'infertilité et, s'ils se contredisent sur plein de détails, tous s'accordent à reconnaître qu'un état d'esprit positif est indispensable.

Mon cul, oui. Nous avons essuyé un nouvel échec. Le Mois Sans Baise a été un fiasco complet. Lucy a ses règles. Actuellement, elle est au lit, toutes lumières éteintes, en train de gémir. Je suis sûr qu'elle veut un enfant pour être tranquille avec les règles pendant au moins neuf mois. Elle a l'air de tellement souffrir. Une souffrance dont je n'ai pas idée, mais que je conçois assez bien quand elle me dit que ce serait comme recevoir des coups de pied dans les couilles pendant deux jours non-stop. En même temps, elle n'imagine pas combien ça fait mal, un coup de pied dans les couilles...

J'ai l'impression de perdre mon temps. D'être impuissant. Oh là ! non, non, non, non, mauvais mot, mauvais mot ! Mais vous voyez ce que je veux dire... je veux dire que... bordel, je pète les plombs. Personne ne lira jamais ce carnet et je suis en train de parler au lecteur. Il faut que je me ressaisisse.

Bref, comme je m'en faisais la remarque, je me sens inutile quand Lucy a ses règles. Je l'observe en train de se tordre de douleur et je n'ai pas la moindre idée de ce que je pourrais faire pour elle. Tout ce que je sais, c'est que son bas-ventre gonfle jusqu'à atteindre la taille d'un ballon de foot, et c'est encore plus triste parce que ça lui donne l'air d'une femme enceinte. Tous les petits garçons de onze ans devraient apprendre ce que c'est que les règles. Moi, à l'école, personne ne m'en a jamais parlé. A tous les coups, ça continue d'être un sujet tabou. Résultat : quand on devient adulte, on n'ose plus poser de questions. D'accord, on connaît les grandes lignes mais, pour les détails, on n'a plus qu'à se rabattre sur les pubs pour tampons à la télé. Pas évident de décrypter leur langage codé, leurs histoires de « protection », de « liberté », de « fraîcheur », avec des oiseaux qui volent dans le ciel bleu, des torrents dans la montagne... Bon sang, mais qu'est-ce qu'on peut piger à tout ça ?

Ma chère Penny,

Je me sens mieux aujourd'hui, je veux dire physiquement car, pour le reste, le moral n'est toujours pas au beau fixe. La vérité toute crue, la voici : soixante et une règles depuis que Sam et moi essayons de mettre un bébé en route... Cinq ans et un mois. Même davantage si l'on tient compte du fait qu'avant, on ne faisait pas toujours attention. Pendant au moins un an, notre seul moyen de contraception fut le retrait. A l'époque, je voulais déjà tomber enceinte, et je me rappelle que si, par malheur, Sam ne se retirait pas à temps, je n'en faisais pas une maladie. Maintenant, je me rends compte qu'il aurait pu tout aussi bien rester au chaud jusqu'à Noël, ça n'aurait rien changé à rien.

Regardons les choses en face. Je suis fondamentalement malheureuse, je suis stérile, et mon utérus est aussi sec qu'un pruneau d'Agen.

Voilà, je l'ai dit. Qu'est-ce que ça peut faire, puisque je le pense ? Et à quoi servirait ce journal, si je cherchais à me cacher la vérité ? Excuse-moi une seconde, Penny, le temps d'aller prendre un mouchoir...

Désolée, Penny, je n'ai pas pu m'empêcher de pleurer. J'ai beau penser aux SDF et aux enfants d'Afrique qui meurent de faim, impossible de me retenir. Mais bon, c'est passé, me revoilà. Ne t'inquiète pas, je ne vais pas m'évanouir ou nous faire une crise de nerfs. J'ai simplement l'impression d'être un peu dépassée par les événements. Rien de grave.

Oui, je sais, il y a des femmes qui attendent bien plus de cinq ans et un mois (six ans et un mois pour être exacte), et puis tout d'un coup, sans crier gare, elles se mettent à pondre des gniards à droite à gauche, comme des truies. Ce genre d'histoires, je les connais toutes. Même celle du couple qui avait perdu tout espoir et qui, du jour au lendemain, s'estimait heureux s'il n'avait que huit gosses par semaine... Et puis il y a ceux qui disent : « Je connais quelqu'un qui a attendu plusieurs dizaines d'années ! »

Ou bien : « Ma cousine était quasiment morte depuis trois ans quand elle est tombée enceinte de son premier enfant. Oui, morte de vieillesse ! Son corps n'était plus qu'une pauvre tomate toute ratatinée et déshydratée – un cadavre. Sans compter que son mari avait perdu ses castagnettes à la guerre de Crimée ! Quand enfin ils ont réussi à concevoir un enfant, ils sont devenus insatiables, on ne pouvait plus les arrêter, ils nous auraient pondu l'équipe de foot et même les supporters ! »

Tout. J'ai tout entendu.

*Maman, elle, est convaincue que « tout ça, c'est dans la tête ». Comme tout le monde. Et, comme tout le monde, elle dit que je me préoccupe trop de ma carrière. Ma carrière ! Quelle carrière ? Laissez-moi rire ! Je n'ai pas, je n'ai jamais eu de carrière. Je ne suis pas agent artistique, je suis l'assistante d'un agent artistique. Négocier les droits dérivés sur la rediffusion d'épisodes d'*Emmerdale Farm[1] *sur le câble, j'appelle pas ça faire carrière.*

Melinda me dit que je devrais me détendre. Ils me disent tous la même chose ! Ils ne savent dire que ça ! « T'en fais pas, détends-toi, n'y pense plus, ça viendra tout seul… » Mais enfin, comment veux-tu te détendre quand ton corps n'est plus qu'un colis piégé qui te tambourine dans les oreilles à cinq millions de décibels, et que, chaque instant qui passe, tes ovules se dessèchent et se fossilisent un peu plus ?

Aujourd'hui, Melinda et George sont très gentiment venus nous voir avec leur petit Cuthbert. Non, vraiment, c'était sympa, je ne suis pas encore assez dégoûtée pour ne pas me réjouir de voir mes amis et leur bébé. Sam lui a trouvé un surnom : Scrotum. C'est tout à fait déplacé, car Cuthbert est un très beau bébé. Je l'ai pris dans mes bras pendant quelques minutes, j'avais presque envie de le manger ! C'est idiot, j'en ai terriblement honte, mais plus je disais : « Qu'il est chou, oh ! qu'il est mignon », plus je pensais : « Si seulement c'était le mien »…

---

1. L'un des feuilletons les plus populaires et les plus anciens d'Angleterre, dans l'action se situe dans un village du Yorkshire (N.d.T.).

Cher Sam,

Scrotum s'arrange un peu, encore que ça reste difficile à déterminer. Disons qu'il ne me donne plus envie de me planquer derrière le canapé quand je le vois, mais c'est peut-être l'habitude. J'ajoute que George est parvenu à refouler ses nausées, ce dont je me félicite, et qu'il accorde à son petit monstre le bénéfice du doute. La perspective de retrouver un jour Cuthbert enveloppé dans une couverture sur le porche d'une église s'éloigne peu à peu. Bon, on sait tous qu'il ne va pas finir top model, mais George s'obstine à croire qu'il a ses chances dans la finance ou à la radio. La boxe serait préférable. Voir son visage se boursoufler au fil des combats serait un soulagement pour tout le monde.

Sans doute suis-je injuste. Tous les nouveau-nés doivent ressembler à ça, c'est vrai, mais peu importe : ils ne me font aucun effet. J'ai beau me forcer, glousser avec les autres, rien à faire ; même les prendre dans mes bras, je ne peux pas. L'espèce de petit frémissement sur leur front, ça me fiche la trouille. La première fois que j'ai remarqué le truc, je m'attendais à voir un Alien poursuivi par Sigourney Weaver me sauter à la figure. Évidemment, Lucy n'a pas pu s'empêcher de trouver ça mignon, et moi je la regardais cajoler le mouflet et je savais qu'elle pensait : « Si seulement je pouvais en avoir un ! »

J'aimerais qu'elle en ait un. J'aimerais que nous en ayons un. En fait, j'adorerais être le père de l'enfant de Lucy.

De temps en temps, les rares fois où je me force à courir dans le parc, je me surprends à nous imaginer en famille. Je vois Lucy arrivant à la maison avec deux merveilleux petits bouts de chou, et moi rentrant du boulot, prenant un bain avec eux, puis le thé avec eux, puis leur lisant une histoire et après ouste ! au lit.

J'arrête d'écrire parce que je suis à deux doigts de me sentir triste.

Ma chère Penny,

Druscilla me suggère d'essayer l'aromathérapie. Elle m'a très gentiment offert des huiles essentielles de rose et de géranium. Il paraît que ce sont des huiles à base d'œstrogènes. Bien entendu, Sam est consterné. Qu'une femme s'oigne d'huiles parfumées, il n'y voit aucun inconvénient, mais de là à leur prêter des vertus miraculeuses ! Je déteste la manière dont il dit ça. Comme s'il y avait une façon rationnelle, évidente de faire les choses, et que tout le reste n'était que baratin et attrape-nigaud. Bien sûr, que c'est de l'attrape-nigaud, mais est-ce une raison pour être aussi négatif ? Je lui ai balancé : « Le ciel et la terre sont remplis de phénomènes que toute ta philosophie est incapable de concevoir, pauvre crétin cynique. » Et vlan, dans les dents !

En fait, Sam est un sensible qui se protège en feignant d'être complètement insensible. C'est pour ça qu'il souffre du syndrome de la page blanche. Comment écrire quoi que ce soit de valable sans y mettre un peu de soi-même ? Je ne vois pas.

Cher moi-même,

C'est l'infection ! La maison pue ! Qu'est-ce que Lucy a eu besoin d'aller parler à Druscilla ? Cette fille est plus nauséabonde qu'une chiure d'écureuil ! Elle et sa connerie d'aromathérapie… A l'heure où j'écris ces lignes, Lucy, une jeune femme saine de corps et d'esprit, est en train de faire bouillir des écorces de haie d'aubépine avec des racines de je ne sais quel buisson herbacé pour obtenir une teinture pour son bain. J'essaye de me montrer compréhensif, mais Lucy sait ce que je pense de tout ça et me reproche mon cynisme, mon manque de profondeur. Selon elle, cette mentalité déplorable est à l'origine de mon incapacité à écrire ; elle prétend que ma vie émotionnelle se déroule sur un plan superficiel et que je n'écrirai rien de potable tant que je n'aurai pas expérimenté des sentiments plus intimes. La réalité, bien sûr, c'est que je n'éprouve aucun sentiment intime et que mon incapacité à écrire vient directement d'une absence complète de talent et d'un QI qui ferait rougir un chou de Bruxelles.

Ma chère Penny,

Sam n'arrête pas de pester contre mon aromathérapie et mes plantes médicinales (il faut dire que je passe mon temps à faire bouillir du fenouil avec du gingembre, alors forcément, ça embaume). Il est tellement distant, tellement négatif, tellement peu *réceptif à tout ce qui est vaguement spirituel ou sensuel, que ça finit par me déprimer. Moi, je ressens vraiment un besoin de douceur et de spiritualité dans ma vie. Quel intérêt de vivre à deux si on ne peut même pas partager ce qui nous importe vraiment ? J'ai bien peur que, pour Sam, les sentiments ne soient qu'un fardeau. Avec moi, il n'aborde jamais les sujets essentiels. Il ne se passionne que pour son travail et pour des foutaises comme sa musique pop de l'Age de pierre. Parfois, j'en viens à me demander s'il me désire encore un peu.*

Aujourd'hui, Sheila a signé un contrat avec un client important. Un acteur, Carl Phipps. Il est passé à l'agence. Le genre arrogant et sûr de lui. Bien foutu, incontestablement. Et après ?

Cher moi-même,

La voilà qui allume des petites bougies et qui sort ces coupelles où elle fait chauffer des huiles essentielles. La maison pue de plus en plus, on se croirait dans une soirée d'étudiants. Je sais déjà que, demain matin, j'aurai le nez bouché. En plus, tout ce cirque me tape sur les nerfs et à elle aussi. Ce soir, elle m'a demandé de lui masser les fesses avec de l'huile de muscade. Soudaine pulsion érotique ? Non, conseil de Druscilla. J'ai posé mon bouquin et je me suis exécuté, mais elle a bien senti que je ne débordais pas d'enthousiasme. Les reproches n'ont pas tardé à pleuvoir : mon massage manquait de conviction, décidément je n'ai aucune chaleur tactile, c'est comme quand je refuse de lui faire des câlins en regardant la télé ; de toute façon, je suis trop coincé et je ne l'aime pas. Je devrais être heureux de lui prodiguer ce massage fessier, me réjouir de ce dialogue sensuel entre mes doigts et son derrière. Qu'est-ce que j'y peux, si je préfère lire mon bouquin ?

Attention, journal, je ne suis pas en train de dire que Lucy ne me plaît pas. Bien sûr qu'elle me plaît… Mais ça fait presque dix ans qu'on est ensemble ! Et l'idée d'approcher ma main de ses fesses ne me rend plus aussi dingue qu'autrefois. Caresser son derrière ne sera plus jamais l'exploration fiévreuse et magique de nos premières nuits torrides. Je ne vais pas raconter ça à Lucy, bien sûr. Elle serait horrifiée, me traiterait de vieux macho. Le pire, c'est que si je m'approchais d'elle pendant qu'elle regarde *EastEnders*[1] et lui chuchotais à l'oreille : « Tu me mets un doigt ? », je me ferais rembarrer vertement.

Mais c'est toujours comme ça avec les femmes, pas vrai ? Chacun voit midi à sa porte… Elle nage dans l'irrationnel. Elle me dit que je serais sûrement très content de masser les fesses de Winona Ryder… Entre nous, quel type ne le serait pas ? Mais, comme je ne réponds rien, Lucy voit dans mon silence un aveu. « Eh bien ! Vas-y, mon vieux, ne te gêne surtout pas pour moi ! » Alors j'explose, je lui réponds que non, je ne vais pas tartiner de muscade la raie du cul de Winona Ryder parce que je l'aime (Lucy, pas Winona) et que, malgré les réactions coupables de ma testostérone à la vue d'une starlette de cinéma, j'ai choisi de lui rester fidèle. (J'ajoute qu'il est possible que Winona ne soit pas à 100 % d'accord avec ce scénario, et il faut tout de même tenir compte de son avis.)

En plus, Lucy considère qu'un homme marié trouvant une autre femme attirante est aussi coupable que s'il avait une maîtresse. Je me tue à lui expliquer que, précisément, le fait qu'un homme reste fidèle alors qu'il continue de regarder les autres femmes (ce qui est commun à tous les hommes, sauf les morts) est la meilleure preuve de son amour, de sa dévotion, et qu'elle devrait être reconnue et appréciée comme telle. Mais j'ai droit à la parade habituelle : « Eh bien ! Vas-y, mon vieux, ne te gêne surtout pas pour moi ! » Ensuite, c'est l'escalade : « Mais je ne veux rien, bordel ! C'est ça, le truc ! Si je ne te trompe pas, ce n'est pas parce que je ne trouve aucune autre femme attirante, c'est parce que je t'aime ! » « Ben voyons ! En tout cas vas-y, mon vieux, ne te gêne surtout pas pour moi ! » Etc., etc.

Ainsi passent les jours…

Ma chère confidente,
Je me sens un peu triste. Je sais que Sam m'aime, je crois deviner qu'il me trouve toujours attirante, mais il ne fait absolument

---

1. Sitcom à dimension sociale relatant la vie d'un groupe d'habitants du quartier londonien de l'Est End. Diffusée sur BBC1 depuis 1985 (N.d.T.).

rien pour me le prouver et ne me le dit jamais. Bien sûr, lui prétend le contraire. Il proteste que j'aie l'ouïe sélective, que je ne l'entends jamais quand il me dit des mots doux, mais que j'entends très bien quand il ne m'en dit pas. C'est archi-faux. S'il lui arrive de me dire des mots doux, c'est parce que je les lui réclame, tout simplement. A mon avis, sa mère ne l'a pas assez choyé quand il était petit. Ce soir, je lui ai demandé de me masser le bas du dos avec de l'huile ; il l'a fait sans rechigner, mais je sais que, pour lui, c'était une vraie corvée, si bien que ça n'a servi à rien du tout. Les effets de l'aromathérapie, s'ils sont réels, ne peuvent être qu'infiniment subtils, et sont intimement liés aux biorythmes les plus délicats. Or, Sam ne dégage que des ondes négatives. Quel meilleur moyen de tout foutre par terre ? Soyons réalistes : mes biorythmes intimes n'ont pas l'ombre d'un soupçon de chance face à cette grosse masse de négativité brute qui ne demande qu'une chose, pouvoir reprendre la lecture de son journal.

Fut un temps où Sam était bien plus agile de ses dix doigts. Aujourd'hui, il ne s'embarrasse même plus de préliminaires quand nous faisons l'amour. Ça ne veut pas dire qu'il ait une queue d'airain, ni qu'il soit un barbare insensible. C'est même plutôt le contraire, Sam est plein d'attentions, mais ça fait longtemps qu'il ne cherche plus à forcer sa nature. Il me caresse un petit bout de temps et, juste au moment où il me sent prête, il passe aux choses sérieuses. J'ai essayé d'aborder le sujet avec lui, mais ça l'a foutu en boule. Ça lui paraît inévitable qu'après des années de vie commune, un homme et une femme éprouvent l'un pour l'autre moins d'attrait érotique et se témoignent moins de sensualité. Ce n'est pas du tout mon avis. Parfois, je préférerais des caresses et des câlins plutôt que de me faire sauter. Malheureusement, ça m'étonnerait que Sam comprenne mon point de vue.

Cher journal,

Lucy est au bout du rouleau. Elle parle de moins en moins depuis quelques jours, et je sais que cette histoire de fertilité la travaille. L'autre soir à la Bib, il y avait ce documentaire sur la fécondation in vitro. Elle l'a appris par cœur. Moi, je ne peux pas voir ça. Je n'arrive pas à me sentir concerné et encore moins attristé par les déboires de parfaits inconnus. Lucy, elle, enregistre. Elle enregistre tout ce qui concerne la fertilité, même l'émission matinale de ce crétin prétentieux de Kilroy. Elle découpe des articles dans les journaux (il y en a un nombre impressionnant) et écrit à toutes sortes d'organismes. Tout ça est un peu déprimant, même si elle se montre très efficace, très organisée, refusant de se laisser submerger par ses émotions. Pourtant, la voir s'extasier devant la layette ne laisse pas de m'inquiéter. Je sais, toutes les femmes sont comme ça. Elles tombent en arrêt devant une mini-paire de chaussettes et soupirent : « Ce que c'est chouuuu… »

Pourquoi ? Mystère insondable. Ce sont des chaussettes *vides*, des chaussettes-sans-bébé-dedans. Comment peuvent-elles trouver ça « chouuuu » ? Je trouve Winona Ryder très attirante (je l'ai déjà dit, je crois), mais je ne me mettrais pas à m'extasier devant ses chaussettes. Quoique… Bref, tout ça pour dire que la vue d'un groupe de filles contemplant un petit pantalon ou une brassière en roulant des yeux me laisse perplexe.

Pareil pour les poupées. Lucy aime les poupées. Elle a trente et un ans et elle aime les poupées. Du coup, elle se sent obligée de trouver des raisons pseudo-artistiques à cette passion – et que je te parle des vieux jouets artisanaux, de cette forme d'art populaire en voie de disparition, et que je te montre, sous les pieds de porcelaine, le cachet de ce célèbre fabricant allemand… La vérité, c'est qu'elle adore les poupées et que, si elle ne craignait pas d'avoir l'air stupide, elle repartirait de la boutique avec une Barbie sous le bras.

Stop. J'ai un scénar à lire ce soir, une comédie tout droit sortie d'un nouveau groupe de travail de la Bib. L'auteur a déjà vu une de ses pièces en un acte montée au Royal Court ou dans je ne sais quel autre théâtre londonien hyper-subventionné spécialisé en branlette intellectuelle. Lucy m'assure que nous avons assisté à une des représentations, mais je n'en ai pas le moindre souvenir. Cette nouvelle pièce s'intitule *Enculés d'enculés*. J'ai prévenu l'auteur que nous serions sans doute obligés de changer le titre, il m'a regardé comme si je venais de lui annoncer l'annexion des Sudètes. J'en ai marre. Hier, je passais pour un producteur *trash* et branché parce que je commandais des sketches sur les tampons hygiéniques ; aujourd'hui, je suis un nazi parce que je déconseille à un jeune auteur d'employer le mot « enculé » dans un titre. Ah, c'est sûr, au Royal Court, ils veulent des titres qui choquent le bourgeois et une scène de sodomie à la fin du premier acte.

La vitesse à laquelle je suis en train de virer vieux con m'effraie...

Ma chère Penny,

Assez tergiversé : j'ai pris rendez-vous avec mon gynéco. Cinq ans et un mois (bientôt deux, à n'en pas douter), ce n'est plus de la malchance, c'est de la fatalité. A l'évidence, quelque chose ne tourne pas rond. Franchement, je préfère connaître la vérité, ça me soulagera. De toute façon, au point où j'en suis, le meilleur moyen de tomber enceinte, c'est encore de recourir à la stimulation ovarienne. Au moins, ça rejoint les 17 millions d'histoires de bonnes femmes et autres racontars dont on me rebat les oreilles depuis des années. Je ne cesse d'entendre des femmes qui connaissent des femmes qui avaient décidé de recourir à la fécondation in vitro et qui se sont retrouvées enceintes sur le chemin de la clinique ! Il y a une autre histoire qui circule : des nanas pour lesquelles la fécondation in vitro n'avait donné aucun résultat se seraient retrouvées enceintes immédiatement après, par les voies traditionnelles, ou plus simplement en s'asseyant dans l'herbe humide, ou que sais-je encore. A quoi il faut ajouter tous ces gens dont la cousine, alors qu'elle venait juste de signer des formulaires d'adoption, est tombée subitement enceinte. Sans parler du club des miraculées engrossées par l'opération du Saint-Esprit à 8 000 mètres d'altitude, de retour de Bosnie où elles étaient parties pour tenter (vainement) d'adopter un bébé. Avec toutes ces légendes, j'en suis venue à la conclusion que la seule façon sûre de tomber enceinte, c'est encore d'être déclarée stérile.

Carl Phipps, notre nouvelle vedette, est repassé au bureau aujourd'hui pour régler les frais d'agence. Ça ne fait pas quatre jours qu'il est chez nous, et on lui a déjà fait une offre pour un film ! J'ai comme l'impression que ça lui monte un peu à la tête. C'est ce que nous appelons entre nous un APPHC : Acteur Pétant Plus Haut que son Cul.

Cher etc., etc.,

Gros, gros coup de blues. Aujourd'hui, j'ai fait la connaissance du nouveau directeur de chaîne. Il est *plus jeune* que moi ! C'est la première fois que ça m'arrive, d'être plus âgé que mon patron ! Je le déteste. C'est à ce morveux de Granada TV qu'on doit ce documentaire sur les connexions entre le parti conservateur et les filières de la prostitution russe – ce qui en fait bien sûr le directeur rêvé pour notre unité Spectacles et divertissements ! En entrant dans son bureau, j'ai senti la main glacée de la Faucheuse s'abattre sur mon épaule. J'ai trente-huit ans, dans deux ans la quarantaine !

Après ça, j'ai eu envie de me taper un bon petit footing de décrassage. Je n'y suis pas allé, mais j'en ai eu envie.

Je suis embêté pour Lucy, en ce moment. Non seulement elle doit gérer ce problème de fertilité mais, en plus, au boulot, elle doit se coltiner un nouveau client modèle connard de chez connard. Cet acteur, là, Machin Phipps, je ne me rappelle jamais son prénom – Karl, Charles ? Non, pas Charles... Bref, apparemment un type chiant. Lucy m'en a un peu parlé à table, ce soir, et c'est clair qu'il lui sort par les yeux. Comme si elle n'avait pas déjà assez de problèmes...

Ma chère Penny,

Aujourd'hui, j'ai rendez-vous avec le docteur Cooper. Depuis que j'ai enfin accepté l'idée que j'ai sans doute un vrai problème et que je suis entrée dans une phase de résolution, je me sens déjà mieux. Toutes mes copines, plus ma mère, plus celle de Sam, n'en continuent pas moins de m'assurer que cinq ans et un mois (bientôt deux) de tentatives infructueuses, ce n'est pas encore assez. On continue de me bombarder de bêtises, du genre « je connais une femme » qui, avec la dernière énergie et sans jamais se décourager, a tout essayé pendant sept ans, et puis tout d'un coup, paf ! elle s'est retrouvée avec trois polichinelles dans le tiroir. Si seulement tous ces gens pouvaient arrêter de me raconter les mêmes CONNERIES *une bonne fois pour toutes ! Ils pourraient au moins inventer des variantes... On dirait qu'il court sur la stérilité encore plus de légendes que sur ces vedettes de cinéma qui – à en croire la rumeur – s'introduiraient des petits mammifères dans l'arrière-train… J'aimerais tellement bénéficier d'un avis autorisé, plutôt que ce ramassis de ouï-dire sans fondement…*

Je rentre à l'instant de mon rendez-vous avec le docteur Cooper. Il m'a dit que cinq ans et un mois (bientôt deux) de vaines tentatives, ce n'est pas tant que ça, d'ailleurs il connaît un paquet de femmes qui ont essayé de toutes leurs forces pendant sept ans, pour finalement se retrouver avec douze mioches par tête de pipe. Il me semble entendre l'appel impérieux du gin tonic…

Le docteur Cooper m'a quand même conseillé de faire une prise de sang pour mesurer mon taux hormonal. Il a aussi recommandé un spermogramme. J'en ai parlé à Sam cet après-midi. Je pensais qu'il le prendrait mal, mais pas du tout. Les hommes sont si tatillons dès qu'on touche de près ou de loin à leur virilité ou à leurs bijoux de famille ! Il a très bien réagi, ça ne lui pose aucun problème, d'ailleurs ça ne l'ennuie pas le moins du monde, bien au contraire.

Bordel de bordel de bordel de bordel !!!
Mon sperme est trop dilué ! J'en suis sûr. Rien dans le slibard ! Les couilles à plat ! Je ne peux rien écrire d'autre ce soir.

Ma chère confidente,
   J'ai rendez-vous mardi prochain pour ma prise de sang. Après ça, je devrais enfin savoir de façon certaine si j'ovule ou pas. Mon Dieu, faites que j'ovule, sinon ce serait la catastrophe ! Dix années de capotes, de diaphragmes, de stérilets et d'abstinence, plus cinq années de thermomètre, de calculs et de pipis sur des feux tricolores, soit en tout quinze années gâchées en pure perte !
   Druscilla est effondrée par la perspective de cette prise de sang. Elle estime que la médecine moderne perturbe profondément l'individu (parce qu'il ne faut pas être profondément perturbée pour se promener à poil à Stonehenge entre menhirs et dolmens, peut-être ?). Elle pense que je ferais mieux d'essayer la visualisation. D'après ce que j'ai compris, il s'agit d'une thérapie qui consiste à respirer, à se relaxer et à… visualiser (sans blague !). Si je la suis,

il faudrait que j'arrive à visualiser un bébé à l'intérieur de moi, dans mon estomac, dans mes bras, même dans mon âme, jusqu'à ce qu'il devienne partie intégrante de mon moi. Je lui ai dit : « Druscilla, ma chérie, que crois-tu que je fasse depuis des années ? » « Mais tout le problème vient de là ! elle m'a répondu. Tu es trop obsessionnelle. Tu dois laisser parler tes rêves. » Jamais rien entendu de plus débile.

Je me suis quand même inscrite pour la séance de demain soir.

Sheila m'a aussi suggéré de me saouler plus souvent et de me mettre à la cigarette. Tout ça parce que les deux seules fois où elle est tombée enceinte dans sa folle jeunesse (Joanna et moi sommes tombées des nues, nous ne savions même pas qu'elle s'était tapé des mecs), c'était après une cuite mémorable. Ça s'était terminé par deux avortements, parce qu'elle n'avait aucune idée de qui pouvait être le père. Je me suis sentie obligée de lui dire que, moi aussi, je m'étais déjà fait sauter bourrée, et même plus d'une fois, mais que, malheureusement, mon taux d'alcoolémie n'avait jamais résolu mon problème.

Sam commence à montrer quelques signes d'inquiétude à la perspective de son spermogramme...

J'ai appris quelque chose de très intéressant aujourd'hui à propos des spermatozoïdes. Non que le sujet me préoccupe particulièrement ces temps-ci mais je suis tombé sur un chauffeur de taxi qui, comme il arrive parfois, s'est mis à me parler reproduction. Bref : il semblerait qu'en Occident, le taux de spermatozoïdes tende à diminuer avec les générations. A dégringoler, pour être précis. Moins 25 % depuis l'entre-deux-guerres – moins 25 % ou 50 %, le chauffeur ne se rappelait plus le chiffre exact. Pour une raison inconnue, la nourriture, la pollution, les radiations de nos portables ou l'espèce de concrétion marronnasse au fond des boîtes de conserve, nous autres, hommes modernes, produisons un sperme considérablement moins riche que celui de nos grands-pères. N'est-ce pas étrange ? Quand on songe que notre société considère le troisième âge avec mépris... On ne veut pas ressembler à ces vieux, ils coûtent cher à l'entretien, ce sont des boulets, ils sont définitivement hors-jeu. « Pauvre papy... Regardez-le, en train de baver dans son coin, mâchouillant dans le vide, toujours à vouloir zapper quand la famille est devant la télé… »

Et voilà qu'on apprend que cette canaille a des couilles plus grosses que celles de toute sa descendance réunie ! Et que le sperme est une denrée périssable ! Georges Formby en avait plus que Tom Jones qui en a plus que Liam Gallagher. J'hallucine. Les testicules de Bobby Charlton sont plus productifs que ceux de Paul Gascoigne qui éjacule plus riche que Michael Owen ! D'ailleurs, j'y pense, c'est pour ça que nos vieilles gloires du foot portaient ces espèces de bermudas – pour avoir la place de ranger leur matos ! Et ça explique leur façon de courir à deux à l'heure, en traînant la patte. Difficile de piquer des sprints avec des valoches pareilles entre les jambes !

Depuis quelque temps, je me sens étrangement vieux – sensation ridicule à trente-huit ans, pas vrai ? D'accord, je peux me rassurer en me disant que, si ça se trouve, je n'ai même pas vécu la moitié de ma vie. Mais bon, on ne peut quand même pas comparer la soixantaine à la vingtaine ! Et à quoi bon avoir encore autant d'années devant soi, si elles sont moins actives ? Merci bien. Déjà que j'ai les genoux bousillés après une heure de tennis…

Je n'aime pas ce genre de pensées. En fait, je n'aime pas penser tout court. Je ne suis pas du genre introspectif. Ce sont ces fichues lettres à moi-même qui donnent cette impression. Peut-être devrais-je ralentir sur la bouteille. Allez, je m'ouvre une bière et je fais le point sur tout ça.

Je crains que la séance de visualisation dirigée par Sheila n'ait planté sur toute la ligne. Pourquoi faut-il que la moindre expérience un tant soit peu différente *soit monopolisée par la fine fleur des barjots ? Honnêtement, et sans vouloir dire du mal des gens, à côté de tous ces gugusses, Druscilla paraît presque saine d'esprit – et pourtant, elle est plus à l'ouest qu'une troupe d'art dramatique au grand complet !*

Quand je me suis pointée au foyer socio-éducatif, j'ai été accueillie par une grosse bonne femme avec plus de cheveux (teintés au henné) sur le crâne que de poils sur un chien de berger, et des seins comme des montgolfières. Elle m'a demandé si par hasard je ne voulais pas lui acheter quelques sets de table en toile de jute lavable à base de serviettes hygiéniques recyclées ! C'est dégueulasse, non ? Recycler le verre, le papier journal, les bouteilles en plastique et les canettes, je veux bien, mais les serviettes hygiéniques ! Si c'est le prix à payer pour sauver la planète, je préfère encore la laisser crever sur pied. En toile de jute ?! Mais ça doit gratter horriblement ! Toutes ces écolos doivent avoir la chatte tannée comme du cuir ! Ou alors c'est moi qui n'y connais rien...

J'ai tourné en rond et gambergé pendant un bon moment, et puis finalement je me suis décidée à prendre sur moi et à me jeter à l'eau. Après tout, je n'avais aucune raison de le prendre de si haut.

Pour commencer, on a eu droit à une « séance de bienvenue ». Ça consiste à s'asseoir en formant un grand cercle et à s'envoyer une balle en forme de haricot. A chaque fois qu'on reçoit la balle, on doit dire son nom. Ça m'a paru assez facile, mais il semblerait que, pour certaines, l'exercice soit quasi insurmontable. Question de rythme. A croire qu'elles n'ont jamais été cheftaines. Passons.

Après ça, l'animatrice (une Américaine) nous a proposé de participer à un exercice d'« imagination dirigée » qui s'est révélé assez relaxant, pour peu qu'on veuille se laisser aller. Ça consiste à se représenter une belle forêt avec un sentier le long d'un ruisseau, enfin ce genre de trucs, une brume épaisse sous la canopée verdoyante, etc., je te laisse imaginer. Bref, une tranquillité infinie. Ça m'a bien plu. J'ai même failli m'endormir – ça n'aurait pas été de refus parce que, sur le coup, faut reconnaître que ça m'a carrément rasée. S'il avait été là, ce cuistre de Sam n'aurait pas pu s'empêcher de faire une remarque qui aurait tout flanqué par terre. Pour que ce genre de technique alternative donne des résultats positifs, il faut savoir laisser son intelligence au vestiaire.

Une fois qu'on était bien parties, l'Américaine nous a demandé de visualiser un bébé fictif et de l'accueillir dans notre utérus. Je crois que c'est là que j'ai décroché. Tous les bénéfices de la relaxation se sont envolés pour se transformer en colère et en frustration, et ma belle forêt a immédiatement laissé la place à notre bonne ville de Londres et à sa riante banlieue. J'ai eu beau lutter, mes yeux se sont ouverts, et j'ai pu voir toutes ces tristes folles assises en rond, dans le même pétrin que moi (mis à part le fait qu'il m'arrive de me coiffer). Alors je me suis mise à les haïr de tout mon cœur, et à me haïr moi-même par la même occasion.

A la fin, j'ai dit à l'Américaine qu'à mon avis, dans mon cas, la visualisation n'était vraiment pas l'approche privilégiée. Je lui ai expliqué que je passe le plus clair de mon temps à ne pas penser aux bébés en général, sinon ça me met le moral à zéro. Elle a paru comprendre, mais elle m'a répété que je devais m'« autoriser à désirer, à rêver », et même à exprimer ma souffrance de ne pas avoir de bébé. Elle m'a expliqué que je luttais contre mon propre corps, que je voyais en lui l'ennemi de tous mes espoirs, comme s'il m'était odieux, et que toute cette tension autogénérée ne pouvait que m'interdire le chemin vers la procréation. C'était assez bien raisonné, et je me suis aussitôt prise d'amitié pour cette femme. Mais je n'y retournerai pas pour autant. Trop frustrant. J'avais l'impression de hurler en moi-même : « Je n'ai pas besoin d'imaginer un bébé, je veux un vrai bébé, en chair et en os ! » Je connais des mégères qui en ont des tas. Pourquoi ? C'est injuste ! Je sais que c'est mesquin de dire ça, mais je suis persuadée que je ferais une bien meilleure mère que ces femmes que je vois, au supermarché, laisser leurs enfants entasser des paquets de bonbons dans le chariot sans rien dire. C'est comme ces gens, aux infos, qui semblent n'avoir des enfants que pour les laisser semer la terreur dans les cités et devenir des chefs de bande ou des multirécidivistes. Tant d'injustice, c'est insupportable... Moi, mon enfant, je lui lirai des histoires de Beatrix Potter et de Winnie l'Ourson et, pour ce qui est de sniffer de la colle, il ne connaîtra que l'odeur de la pâte à sel.

Quand je suis rentrée à la maison, une lettre m'attendait. C'était Melinda qui m'envoyait des photos de notre visite, avec George et le petit Cuthbert. On me voit avec le bébé dans les bras ; il est tellement mignon, on dirait que c'est le mien. Je ressemble à n'importe quelle mère avec son enfant, sauf que je ne suis pas sa mère et qu'il n'est pas mon enfant. J'ai failli fondre en larmes, mais je me suis rappelé ma promesse : halte à l'obsession ! Je me suis donc rabattue sur une demi-bouteille de bordeaux.

Le spermogramme de Sam est imminent. J'ai d'abord cru qu'il n'en ferait pas une affaire, mais on dirait que ça commence à le travailler sérieusement...

Déjeuner avec Trevor et George, du boulot. J'étais bien décidé à aborder avec eux cette histoire de sperme. A leur tirer les vers du nez, comme qui dirait. George doit bien savoir quelque chose. Après tout, il a produit Cuthbert, même que je n'aimerais pas rencontrer le spermatozoïde responsable de ça. En tant que gay, Trevor est sûrement très calé sur le sujet – lui et le sperme, c'est une longue histoire d'amour... Bref, j'espérais que leur point de vue apaiserait quelque peu mes craintes concernant mon spermogramme.

Rien à faire. On a parlé boutique. Pour changer. C'est ce qui est marrant avec ce métier qu'on appelle le divertissement : quand des personnes qui travaillent dans cette branche se retrouvent, elles sont incapables de parler d'autre chose. Je ne vaux pas mieux qu'elles. Je crois savoir que les militaires ont une règle qui leur interdit de discuter boulot après le dîner. Une idée géniale, mais qui serait catastrophique pour nous : nous sombrerions aussitôt dans un silence angoissé. Demander à des types bossant dans le show-biz de ne pas parler show-biz serait comme demander au pape de la mettre en veilleuse sur la religion.

Nous avions trouvé un resto chicos à Soho. Quark, ça s'appelle. Tous les restaurants de Soho sont chicos, maintenant. Les petites trattorias sans façon ne sont plus qu'un lointain souvenir. Évidemment, je me suis empressé de passer pour un con. Je suis arrivé le premier et une serveuse (qui portait une jupe à peine plus large qu'une ceinture – Dieu ! pourquoi nous imposes-tu pareils tourments ?) a aussitôt posé sur la table un plateau de mini-bouchées aux crevettes. Je lui dis qu'elles devaient être destinées à quelqu'un d'autre car je n'avais encore rien commandé. Aussi sec, elle s'est ouvertement foutue de moi ! Elle a éclaté de rire et elle m'a dit que c'était des « mises en bouche *offertes par la maison* », comme si elle s'adressait à un pauvre touriste égaré ! La honte. Surtout pour un professionnel du repas d'affaires comme moi. J'ai tenté une pirouette pour sauver la face : aurait-elle la gentillesse de me prêter un stylo pour que j'écrive « CRÉTIN » sur mon front ? Le problème, c'est qu'elle m'en a apporté un.

Incroyable, non ? Tout ça, c'est la faute aux Américains. A New York, ils sont vifs, percutants, gonflés. Et nous autres, braves Britanniques, on se sent obligés de les imiter. Parce que ça marche comme ça aux *States*. Le culot, le sens de la repartie, les New-Yorkais ont ça dans le sang. Quand nous on s'y met, ça sonne faux. Les bonnes manières, c'est périmé, un reliquat honteux d'une culture de classes. L'idée, de nos jours, c'est que montrer du respect, être poli signifie se diminuer soi-même. D'où la nécessité d'être brutal pour s'affirmer. Plutôt triste.

Après le fiasco des mises en bouche aux crevettes, la serveuse à moitié nue m'a donné la carte des vins. Impossible d'affronter la carte des vins après pareille débâcle. J'aurais commandé un vin de dessert en entrée et on m'aurait couvert de goudron et de plumes avant de me foutre à la porte. Je me rabats donc prudemment sur une eau minérale. Et là, elle me tend la *carte des eaux minérales* ! Une carte reliée plein cuir ! Du jamais vu. Mesdames et messieurs, le monde a officiellement pété les plombs !

Enfin, bref. Comme je le disais, j'espérais pouvoir amener mes deux collègues sur le terrain glissant du sperme, mais avant même de lancer la première perche (manœuvre délicate), nous voilà partis dans les derniers racontars de la profession. Tout a commencé quand Trevor nous a parlé d'un scénario qu'il voulait commander.

— Je ne voudrais pas avoir l'air de me mêler de ce qui ne me regarde pas mais, en tant que chef de l'unité de programmes Séries et Comédies de BBC réseau sud, je trouve ça…

George n'est pas allé plus loin : Trevor s'est joint à moi pour lui rappeler que *nous* sommes les chefs de l'unité de programmes Séries et Comédies de BBC réseau sud. George, lui, est co-directeur de l'unité Divertissement de BBC Télévision. Je l'avais lu un jour sur un carton d'invitation. En revanche, je savais qu'il ambitionnait de prendre la direction du réseau régional câblé. Je l'avais lu la veille dans l'*Independent*. George s'est défendu en expliquant qu'il n'était responsable ni des conneries écrites sur les cartons d'invitation ni de celles publiées dans l'*Independent* et qu'il était bien chef de l'unité de programmes Séries et Comédies de BBC réseau sud.

— Dans ce cas, pourquoi tu cherches autre chose ? a demandé Trevor.

George a expliqué que pas du tout, il se sentait parfaitement à l'aise à son poste et qu'il n'avait aucune intention d'aller voir ailleurs, ce qui signifie qu'il meurt d'envie de partir sur Channel 4.

La nouvelle mérite qu'on s'y arrête. Car si George part sur Channel 4, et s'il est bien chef de l'unité de programmes Séries et Comédies de BBC réseau sud, alors ou moi ou Trevor devons nous attendre à lui succéder à ce poste (que nous occupons déjà, d'ailleurs). Par conséquent, celui de nous deux qui remplacera Trevor laissera sa place (quelle qu'elle soit) vacante pour l'autre. Ainsi, nous pourrons enfin voir nos noms dans les pages « Médias » de l'*Independent* et connaître ce quart d'heure de gloire habituellement hors de portée d'obscurs exécutants comme nous.

Trevor a poursuivi en disant qu'il savait quel était mon job parce qu'on le lui avait proposé avant moi (léger pincement au cœur). Aux dernières nouvelles, donc, je suis directeur des programmes Variétés de la BBC et, si c'est le cas, ça craint parce que, pas plus tard que l'an dernier, j'étais encore chef de l'unité Fictions de divertissement de BBC Londres et réseau sud-est. En d'autres termes, j'ai régressé sans m'en apercevoir et je me trouve plus éloigné que jamais du poste de directeur de BBC Télévision. Quoi qu'il en soit, pendant que nous réfléchissions, la serveuse a apporté à Trevor un pli déposé par un coursier et adressé au directeur éditorial adjoint de BBC International, un poste dont ni lui ni nous n'avions jamais entendu parler. Troublant. Nous nous sommes jurés qu'au cocktail de fin d'année nous trouverions le courage d'aller demander au président-directeur général en quoi consistent au juste nos boulots respectifs.

Après quoi la discussion a glissé vers d'autres sujets. Trevor et George ont eu leur dispute habituelle à propos de l'alcool. Trevor ne boit plus, ce que George désapprouve du fond du cœur, notamment parce que, depuis sa « guérison », Trevor se sent obligé de mentionner sa « maladie » à tout bout de champ.

— En tant qu'alcoolique guéri, je ne vois aucun problème à ce que vous buviez du vin à cette table. Et même, le plaisir que vous éprouvez me fait plaisir.

— Tant mieux, a ricané George. Comme si on en avait quelque chose à foutre !

— Oh, moi, tu sais, ce que j'en dis…

— Justement, n'en dis rien. Écoute, Trevor, tu ne bois plus, c'est génial. Bon, tu n'as jamais vraiment beaucoup bu mais maintenant, ça y est, tu es guéri. Tu ne crois pas qu'il serait temps de tourner la page ?

— Mais c'est le cœur du problème, George. Tu n'es jamais *vraiment* guéri. Je suis alcoolique. Je serai toujours alcoolique. Je pourrais ne plus approcher une bouteille en cinquante ans, ça n'y changerait rien.

C'est le passage que George déteste.

— Eh ben, alors ! Au point où tu en es, sers-toi un putain de verre ! s'est-il exclamé, assez bruyamment pour attirer l'attention des clients.

C'est alors que j'ai tenté d'amener sur le tapis mon histoire de sperme, pour arrondir les angles, mais George, après s'être coltiné l'obsession de Trevor, est passé à la sienne. Il a sorti de son porte-feuille des photos du petit Cuthbert. J'ai toujours cru que ce genre de comportement entre gens du sexe fort était prohibé mais, mani-festement, les temps changent. Nous sommes désormais des pères attentifs et protecteurs. La faute à ces pubs des années 80 montrant des culturistes tenant contre leur torse viril de fragiles créatures potelées. Moi, je trouve ça niaiseux, mais sans doute ne suis-je pas encore prêt à laisser mes sentiments profonds s'exprimer.

Au passage, j'en profite pour noter que le jeune Cuthbert prend peu à peu forme humaine. Le scrotum se remplit et perd sa consistance ridée. Il avait même l'air jovial dans sa brassière Baby Gap. George trouve scandaleux que les vêtements de son bébé coûtent plus cher que ses propres vêtements. Pourquoi leur acheter des habits de marque, aussi ? Ils vomissent dessus, ils chient dedans et ils se roulent dans la boue avec. De l'argent foutu par les fenêtres, voilà ce que c'est. George s'est juré d'avoir bientôt une discussion sérieuse avec Melinda à ce sujet. Pour sa part, Trevor (qui est plutôt un type élégant) nous a traités de pisse-froid et de rabat-joie.

— Je serais bien content, moi, que mon mec ait la même classe naturelle que Cuthbert.

George lui a dit que ça lui faisait une belle jambe parce qu'en tant qu'homo, il ne serait jamais confronté au grave problème d'élever un nourrisson.

— Qui sait ? a répondu Trevor. Avec les travaillistes au pouvoir, les lois sur l'adoption pourraient bien changer…

Seigneur. Trevor va être père avant moi et il est homosexuel.

Ma très chère Penny,

Pardonne-moi de ne pas t'avoir écrit depuis plusieurs jours, mais je n'étais pas dans mon assiette.

Tu te souviens, quand je t'ai dit que Sam n'était plus aussi agile de ses dix doigts ? J'y ai repensé, et je crois que c'est dû en partie au fait que notre vie sexuelle est devenue trop « clinique ». Ma quête de fertilité est dans une telle impasse que ça doit la lui couper, c'est ce que je me suis dit. J'ai essayé d'aborder le sujet avec lui. Je lui ai dit que j'étais désolée que le compartiment baise soit souvent fermé de l'intérieur ces temps-ci, que c'est à cause de cette histoire de bébé qui fait que j'ai la tête ailleurs, mais que lui n'y est pour rien. Je lui ai dit aussi que je le trouvais toujours désirable et, pour lui montrer ma bonne volonté, je lui ai sauté dessus sans autre cérémonie. Mais, apparemment, ces légers désagréments n'avaient pas l'air de le perturber. Il y a de quoi se décourager. Il s'est contenté de me faire un bisou sur le nez et m'a dit de ne pas me faire de mouron pour lui, qu'il se portait comme un charme. Ce n'était pas exactement la réaction que j'attendais.

Je sais bien que Sam m'aime, mais il ne me prend presque plus jamais dans ses bras. Et quand je dis « prend », ce n'est pas au sens propre (par opposition au sens sale), mais bien au sens sexuel du terme ; il se trouve que ce n'est plus vraiment ce que c'était. Je crois que ce qu'il nous faudrait, c'est une relation physique qui dépasse l'aspect sexuel. Moi, ce que j'aimerais, c'est des baisers, des câlins, pas davantage, mais ça, il ne pourra jamais le comprendre. Il ne voit pas bien l'intérêt de se faire des mamours si ça ne se termine pas par ce que je pense…

Évidemment, quand il a un coup dans le nez, c'est tout le contraire : tout en câlins, mais rien sous la ceinture. « Oh comme je t'aime oh comme je t'aime oh comme je t'aime… », c'est tout ce qu'il arrive à ânaner, « oh là là si tu savais vraiment vraiment comme je t'aime… ». Quel spectacle ! Tu en connais beaucoup, des femmes qui réclament des mots d'amour à un pauvre sac à bière pétomane ?

Malgré tout, je me sens un peu négligée. Ce soir, j'ai essayé de lui faire quelques papouilles pendant qu'on regardait les news sur Channel 4. Hélas, quand Sam regarde la téloche, il regarde la téloche. Inutile d'essayer de le distraire, même pendant les pubs. C'est hallucinant. Il est là, complètement absorbé par le spectacle d'un paquet de croquettes de poisson croustillantes et dorées à souhait ou par le plaisir intense de conduire la nouvelle Fiat Uno, et rien ne saurait l'en arracher. Je lui passe le bras autour du cou, je pose ma tête sur son épaule, aussitôt je le sens se raidir et, si j'ai le malheur de lui demander de me masser les pieds ou quelque autre lubie de ce genre, il m'envoie promener ! C'est comme si je lui demandais le sacrifice de sa vie pour mon petit bien-être. Je suppose qu'il ne me reste qu'à me faire à l'idée que Sam n'est pas et ne sera jamais très câlin. Il paraît que la plupart des hommes sont comme lui. Au moins, il n'est pas le seul dans son cas – du moins j'espère.

Hier, j'ai retenté ma chance à la séance de visualisation. C'est Druscilla qui m'a poussée. Elle m'a dit qu'une seule séance, c'était ridicule, qu'à ce compte-là j'aurais mieux fait de ne pas venir du tout, etc. Donc, rebelote. Mais, franchement, je sens bien que ce n'est pas mon truc.

Maintenant qu'on est toutes censées se connaître les unes les autres, l'Américaine a décidé de pousser le bouchon un peu plus loin. Elle a brûlé les étapes pour passer directement au « jeu de rôles cathartique ». Elle nous a demandé de nous mettre à pleurer comme des nourrissons : dix femmes adultes, assises en rond, en train de vagir et de chouigner... L'idée, si j'ai bien compris, c'était d'incarner et de projeter notre désir d'enfant sur le plan physique, et de cesser de considérer ce désir comme une sorte de secret inavouable. Mais aussi bien, c'était le contraire. En tout cas, c'était carrément gênant. Ensuite, elle nous a demandé de nous étreindre les unes les autres pour nous réconforter, partager notre malheur et prendre conscience que nous ne sommes pas seules. Je me suis retrouvée cramponnée contre une bonne femme qui sentait le chien mouillé. Je n'avais plus qu'une envie : m'enfuir.

Cette fois, c'est bien décidé, je n'y retournerai pas ! D'abord, je n'y serais jamais allée si je ne m'étais pas sentie aussi désespérée.

Au fait, un détail troublant : pendant le quart d'heure final de méditation (il suffit de s'asseoir au petit bonheur et de se laisser planer), je me suis mise à repenser à ce bellâtre prétentieux de Carl Phipps, tu sais, l'APPHC dont je t'ai parlé. Je me demande bien pourquoi, je ne le trouve même pas attirant, et pour tout dire il m'indiffère. Mais bon, c'est vrai qu'il a un sourire craquant – quand il condescend à l'accorder à une pauvre fille comme moi...

Cher journal,

Partie de squash avec Trevor. J'étais complètement à côté de mes pompes. A un moment, j'ai craché quelque chose qui avait l'air de sortir tout droit d'une mare. Je ne fume presque pas mais j'aime bien boire de temps en temps. Je crois que je vais me mettre au Canada Dry. La bière commence à peser lourd sur mon estomac.

En tout cas, j'ai pu parler à Trev de mon prochain spermogramme. Nous sommes tous les deux d'accord : ce n'est pas ma virilité qui est remise en question. Un résultat médiocre, une petite goutte de sperme dans le flacon, ne diminuent en rien mes qualités de mâle. Trevor m'a rappelé que je pouvais me targuer de n'avoir jamais accordé le moindre crédit à ces conneries machistes. D'ailleurs, Trevor a fait preuve de beaucoup de tact et de gentillesse. Il m'a demandé si je le considérerais comme une femmelette si c'était lui qu'on soupçonnait d'avoir une paire de burnes tristement vides entre les cuisses. Je lui ai répondu que non, bien sûr.

Le problème, c'est que si ! C'est exactement ce que je me dirais. « Pauvre Trevor ! Pas très couillu... »

Et il pensera pareil de moi quand j'aurai échoué à mon examen !

J'ai fait part de mes inquiétudes à Lucy et, comme c'est amusant, elle a éclaté en sanglots. La dernière chose à laquelle je me serais attendu. Après tout, c'est moi qu'on soupçonne d'avoir les couilles à plat, non ?

Alors je lui ai dit : « Attends, c'est moi qu'on soupçonne d'avoir les couilles à plat, non ? » J'ai cru qu'elle allait me frapper. Au lieu de ça, elle s'est mise à crier : « C'est lamentable ! Tu raisonnes en termes de faute et de culpabilité, c'est très négatif ! » La vérité, selon elle, c'est que le problème risquait plutôt de retomber sur elle car la tuyauterie d'une femme est autrement plus complexe qu'une horrible petite bite et que si mon sperme se révélait satisfaisant, c'est elle qui serait « coupable » de notre stérilité, et je lui en voudrais ! Une nouvelle crise de larmes a ponctué cette déclaration.

« Écoute, lui ai-je dit, je m'en fiche, d'avoir ou pas des enfants, ce qui... » Je n'ai pas pu aller plus loin que « ce qui » parce que, déjà, elle me traitait d'insensible, ses gémissements et ses sanglots redoublaient et elle claquait la porte.

Je déteste la voir pleurer. Ça me rend vraiment triste. En même temps, c'est un peu fort, me reprocher d'être inquiet à propos de mon spermogramme et tirer toute la couverture à elle ! Merde, quoi, je suis tout de même un peu impliqué dans cette affaire, non ? Non ?

Mais il n'y a pas que mes couilles dans la vie – même si, en attendant mon test, j'ai tendance à l'oublier. Changeons donc de sujet. J'ai repensé à ma petite discussion avec Trevor et George au Quark. Et si je quittais la Bib ? Avec toutes les boîtes de production privées et mon expérience, ce serait bien le diable si je ne croulais pas sous les propositions. C'est clair. Et j'avoue que l'idée de me faire un peu de thune en indépendant n'est pas pour me déplaire. Bon sang, des gamins se font cinq fois mon salaire rien qu'en louant 5 m² dans Dean Street, des assistantes qui se baladent le nombril à l'air se voient commander des documentaires sur les *top models* en vacances à la neige, et que sais-je encore de proprement scandaleux. Certes, je ne dois pas me montrer envieux, mais il faudrait aussi que je songe à me bouger le cul.

Le rêve, ce serait d'écrire un scénario original, mais trouver ne serait-ce qu'un point de départ semble être au-delà de mes forces. Alors, autant garder mon boulot actuel, mais pour un salaire décent – c'est-à-dire en bossant dans le privé.

Plus que huit jours avant le grand test, mais je me sens parfaitement serein. Plus que sept jours et treize heures, même. Pourquoi s'inquiéter ?

Ma chère Penny,

C'est pas croyable les idées que Sam se fait sur son spermo-gramme ! Je rêve. Moi qui croyais qu'il avait obtenu haut la main son diplôme de masturbation à l'université. Une main gauche fré-nétique, toujours à l'étude ! Je le soupçonne même de continuer à se soulager hypocritement lorsque je ne suis pas dans les parages.

Alors que la branlette est à l'évidence l'un de ses passe-temps favoris, Sam voudrait me faire croire que l'idée d'avoir à se palu-cher sur commande lui sape le moral. A croire qu'il préférerait être pendu par la peau des couilles jusqu'à ce que mort s'ensuive.

La vérité, c'est qu'il a peur du résultat ! Il est terrifié à l'idée que le service de têtardologie lui annonce qu'il a comme un défaut. Quelle misérable preuve d'égoïsme ! En fait, ce qui l'inquiète sur-tout, c'est que le problème puisse venir de lui, pas de moi ! Je ne vois pas d'autre explication. Quand il prie pour la pleine réussite de ce foutu test, en fait, il implore le ciel que ce soit moi qui aie les conduits rouillés, les follicules entartrés, le machin-chose perclus de nodules, ou autres symptômes aussi ragoûtants. Car, si on veut bien regarder le problème en face, ou c'est lui, ou c'est moi. Ça ne peut quand même pas être la faute à Thatcher ! On ne peut pas éternellement lui faire porter le chapeau. Depuis le temps qu'elle a rendu les clés, il y a prescription...

Chez un homme, le dysfonctionnement classique, c'est : SSN. Spermatozoïdes en Sous-Nombre. En termes scientifiques : oligospermie. Y'a pas à tortiller, c'est comme ça et pas autrement, il n'a qu'à prendre son mal en patience. A moins qu'ils fassent des crèmes spéciales ou des suppléments vitaminés, va savoir ?

Mais chez la femme ! La tuyauterie féminine, c'est un peu comme... comme... j'en sais rien, comme un labyrinthe inextri-cable, mais aussi d'une grande beauté. Mettons, comme le pla-fond de la Chapelle Sixtine, ou Graceland de Paul Simon. Y'a des centaines de bidules à vérifier et, pour le moindre bidule, il faut bien compter une escouade de médecins et au moins autant de machines qu'il en a fallu pour percer le tunnel sous la Manche... Et c'est ça que Sam me souhaite !

Ce soir, à la télé, j'ai regardé un documentaire sur les orphe-lins de guerre. Estropiés, agonisants... j'aurais tous voulu les adopter. Ils nous ont montré une petite fille qui n'avait plus ni

maman, ni papa, ni maison, ni jambes. Qu'elle m'appelle, je
l'adopte demain ! Est-ce que ça fait de moi une impérialiste sans
scrupule, prête à arracher un enfant à sa culture d'origine pour
la seule satisfaction d'un écœurant instinct maternel ? Sans doute.
Et ça m'est égal. Puisque Sam et moi ne pouvons pas avoir
d'enfant (et c'est reparti, voilà que je me mets à chialer), je crois
que je vais travailler dans un orphelinat. J'ai envoyé un chèque
de cent livres à une œuvre de charité, mais je me suis bien gardée
de le dire à Sam, puisqu'il s'est déjà engagé à verser de l'argent à
une autre fondation et à ne pas répondre sur un coup de tête aux
sollicitations importunes, comme c'est la règle.

Cher moi-même,

Mon spermogramme ne me tracasse plus du tout.

J'ai décidé que se monter la tête avec des histoires de culpabilité, de honte, à propos de ce qui n'est après tout qu'un accident de la nature, est un comportement idéologiquement injurieux. Un homme est-il moins un homme s'il est unijambiste ou manchot ? Certes non. Alors, *basta* ! J'assumerai les résultats de mon test comme un homme et, s'ils sont négatifs, je ne me laisserais pas abattre. Mes couilles ne contiennent qu'une espèce de ragoût, mais sans les boulettes ? La belle affaire ! Je hausserai les épaules avec philosophie. Et même, je serai fier de la façon dont Dieu m'a conçu. « Mon sperme est trop fluide, annoncerai-je dans les dîners en ville. Est-ce que ça dérange quelqu'un ? »

Néanmoins, même si je ne m'en fais pas une fixette, je me suis programmé un petit entraînement. On veut toujours donner le meilleur de soi-même, pas vrai ? D'autant que là, je n'aurai droit qu'à un coup (ah ah ! voilà qui plairait à Dog et Fish…). En conséquence, j'ai décidé de lever le pied sur la boisson pendant quelques jours et de manger beaucoup de fruits. George ayant entendu quelque part que le zinc était important, j'en ai acheté une boîte de cinq cents pilules chez Boots. J'ai aussi des multivitamines, une caisse de boissons énergétiques et un bouquin américain intitulé *La Gymnastique testiculaire*. Ceci dit, j'insiste sur le fait que je ne suis plus du tout tracassé par les résultats de mon spermogramme.

Pour parler d'autre chose, j'ai été quelque peu machiavélique au bureau, aujourd'hui. J'ai lancé ma première sonde pour trouver du boulot, et aux frais de la Bib, encore ! J'ai écrit une lettre à Simon Tomkins, dit « le Branleur », un ancien camarade de fac. Ce vieux Branleur a fait parler de lui en inondant le marché (et la BBC) de programmes présentés par de jeunes animateurs tendance. Lui et ses partenaires vont de succès en succès : jeux télévisés (présentés par de jeunes animateurs tendance), talk-shows (présentés par de jeunes animateurs tendance) et interminables documentaires de voyage (présentés par de jeunes animateurs tendance) – émissions, je le précise, excellentes, mais en partie grâce à la BBC, qui a inauguré le genre à la radio. Quoi qu'il en soit, la boîte du Branleur est entrée en bourse il y a quelques semaines et est actuellement cotée à… 7 millions de livres ! Une somme faramineuse ! Dire qu'il n'y a pas si longtemps, à un bal de promo, le Branleur se distinguait en se fourrant quatre radis dans le cul…

Donc, disais-je, je lui ai envoyé un petit mot amical.

« Salut, Branleur !

La Bib vire un peu chiante ces temps-ci, ou c'est une impression ? Tous ces shows avec des glandeurs qui racontent que le foot, c'est génial… J'ai de plus en plus envie d'aller voir ailleurs. Qu'est-ce que tu en penses ? »

Et j'ai signé : « Sam Bell, responsable éditorial du département Fiction, BBC International », un poste que j'ai inventé mais je ne voulais pas que le Branleur s'imagine que je n'appartiens pas au camp des décideurs. Évidemment, on ne se refait pas, en glissant la lettre dans l'enveloppe, j'ai été pris de remords. Est-ce que je n'étais pas en train de brûler mes vaisseaux ? Et si mon état d'esprit négatif transparaissait dans mon comportement ? Ce serait trop con de bousiller ma réputation au moment où j'essaye de changer de boîte. J'ai donc aussitôt envoyé une autre lettre, à mon nouveau patron, pour lui proposer un dîner à la maison un de ces soirs. Aucun risque qu'il accepte : comme je l'ai déjà dit, il est plus jeune que moi et il connaît plein de chanteurs, de vedettes… Mais bon, ce sera bien vu que je l'invite. Être un peu lèche-cul de temps en temps ne peut pas faire de mal. J'ai déposé les enveloppes au service Courrier de la BBC, laissant à nos chers téléspectateurs le soin de payer aussi l'affranchissement. C'est la moindre des choses : je leur ai donné les meilleures années de ma vie.

Ma chère correspondante,

Hier midi, j'ai passé l'heure du déjeuner dans une clinique où l'on pratique la médecine douce. Comme tu as pu le constater, je ne suis pas très mordue de tout ce fatras New Age, mais aussi, pourquoi écarter par principe tout ce qui nous échappe ? Bref, me voilà dans les couloirs de la clinique et, là, sur qui je tombe ? Druscilla ! Comme elle sortait d'une séance d'aromathérapie, elle embaumait l'essence d'orange et de réglisse. Ça m'a rappelé l'épicerie du pensionnat, et, par voie de conséquence, ça m'a rappelé aussi toutes mes copines de pensionnat, du coup je me suis demandé ce qu'elles étaient devenues, et, bien entendu, je me suis rendu compte qu'aujourd'hui, elles devaient toutes avoir des bébés, au moins douze chacune ! J'en suis ravie pour elles, vraiment, mais ça m'a quand même filé le bourdon. Passons.

Druscilla – que ma stérilité semble fasciner presque autant qu'elle me consterne – ne se rappelait plus combien d'années nous avions passées à Highgate. « Cinq ans », je lui ai dit. Elle s'est mise à hurler : « Mais il est là, notre problème ! » « Arrête tes conneries ! », j'ai répondu, tout en lui demandant de préciser sa pensée (on n'est jamais trop informé). Donc, si j'ai bien compris, il y aurait un champ de force maléfique et stérilisant qui traverserait non seulement Highgate, mais aussi Hampstead. J'ai protesté qu'il y avait quand même des naissances à Highgate mais, d'après elle, ces champs magnétiques ont des effets très différents selon les individus ; pour certains c'est une vraie potion fertilisante, pour d'autres c'est une giclée de vinaigre bouillant. De toute façon, Druscilla n'en démord plus : notre problème est géodésique. Selon elle, le plus fabuleux champ de force du monde prendrait sa source en Albanie, l'ancienne et magique contrée dont nous sommes tous issus, et passerait en plein milieu de Primrose Hill !

Venant d'elle, je ne m'attendais pas à moins mais, tout de même,
ça m'a fait un choc. Son idée : que Sam et moi copulions au
sommet de Primrose Hill ! Tout là haut, à ciel ouvert, sous la
pleine lune, à minuit sonnant. Rien que ça.

Il n'en est évidemment pas question. Je ne veux même pas y
penser une seule seconde. Quelle idée tordue ! Enfin, c'est complè-
tement ridicule ! Et quelle est la suite du programme ? Stage de
fellation à Stonehenge ?

J'oubliais de te dire : aujourd'hui, j'ai failli engueuler cet
insupportable crétin de Carl Phipps. J'étais au bureau, tranquille,
quand il a débarqué pour récupérer des fax adressés par un
grand producteur américain – voyez-vous ça ! Je dois dire qu'il
était particulièrement à son avantage dans son costume brun en
velours côtelé. Je lui en ai d'ailleurs fait la remarque : « Carl,
comme vous êtes élégant ! » à quoi il a répondu : « Il faut bien... »
Quel culot ! Et pourquoi pas : « Oui, je sais, je suis superbe », pen-
dant qu'il y était ? De toute façon, il n'a rien d'extraordinaire.
Ensuite, comme si de rien n'était, il s'est assis sur un coin de mon
bureau et m'a dit : « Mais savez-vous, Lucy, que vous êtes vous-
même très... sexe, aujourd'hui ? » – ce qui était très éloigné de la
vérité. Tout ce que j'avais sur moi, c'était une minijupe rigolote,
une paire de bottes zarbi, et ce petit haut moulant que j'adore,
enfin rien de spécial. Pas de quoi réveiller un mort, en tout cas, et
surtout pas de quoi attendre des compliments !

Carl a un succès fou auprès du public. Il est devenu notre prin-
cipal client, sans l'ombre d'un doute. Il reçoit un nombre invrai-
semblable de lettres de groupies depuis qu'il a fait sensation dans
un show à la Bib. Je ne vois vraiment pas ce qu'elles lui trouvent.

Cher journal,

Bonne nouvelle et mauvaise nouvelle.

La mauvaise : Lucy s'est opposée à mon programme d'entraînement spermatique (« Le test ne doit pas être truqué »). Si nous
voulons vraiment découvrir pourquoi nous ne sommes pas
fertiles, je dois présenter mon portrait le plus fidèle, c'est-à-dire
à moitié ivre un soir sur deux, et parfois même à l'heure du
déjeuner. Lucy pense que l'origine du problème pourrait être

ma tendance à boire (qui, même si elle est surtout conviviale, reste excessive). Pour elle, l'intérieur de mes couilles ressemble au Groucho Club à 2 heures du matin un samedi soir : à moitié vide, avec quelques parasites complètement bourrés.

Cependant, en dépit de l'opinion désastreuse que Lucy se fait de ma fertilité, elle tient à ce que je l'expose dans toute sa vérité, et c'est pourquoi le zinc et les multivitamines ont été balancés à la poubelle. En outre, on croit rêver, Lucy m'a demandé de continuer à boire – de façon modérée, selon mes critères. Mais quels sont mes critères ? Impossible à dire. Je sais que je ne bois pas tant que « ça », mais combien « ça » représente ? Si je me pose la question : « Combien as-tu bu hier ? », je me réponds toujours : « Oh ! Pas tant que ça. » Mais si je me mets à considérer l'argent dépensé, le temps passé à finir la bouteille de whisky dans la cuisine et le nombre de bars que je fréquente, soudain la vérité se fait jour : je suis alcoolique.

Maintenant, la bonne nouvelle : l'interdiction de Lucy me facilite considérablement la vie. Je suis en particulier soulagé de ne plus avoir à ouvrir *La Gymnastique testiculaire*. On me promettait en quatre semaines des testicules bien ronds et bien pleins dans un scrotum lisse comme une peau de bébé, mais il fallait que je me livre à toutes sortes d'exercices de contraction de l'anus et des muscles bas-ventraux qui me faisaient atrocement grimacer. J'ai déjà bien assez de rides sur le visage pour ne pas passer dix minutes par jour à m'en faire de nouvelles.

De toute façon, dans quatre jours, c'est fini. D'ici là, pas question d'éjaculer. Il paraît qu'une période de quatre jours passés seul, dans un état contemplatif, permet à nos spermatozoïdes de se refaire une santé et une personnalité. Une abstinence pas vraiment insurmontable : Lucy et moi faisons moins souvent l'amour qu'ITV ne diffuse de sitcoms potables. En plus, je suis tellement crevé en ce moment que je n'ai aucune envie de jouer à la bête à deux dos.

Aucune réponse du Branleur ou de mon patron pour l'instant, mais je ne me bile pas. Ce sont des hommes occupés, très occupés – tout comme moi, d'ailleurs.

Ma chère confidente,

Aujourd'hui, j'ai eu ma prise de sang à la clinique de Camden. On va enfin pouvoir déterminer mon taux hormonal et savoir si j'ovule ou pas. J'ai préféré aller à la clinique plutôt qu'au cabinet gynécologique, parce que le docteur Cooper est en vacances et que le docteur Mason ne me revient pas (je n'ai rien à lui reprocher, c'est sa tête qui ne me revient pas, c'est tout).

Mon Dieu, comme le quartier a changé... C'est devenu une horreur. Si tu n'es pas raide défoncée, tu te fais aussitôt arrêter par la police qui te demande si tu ne t'es pas perdue... J'ai remonté High Street en serrant mon numéro de Big Issue *comme un bouclier. Tous ces sans-abri, c'est épouvantable... Comment en est-on arrivé là ? Thatcher, encore elle ! Mais non, voilà belle lurette qu'elle n'est plus aux manettes, et rien n'a changé. Bien sûr, on peut toujours leur donner quelques pièces, mais on ne peut pas faire ça pour tous ; et puis, quand on a vidé son porte-monnaie, qu'est-ce qu'on dit à ceux qui n'ont rien eu ? Qu'on vient de donner à d'autres ? Ça leur fait une belle jambe !*

Comme prévu, la clinique m'a filé le cafard. Toutes ces femmes qui viennent se faire ausculter par tous les bouts, ou qui sont stériles, comme moi... Pas facile de faire bonne figure, mais il faut bien essayer.

Dans la cellule d'attente, je suis tombée sur un vieux numéro de TV Times *– je dis « cellule », parce que « salle », ça fait confortable, alors qu'en réalité, c'était un trou sordide, flanqué de chaises en plastique, avec des jouets cassés par terre. Dans ce numéro de* TV Times, *je suis tombée sur un article assez intéressant au sujet de Carl Phipps, du temps où il jouait encore dans* Fusilier, *cette série débile sur ITV. Il y avait quelques photos, assez belles, mais je le préfère quand même comme il est maintenant, avec les cheveux longs. La coupe militaire lui donnait l'air d'une brute. En tout cas, son regard n'a pas changé, toujours aussi doux et clair. Et il en joue, le bougre, comme David Essex* [1]

---

1. Acteur anglais, notamment à l'affiche du *Stardust* de Michael Apted (1974) (N.d.T.).

avant lui. Je parie qu'il se met des gouttes dans les yeux. Quant
à l'article, tout ce que j'y ai appris, c'est qu'il y a des filles qui
sont prêtes à mourir piétinées pour l'approcher... Rien d'éton-
nant à ça : les femmes sont si sottes, quand elles veulent.

Cher etc.,

Rebondissement inattendu au boulot, aujourd'hui. Je suis allé à Downing Street. Je n'ai pas vu le Premier ministre, mais c'est quand même dingue. Et ça m'a complètement sorti de l'esprit cette histoire de test.

Voilà comment c'est arrivé. Comme chaque matin, j'étais assis derrière mon bureau, pestant contre mon incapacité à insuffler de la passion ou à donner une direction à ma carrière, feuilletant des piles de scénarios, me demandant pourquoi je n'arrivais pas à trouver la force d'en écrire un, quand Daphné m'avertit que le directeur de chaîne cherchait à me joindre. J'étais très excité : il m'appelait sûrement pour accepter mon invitation à dîner. Je passai mentalement en revue le catalogue de Delia et arrêtai mon choix sur une mousseline aux deux saumons en entrée quand je compris que Nigel m'appelait pour quelque chose d'encore plus excitant. Il était à Barcelone, où se tenait (évidemment) le grand festival international de la télévision. Assister à un festival international de télévision est peut-être l'événement le plus gratifiant pour un cadre de la Bib. La BBC ne vous paye pas forcément bien, mais vous pouvez taper l'incruste à toutes les réceptions. J'ai moi-même la chance d'y être envoyé de temps en temps. Lucy et moi avons ainsi passé en avril dernier un week-end génial à Cork, sauf que je n'avais pas le droit de boire car elle pensait être en phase d'ovulation. Les directeurs de chaîne, étant d'une espèce supérieure, passent leur vie dans les festivals. Ils sont toujours quelque part sous les Tropiques, à déplorer le succès d'*Alerte à Malibu* ou la mauvaise qualité des dessins animés pour enfants.

Tout ça pour dire que Nigel m'appelait de Barcelone.

Et pour m'annoncer quelle nouvelle ? Le Bureau du Premier ministre avait été contacté par la BBC pour participer à notre émission du samedi matin, « 3, 2, 1, Contact! ». Chaque semaine, ce programme de divertissement destiné aux enfants invite une personnalité à venir répondre aux questions de son jeune public. A mon insu (surprise, surprise), notre service de presse avait eu une idée brillante. (J'ouvre ici une parenthèses : le fait que notre service de presse ait eu une idée brillante est, en soi, une nouvelle ahurissante, et la preuve que tout finit par changer, même dans cette vénérable institution qu'est la BBC. Jusqu'à présent, le service de presse de la Bib se réduisait à un bureau occupé par une grosse femme dynamique qu'on ne voyait jamais. Aujourd'hui, c'est une agence à part entière, BBC Communication ou BibCom, dont je dois *payer* les services. C'est merveilleux : pour m'assurer que les émissions de la BBC sont bien relayées dans les publications de la BBC, je dois verser l'argent de la BBC à BBC Communication. Je trouve ça tordu, mais George m'assure que ça évite bien des bourdes.)

L'idée de BBC Communication, c'était de proposer au Premier ministre de participer à « 3, 2, 1, Contact ! » pour répondre à quelques questions des « kids » – l'occasion d'échapper au cynisme des adultes et de se confronter à l'enthousiasme virginal de la jeunesse. A ma stupéfaction, le grand homme avait assuré qu'il y réfléchirait.

Le problème pour Nigel, c'est que Downing Street (ce haut lieu du dynamisme et de la créativité) voulait discuter de la chose *aujourd'hui* et pas plus tard car, ensuite, l'agenda du Premier ministre est surchargé de sommets européens et de cabinets de crise jusqu'à Noël. Nigel avait tenté de prendre le premier vol pour Londres mais il y avait un match de foot, ou les aiguilleurs du ciel français refusaient de laisser quiconque quitter l'Europe aujourd'hui ou que sais-je encore – bref, le résultat de tout ça, c'est qu'on me demandait de m'occuper de ce rendez-vous !

J'ai passé le reste de la matinée à prévenir maman, Lucy, les trois quarts de mes connaissances, et à essayer de faire repasser ma cravate. On pourrait penser que faire repasser une cravate dans l'un des plus grands complexes de studio de télévision au monde est un jeu d'enfants ; il suffit de s'adresser à une petite main du service « Costumes ». Malheureusement, le service « Costumes » n'existe plus : il a été confié à la société BibFringues, et toute demande doit faire l'objet d'une négociation préalable. C'est Daphné, ma zélée secrétaire, qui s'est chargée de discuter le prix et qui est venue me présenter la note : 45 livres. Pas donné pour un simple coup de fer mais BibFringues prétend que ça couvrirait tout juste les frais de paperasses. Après tout, les circonstances l'exigeaient. Mais c'était loin d'être aussi simple. Pour que mon bureau demande au service financier (BibCash) de débloquer un budget, je devais prouver que le prestataire choisi était bien le plus compétitif. Daphné m'a expliqué qu'elle devait contacter au moins deux autres costumiers pour voir s'ils repasseraient une cravate pour moins cher que BibFringues. Nous ne pourrions lancer la procédure qu'après avoir examiné les trois devis. Entre-temps, nous aurions décidé à quel budget affecter cette opération. De toute évidence, ce devrait être le budget de « 3, 2, 1, Contact! », mais alors ce serait au producteur de signer la facture. En outre, « 3, 2, 1, Contact! » n'est pas un programme maison, mais une création originale d'une boîte indépendante, Groovy Productions. Attention : je ne veux pas dire que Groovy Productions réalise de quelque façon que ce soit l'émission « 3, 2, 1, Contact! », oh! non. C'est la BBC qui s'en charge, dans un studio de la BBC, avec des animateurs et des techniciens de la BBC, payés par la BBC. Il se trouve juste qu'un guguse à catogan quelque part dans un loft de Soho colle le logo de Groovy à la fin du générique et touche 30 % à chaque diffusion. C'est à ce joyeux luron que Daphné devait demander l'autorisation de débloquer un budget pour que ma cravate soit repassée.

En fin de compte, Daphné a étendu la cravate sous un pile de vieux *Spotlights* en échange d'un demi-KitKat.

Pour continuer mon histoire, je me suis donc retrouvé cet après-midi devant les grilles de Downing Street, salué par un policier. Un rêve éveillé : je marche dans la rue avec mon attaché-case, comme les ministres à la télé, et j'entre au fameux numéro 10.

Je me dois de le dire : c'est sacrément ringard, à l'intérieur. L'entrée ressemble à l'accueil d'un hôtel miteux. On ne peut accuser aucun des quinze précédents gouvernements d'avoir dilapidé les fonds publics dans des travaux de décoration : je jurerais que la peinture remonte à Chamberlain. Pendant que j'attendais, je remarquai dans un coin un vieux sac en plastique sur un tapis usé. Je le signalai au portier, ajoutant : « J'espère que ce n'est pas une bombe. » Il m'assura que lui aussi l'espérait, mais se contenta de dire que ça devait bien appartenir à quelqu'un.

Dix minutes plus tard, une jeune femme du service « Médias » fit son apparition. Elle s'appelait Jo Winston. Elle me conduisit dans une petite pièce meublée d'une chaise, d'un canapé défoncé et d'une table basse sur laquelle étaient posées des tasses sales. Elle me « briefa » sur les tenants et aboutissants de cette « opération de communication ». Elle m'expliqua que son patron était le Premier ministre le plus jeune et le plus fringant depuis Lord Duchmol en 1753, et que son service était chargé de le rappeler à la population – plus généralement, de démontrer que le Premier ministre n'était pas un vieux croulant.

— Nous voulons que les enfants comprennent que leur Premier ministre n'est pas seulement le plus jeune, le plus dynamique et le plus charismatique des dirigeants que notre pays ait connu, mais qu'il est aussi leur ami, un type normal qui aime la musique pop, les jeans et les films comiques. C'est pourquoi nous pensons qu'une émission comme « 3, 2, 1, Contact ! » serait tout à fait appropriée.

— Euh… oui, en effet, ce serait super, répondis-je, lamentable (étonnant comme la proximité du pouvoir peut intimider).

— Mais attention ! Dans une ambiance correcte, reprit Jo d'une voix ferme. Pas de « ziva » ou de « zarbi », ce ne serait pas approprié. Nous avons plutôt envisagé une sorte de conférence avec la jeunesse, vous voyez le genre : le patron discute avec l'Angleterre de demain. Ce pourrait être un élargissement de la rubrique où les enfants posent des questions à une personnalité.

Je l'assurai que ce serait formidable et que la BBC serait honorée d'organiser cette conférence.

— Bien sûr, des questions gentilles, rien sur la politique. Ce ne serait pas approprié. Des questions sur ce qui intéresse les jeunes : la musique, la mode, les ordinateurs, Internet, ce genre de choses.

Mon esprit vacillait. C'était *génial* ! Un authentique événement télévisuel ! Comme Thatcher cuisinée à propos du torpillage du

Belgrano dans « Nationwide » ou l'éléphant de « Blue Peter » chiant sur John Noakes[1]. Le Premier ministre en personne accordant une interview à des enfants en direct sur la Bib, et c'est moi qui allais l'organiser ! Seigneur ! J'en avais le vertige.

— Le Premier ministre y tient beaucoup, poursuivit Jo. Pour l'homme de la rue, la politique est mortellement ennuyeuse. Les enfants ne veulent pas que des vieux croulants leur disent quoi faire. Il faut que les gens sachent que les choses ont changé. Le plus important pour nous, c'est que le Premier ministre puisse souligner qu'il aime la musique pop et qu'il joue même de la guitare. Vous croyez que c'est possible ?

Eh bien ! s'il le souhaitait, il pouvait souligner qu'il aimait le foie aux oignons et qu'il jouait du didgeridoo, mais tout le monde savait déjà qu'il grattait la guitare : je croyais me rappeler qu'il l'avait mentionné dans à peu près toutes ses interviews.

— Les gens ont la mémoire courte, ricana Jo. De plus, nous devons spécifier qu'il s'agit d'une guitare électrique, et non cet instrument d'opérette, là, ce truc classique, tout juste bon pour les vieux croulants.

Je hochai la tête en signe d'acquiescement, en me demandant s'il serait aussi approprié que le Premier ministre se fasse lécher le cul en direct. Satisfaite, Jo annonça que la réunion était terminée.

Et voilà comment moi, Sam Bell, j'ai brillamment décroché la rencontre historique, devant les caméras de la BBC, entre le Premier ministre et la nouvelle génération. Je consacrai le reste de l'après-midi à mettre au point avec Trevor une accroche pour la bande-annonce. Trevor revenait sans cesse sur « Le Premier ministre rencontre les petits enfants », mais je lui objectai qu'on penserait plutôt à une sombre affaire de pédophilie.

Toute cette affaire, je dois l'avouer, a changé la vision que j'avais de mon travail. En bossant pour le privé, je n'aurais sûrement pas l'occasion de rencontrer le Premier ministre. Et puis, je

---

1. Pendant la guerre des Malouines, le sous-marin HMS *Conqueror* de la Royal Navy torpilla sur ordre de Margaret Thatcher le croiseur argentin *General-Belgrano*, qui naviguait pourtant hors de la zone d'exclusion britannique (330 marins tués). John Noakes était le présentateur vedette de l'émission pour enfants • Blue Peter • entre 1965 et 1978. Sur le plateau évoluaient toute une série d'animaux, dont un éléphant (N.d.T.).

me suis rendu compte que ma connaissance toute récente des coulisses du pouvoir pourraient m'être très utiles pour écrire un thriller politique. Ça pourrait être le coup de pouce dont mon inspiration a besoin.

Sacrée vieille Bib! Quand le Branleur me proposera un job, je déclinerai poliment.

Ma chère Penny,

Tu ne devineras jamais! Sam a failli serrer la main du Premier ministre! Je n'en croyais pas mes oreilles quand il m'a dit ça. C'est vraiment trop cool *! Je suis carrément fière de lui. Je suis mariée à un mec qui fréquente le gratin du gratin et, d'après ce qu'il m'a raconté, il s'est débrouillé comme un chef. Le seul truc qui me chagrine un peu, c'est que si nous n'avons pas d'enfants, je ne pourrais jamais leur raconter que leur papa a failli serrer la main du Premier ministre en personne…*

Mais qu'est-ce qui me prend de penser à des choses pareilles? Faut vraiment que je me calme!

Cher moi-même,

Encore une bonne nouvelle : j'ai appris que mon échantillon de sperme pouvait être prélevé à la maison! Apparemment, une fois dehors, le sperme maintenu au chaud peut tenir une heure, et s'il ne faut pas plus de temps pour rallier la clinique, peut importe où je lâche ma goutte!

Je me suis donc rendu chez le docteur Cooper après le boulot pour récupérer un flacon stérile (une tasse de thé ne fait pas l'affaire). On peut aussi en acheter chez Boots, mais je ne me vois pas demander un flacon pour un test de sperme à une gamine de seize ans. Le docteur Cooper a profité de mon passage pour me donner quelques conseils et me poser quelques questions. Avais-je, par exemple, une idée de la façon dont j'allais m'y prendre pour prélever ma semence? Je lui ai répondu que je croyais me rappeler, merci, et que je rapporterai mon flacon généreusement rempli – ce en quoi je me suis peut-être un peu avancé, mon dernier solo de basse à une corde remontant à trois jours.

L'idée de cette branlette à domicile me comble d'aise. Je serai plus relax. Et puis, ce sera une expérience unique : pour la première fois de ma vie, j'aurai la *permission* de me branler. Étrange, quand je pense à toutes les fois, ces vingt-cinq dernières années, où j'ai dû me planquer, faire ça à la sauvette. Aujourd'hui, le ministère de la Santé publique me demande officiellement de me branler. Quelle ironie. J'ai failli décrocher le téléphone pour annoncer ça à maman, mais je ne suis pas sûr qu'elle l'aurait bien pris.

Ma chère Penny, ma chère confidente,

On dirait que Sam est tout fier de son flacon stérile. Il l'a posé sur le dessus de la cheminée, comme un trophée sportif. Il ne s'imagine quand même pas qu'il va le remplir dans le salon ! La salle de bains serait plus indiquée. Par ailleurs, je lui ai bien répété qu'il devra penser très fort à moi en le faisant. Sale boulot quand même...

Aujourd'hui, j'ai répondu à une petite annonce parue dans Big Issue. J'ai adopté un bébé gorille. C'est une fille, elle s'appelle Gertrude. En fait, je ne la ramène pas à la maison. Pour 90 livres, ils t'envoient juste sa photo accompagnée d'un certificat d'adoption. Il ne reste que six cent cinquante gorilles de son espèce dans le monde. Ma parole, qu'avons-nous fait de cette planète ? Je trouve qu'il n'y a pas plus grand scandale !

Quand je l'ai raconté à Sam, il m'a jeté un regard légèrement ironique qui m'a carrément fichue en rogne, parce que, si je fais ça, c'est seulement par souci écologique. Qu'est-ce qu'il s'imagine ? Même s'il faut bien reconnaître que Gertrude a une adorable petite frimousse. Pauvre petite chose, si mignonne, si petite, sans défense... Voilà 90 livres intelligemment dépensées.

Cher crétin,

Un événement assez malvenu au bureau. Et, quand je dis « assez », « incroyablement » serait mieux choisi. Dire qu'une telle gaffe survient si peu de temps après mon triomphe de Downing Street !

J'étais en train d'essayer de déchiffrer le synopsis d'un jeu télévisé proposé par des protégés d'Aiden Fumet. C'était nul, mais d'une nullité déprimante. D'après ce que j'ai compris, les participants doivent reconnaître leur conjoint à l'odeur de ses chaussettes ou en identifiant sa paire de fesses. L'originalité dont les auteurs sont très fiers, et qui à elle seule fait de ce jeu un pur produit de l'avant-garde télévisuelle, c'est qu'il concerne aussi les couples lesbiens et homosexuels.

Je m'apprêtais à estampiller leur dossier de mon tampon « Génial, mais plutôt pour Channel 5 » quand le téléphone a sonné. Daphné m'a annoncé « un certain M. Branleur ». Parfait, ai-je pensé. J'ai toujours détesté les airs paternalistes qu'il se donnait avec moi ; j'allais me faire un plaisir de lui dire d'aller jouer les chasseurs de tête ailleurs – depuis que le directeur de chaîne en personne m'a confié la mission d'organiser un entretien avec le Premier ministre, je me sens vraiment bien à la BBC.

Hélas ! je n'allais pas avoir cette chance.

« Sam ? Le Branleur ! Désolé pour le dîner, fils, mais je pars skier. D'ailleurs, tu es sûr que c'était pour moi, l'invitation ? Tu as écrit "Cher Nigel". »

Seigneur !

Jésus Marie Joseph !

Je me suis senti glacé, puis bouillant, puis glacé et bouillant en même temps.

Les mauvaises enveloppes !

Un gag vieux comme le monde ! Je l'aurais senti venir en deux secondes dans n'importe quel scénario et voilà que ça m'arrivait *en vrai* !

Pas besoin d'être Stephen King pour compléter l'histoire : si j'avais envoyé l'invitation au Branleur, alors la lettre où j'évoquais mon envie de quitter la BBC…

Daphné a pris un autre appel. Avant même de remarquer sa voix exagérément déférente, j'ai su que l'épée de Damoclès était suspendue au-dessus de moi. Le moindre faux mouvement serait fatal.

« Sam, le directeur de chaîne sur la 2. »

J'ai pris congé du Branleur (« Une tuile, Branleur ! A plus ! ») et ai décroché. La voix de Nigel, aussi chaleureuse qu'un cul de pingouin.

— Sam ? J'ai un mémo sous les yeux où tu me traites de branleur.

— C'est une erreur.

— Ça, vieux, sans aucun doute.

Il a poursuivi en m'assurant qu'il était très flatté que je lui demande son avis sur l'opportunité de quitter la BBC et de « repartir sur le marché du travail pour tenter ma chance du côté du secteur privé, tellement plus attractif et innovant ». Il m'a remercié de ma confiance et m'a promis de considérer la question avec le plus grand intérêt et dans les meilleurs délais.

Clic. Tonalité.

La gaffe.

C'était fini. Pas de « au revoir », aucune mention de mon travail avec Downing Street, au sujet duquel je l'avais pourtant bombardé d'e-mails.

Bon. Je n'allais pas en rester là, pas vrai ? Je piquai un sprint dans le couloir jusqu'à son bureau. Étant particulièrement troublé et le bâtiment de la BBC particulièrement circulaire, je passai une première fois devant la porte sans m'arrêter et dus repartir pour un tour complet. La dernière fois que ça m'était arrivé, j'étais bourré et je fêtais le nouvel an.

En réponse à ma demande expresse – transmise par une de ses deux glaciales secrétaires –, Nigel m'a fait entrer.

Je me souviens de ce bureau quand c'était encore un lieu ami. Quand la BBC formait une vraie famille, dans laquelle (presque) chaque membre était un oncle jovial ou une tante débonnaire. Une famille de vieux routards payés peu mais buvant beaucoup. Des hommes et des femmes que l'idée de s'habiller ou de se coiffer à la mode n'avait jamais effleurés. Qui gravissaient les échelons un à un, étaient au service du public (même si leur esprit était embrumé), de la femme de ménage au banquier en passant par le pauvre pilier de bar rejeté par la société. Aujourd'hui, ces jours de labeur et de beuveries sont oubliés, et peut-être n'est-ce pas plus mal : aucun de ces dinosaures ne survivrait dans cet univers où cinq cents chaînes se disputent l'audience et où le câble et le satellite engloutissent des fortunes. Malgré tout, je ne peux pas nier que, tandis que je me tenais tout tremblant devant le directeur de chaîne (qui, je le répète, est de *deux ans plus jeune que moi*), je me pris à souhaiter être en face de l'un de ces bons colosses au nez rubicond qui me dirait d'arrêter mes conneries et passerait l'éponge avant de me commander un nouvel épisode de *Terry and June*[1].

— Voilà, Nigel, ai-je commencé, encore tout flageolant et invoquant de toutes mes forces sainte Rita, c'est stupide, je voulais t'inviter à dîner.

Un haussement de sourcil pour toute réponse.

— La note que tu as reçue était destinée à quelqu'un d'autre. Simon Tomkins, tu sais, tu l'as rencontré au dernier Festival d'Édimbourg. C'est lui qui a déclaré que la BBC était une putain vieillissante tout juste bonne à racoler des paumés sur l'autoroute de l'information.

Ça expliquait le surnom de « Branleur » mais, pour le reste, j'avais l'impression de creuser plus profond ma tombe.

— Si je comprends bien, Sam, tu es en train de m'expliquer que ce message qui vilipende la BBC (ce morveux à peine sorti de Durham a du vocabulaire) est en réalité une lettre de candidature adressée à un des producteurs indépendants les plus en vue de ce pays ?

— Hum…

— Oui ?

J'allais devoir trouver mieux que « Hum ».

— Tu sais, c'était plus un coup de bluff qu'autre chose, histoire de voir comme se porte la concurrence.

Il n'en croyait pas un mot.

— Et… sinon, tu as pu lire mes e-mails au sujet du Premier ministre ? Un rendez-vous prometteur, nous allons…

— Oui, j'ai vu ça, a répondu Nigel, qui a mis fin à notre discussion après m'avoir assuré que, si je ne me sentais pas à l'aise à la BBC, il accepterait volontiers ma démission. Il m'a dit aussi qu'il était très déçu, qu'il m'avait toujours considéré comme un homme dévoué à la chaîne (et c'est le cas, bon sang !), que la Bib est avant tout une famille, pas un nom de plus sur un CV, et que ses membres doivent se montrer loyaux envers elle.

---

1. Sitcom familiale qui fit les beaux jours de la BBC entre 1979 et 1987 (N.d.T.).

C'est ça, M. Nigel de Granada TV, tout juste, jusqu'à ce que le chef des programmes de Channel 4 démissionne ou que Murdoch ait envie de donner à ses tabloïds un ton plus branché. Alors la BBC sera une vraie famille, une famille moderne, avec des problèmes, des malentendus, des brouilles, et d'où tout le monde essaye de se tirer dès que possible – Nigel le premier.

Inutile de le préciser : l'invitation à dîner ne fut pas évoquée.

Ma chère Penny,

Aujourd'hui, j'ai reçu la photo de Gertrude. Je dois dire que j'étais un peu déçue. Je ne pensais pas qu'ils m'enverraient le même portrait que dans Big Issue. *Crois-tu qu'ils auraient pris plusieurs clichés d'elle ? Pas du tout ! Je me console en me disant qu'au moins, le tirage est de meilleure qualité.*

Aussi pénible qu'il soit de l'admettre, il semblerait que certaines personnes peu soucieuses des questions d'environnement (je pense en particulier à ma mère) estiment que l'adoption de Gertrude ne serait qu'une transposition de mon désir d'enfant. Ma chère Penny, je te le dis tout net : cela n'a absolument rien à voir. Le sort du gorille de montagne est une tragédie internationale, et mon geste est un acte avant tout politique. Je ne reviendrai pas là-dessus.

Cher journal,

Lucy a encadré une photo de bébé gorille et l'a posée sur la cheminée. « Nous l'avons adopté », m'a-t-elle expliqué. J'ai peur que son instinct maternel ait pris le dessus d'une façon incontrôlée. Curieusement, le bébé gorille, une certaine Gertrude, est, selon moi, le portrait craché de Cuthbert (mais Gertrude est moins poilue).

Aujourd'hui, après le boulot, je suis allé boire un verre au bar de la BBC. Un lieu qui m'angoisse de plus en plus. Depuis qu'il est franchisé, il a changé de nom – Shakers, Groovers ou Gropers, je ne sais plus, je suis toujours ivre mort quand j'essaye de déchiffrer les noms sur les sous-verres. Je sais que le bar du Studio 1 s'appelle désormais Strollers. Quoi qu'il en soit, je suis tombé sur George et Trevor au comptoir, apparemment en train de débiner quelqu'un, mais ils ont arrêté dès qu'ils m'ont vu. C'était clair : ma connerie avec le directeur de chaîne a fait le tour des services et s'étalera d'ici peu dans les pages de *Private Eye*. Mauvais pour moi, ça.

Seul point positif : je ne pense plus du tout à mon spermogramme !

Ma chère Penny,

Sam ne tient pas vraiment la forme ces temps-ci. On ne l'entend plus. J'ai appris qu'il s'était fait passer un savon par ces abrutis de la direction. Mais, aussi, quelle idée de génie de dépenser 7 millions de livres pour adapter Finnegans Wake *! Sur les fonds publics ! Pour* Finnegans Wake *! Même le plan de ville de Birmingham est plus facile à comprendre. 7 millions ! Ça fait 1 million par spectateur, si je sais encore compter, comme pour la Spéciale Noël de l'an passé. Je me souviens, j'en avais fait la réflexion à voix haute, George s'était esclaffé si bruyamment qu'il avait craché une espèce de glaire, et Sam, qui peut se montrer le pire des lèche-bottes quand il veut, m'avait demandé de baisser d'un ton.*

J'ai vraiment de la peine pour Sam. Sans rire, je crois qu'il déprime pour de bon et, dans ces cas-là, on ne sait jamais quoi faire pour se rendre utile. De toute façon, il ne veut pas qu'on l'aide. Il préfère encore se noyer dans son journal. Moi, à sa place, j'aurais besoin de tonnes d'attentions particulières, d'ailleurs j'ai toujours besoin de tonnes d'attentions particulières. Mais Sam ne réclame rien. Il ne donne rien non plus. Et moi, dans tout ça, je me retrouve en manque total de tendresse. Ce soir, je voyais bien qu'il ruminait quelque chose. J'ai essayé de le mettre en confiance, mais il n'a rien voulu lâcher. Il a continué à biberonner sa bière en faisant des blagues stupides, du genre : « Si on a un enfant, il faudra le mettre au turbin dès l'âge de sept ans, parce qu'on n'aura jamais de quoi le nourrir. » Ah, ah, très drôle. « Car, en plus d'être stériles, on sera archi-fauchés. » À crever de rire, je te dis.

Cher Sam,

Voilà, c'est fait. Une petite visite conjugale à ma main. Pas aussi facile que je l'aurais cru, compte tenu de mon expérience en ce domaine, mais j'ai pu livrer à temps mon échantillon. C'est drôle de penser que mon sperme attend patiemment dans un labo son tour d'être analysé. J'espère qu'ils le manipuleront avec précaution, qu'ils le garderont au chaud. J'ai un instinct paternel très chatouilleux.

Au départ, nous avions prévu que Lucy assisterait à ma masturbation et me donnerait même comme qui dirait un coup de main. L'idée venait d'elle. Pourtant, m'imaginer faisant l'amour sans elle, même tout seul, l'horrifiait. Elle était persuadée que pas une seconde je ne penserais à elle, préférant concentrer l'essentiel de mes fantasmes sur Winona Ryder, et elle avait tout à fait raison. Enfin, quoi! Tous les soirs je m'endors à côté de Lucy, je ne m'autorise à le faire avec Winona que quand je dois produire un échantillon de sperme. J'ai eu beau lui expliquer que des psychologues ont démontré la corrélation entre une vie fantasmatique débridée et une sexualité monogame parfaitement saine, Lucy n'a rien voulu entendre. Elle a même paru blessée. Génial.

Ah! les femmes… Par où commencer? Elles croient *vraiment* – avec une sincérité digne des premiers chrétiens – qu'un homme s'adonnant à la masturbation est infidèle! Dieu merci, je ne lui ai pas dit que je comptais aussi inviter à ma petite fête Tiffany de *EastEnders*, Baby Spice et les Coors…

En tout cas, Lucy avait le sentiment que sa participation à l'opération était capitale. Ce matin, en me réveillant, je suis donc allé chercher le flacon et je le lui ai donné. Ensuite, je me suis glissé sous les couvertures et je me suis mis au travail tandis qu'elle tenait le flacon entre mes cuisses, s'attendant apparemment à une récolte rapide.

A présent, que tous ceux qui voudront bien m'écouter sachent que la masturbation en public (surtout quand ce public est impatient et qu'il n'a pas encore bu son thé) n'est pas aisée. Il nous était déjà arrivé de nous y livrer ensemble, mais sur le mode ludique, dans le feu de l'action – et, à dire vrai, pas pour très longtemps. Mais en solo l'un devant l'autre, jamais. Et là, journal, je dois te l'avouer : j'ai été nul. J'étais là, à genoux sur le lit, m'astiquant devant Lucy qui me tendait le flacon comme une mendiante, et rien ne se passait. Lucy, qu'elle soit bénie, s'est alors mise à me chauffer, se tortillant devant moi, se caressant les tétons, faisant des moues suggestives. Lequel de nous deux était le plus ridicule, je ne saurais dire. Après trente secondes, j'ai deviné qu'elle en avait assez et qu'elle pensait à son breakfast. C'était ça ou regarder sa montre. L'affaire était mal engagée. J'aime Lucy et elle me plaît mais un type ne peut pas se lâcher devant une femme même s'il partage son lit depuis dix ans. Comme je n'arrivais à rien, je suis allé m'enfermer dans la pièce voisine où j'ai pu enfin me secouer la nouille tranquille.

J'ai bien vu que Lucy se sentait trahie (quoiqu'elle m'assurât du contraire), mais que pouvais-je y faire ? On ne peut pas se masturber sans érection et on ne peut pas obtenir d'érection devant sa femme, surtout quand elle fusille votre bite du regard et vous dit : « Allez, quoi, il est 8 h 30. Je ne te plais pas ou quoi ? »

Seul avec moi-même, j'ai enfin pu produire la quantité de sperme désirée. Guère plus, en réalité ; un tout petit échantillon. Je n'y croyais pas. J'ai toujours été persuadé que j'éjaculais autant que l'homme de la rue. Je me flattais même de compter parmi les plus généreux donateurs. Eh bien ! tout ça s'envole quand on voit la petite goutte glisser péniblement le long de la paroi. C'est pathétique ! Une morve de moineau.

Je note avec surprise combien cet exercice m'a fragilisé. Je me suis senti nu, comme si ma virilité était mise à l'épreuve. Moi qui me considérais comme un type plutôt moderne et décomplexé de ce côté-là. J'étais à mille lieues de croire que je tomberais un jour dans le stéréotype du macho qui juge tout d'après la taille du matos. En contemplant mon échantillon, je calculais déjà qu'un peu d'eau et de farine suffiraient à l'allonger...

Mais, avec l'âge, on finit par apprendre qu'on est ce qu'on est et qu'il faut se faire une raison. En plus, je me suis soudain rendu compte que j'avais déjà perdu deux minutes à conjecturer sur la modestie de mon éjaculat et qu'il ne m'en restait plus que cinquante-huit pour le déposer à la clinique – sans quoi j'étais bon pour recommencer l'opération.

Le docteur Cooper m'avait conseillé de coincer le flacon dans mon slip pour le garder à la température du corps. Si possible, même, je devais le glisser dans « un orifice chaud », formule codée entre médecins, je suppose, pour dire : « Foutez-vous-le au cul. »

Déambuler dans les rues en hélant tous les taxis qui passent quand on a un flacon de sperme coincé entre les fesses est une sensation curieuse. La conviction que tout le monde savait ce que je faisais s'abattit brusquement sur moi. Les policiers me jetaient des regards soupçonneux, les nourrissons tiraient la jupe de leur mère et me montraient du doigt, des femmes faisaient demi-tour en m'apercevant. Je jure avoir entendu un vendeur de l'*Evening Standard* murmurer « Sale pervers » sur mon passage. Peut-être était-ce mon air inquiet et pressé qui attirait l'attention. Mais quoi ? Un homme transportant d'un coin de la ville à l'autre un flacon rempli de spermatozoïdes qui n'ont plus que quelques minutes à vivre a rarement l'air courtois et détendu.

Tous les taxis étaient occupés, tous les bus affichaient : « Véhicule-école. Ne prend pas de voyageurs ». A l'entrée des stations de métro, un message à la craie sur un tableau noir déplorait que 2 000 usagers soient actuellement bloqués sous un tunnel. Enfin, je repérai un taxi libre qu'un autre type avait lui aussi dans sa ligne de mire. Nous piquâmes un sprint – *il* piqua un sprint, *je* me dandinai – et posâmes en même temps la main sur la poignée.

— C'est pour moi, merci, soufflai-je. D'ordinaire, j'aurais renoncé sans protester mais j'étais très inquiet car il ne restait plus que vingt-huit minutes.

— C'est pour *moi*, oui, dit l'homme. Dégagez et trouvez-vous un autre taxi.

Comment peut-on être aussi naturellement brutal et mal élevé ? Ça me dépasse. Je ne le ferais pas si on me payait. C'est comme ces types qui balancent leurs déchets par la vitre de leur voiture. Viennent-ils d'une autre planète ? Sont-ils d'une autre espèce ? *Jamais je ne ferais une chose pareille*. Bon, pas la peine de se coller un ulcère, je suppose…

Reste qu'en cette circonstance précise, même si je frémissais en songeant à cette scène, je n'allais pas laisser échapper ce taxi.

— Écoutez, dis-je, il me faut ce taxi, c'est une question de vie ou de mort.

— Dommage, dit l'homme. Moi, j'ai un rendez-vous très important.

— Et moi des spermatozoïdes en train de crever dans mon cul !

A ressortir à l'occasion. Le type a retiré sa main de la poignée comme si c'était un serpent vivant.

— Je parie que vous jetez vos chewing-gums par la fenêtre de votre voiture ! ai-je lancé méchamment en sautant dans le taxi.

Le voyage ne fut pas de tout repos. Incapable de m'asseoir, je me recroquevillai en position fœtale et vis que le chauffeur n'avait pas l'air d'apprécier. J'arrivai tout de même avec quelques minutes d'avance à la clinique et me précipitai à l'accueil en brandissant mon flacon.

Autre moment sordide. J'étais tellement pressé de remettre mon échantillon que j'ai foncé jusqu'à la réception. Soudain, devant le comptoir, tandis que je sortais le flacon de mon slip, je m'avisai qu'il eut été plus poli de le retirer en privé. L'infirmière m'a regardé avec de grands yeux, comme pour me demander : « Vous voulez que je prenne ça *tout de suite* ? », puis elle est allée chercher des gants en latex.

Bon sang, voilà une demi-heure que j'écris sur mon dépôt de sperme à la clinique ! Si j'étais aussi impliqué et enthousiaste dans mon boulot, je ne serais pas dans la merde noire où je me trouve en ce moment. Au bureau, je marche sur le fil du rasoir. Ce n'est à mon avis qu'une question de temps avant que Nigel trouve un moyen de se débarrasser de moi et, en toute honnêteté, j'ai bien peur de ne pas être très compétitif sur le marché du travail. Aujourd'hui, on ne s'arrache plus les spécialistes-de-repas-d'affaires comme dans les années 80.

Lucy insiste pour que je me remette à écrire. C'est vraiment touchant, qu'elle croie encore en moi.

J'ai envoyé un nouveau message au Branleur (cette fois, j'ai bien vérifié l'enveloppe) pour lui demander un boulot. Pas de copinage, pas de brosse à reluire – je lui demande juste un boulot. J'espère que ça ne fait pas trop geignard. Est-ce que « Donne-moi un boulot, espèce d'enflure » fait geignard ? Ça dépend du ton, je suppose. Mais comment donner des indications de ton dans une lettre ? Je ne peux pas mettre entre parenthèses « Ne pas lire d'une voix geignarde », ça ferait trop geignard.

En relisant les pages précédentes, j'en arrive à la conclusion surprenante que la spécialiste de chez Oprah avait raison :

s'écrire des lettres à soi-même est une excellente idée. Je suis rentré à la maison aujourd'hui tout content d'avoir pu livrer mon sperme à l'heure et impatient de raconter à Lucy toute l'histoire (surtout celle du taxi), mais elle paraissait distante et distraite. Une dure journée au boulot, elle préférait rester un peu seule, m'a-t-elle expliqué. Entendu. C'est ce que je ressens presque tous les soirs. Mais ça m'a fait du bien de l'écrire. Peut-être devrais-je essayer d'envoyer ça aux pages « Santé » de l'*Observer*. Je parie qu'ils me fileraient 100 livres, mais Lucy désapprouverait sûrement. En plus, j'oubliais, je suis incapable d'écrire.

Bizarre, tout de même, que Lucy ne veuille pas parler. J'espère qu'elle ne se tue pas au travail. Les acteurs peuvent être tellement chiants, parfois.

Ma très chère Penny,

Il m'est arrivé un truc incroyable, aujourd'hui. Je préférerais ne pas avoir à te le raconter, mais bon.

J'étais seule au bureau, une fois de plus. Sheila est clouée au lit avec une bronchite (mais elle se soigne en fumant deux paquets par jour) et Joanna est partie à Los Angeles accompagner une de nos grosses vedettes, Trudi Hobson. Trudi a décroché le rôle de la vamp british glacée et sophistiquée dans un film d'action, une daube quelconque. C'est une suite, je crois que ça s'appelle, euh… j'ai oublié, quelque chose comme Grosse Daube II, sans doute. Bref, j'étais donc seule au bureau, et qui je vois se pointer ? Je te le donne en mille : Carl Phipps. Beau comme Brummel, l'air sombre, un grand manteau sur les épaules. Avant que j'aie pu dire ouf, le voilà qui commence à me raconter sa vie, la gloire est un pesant fardeau, etc., et aussi sec il m'invite à déjeuner. Pas croyable ! Je me demande bien pourquoi il a flashé sur moi. Je t'assure que j'ai toujours veillé à ne lui laisser aucun espoir et que je ne lui ai jamais montré que je le trouve vaguement séduisant.

De toute façon, je ne pouvais pas quitter le bureau ; il fallait bien que quelqu'un s'occupe du standard. (En plus, je travaille beaucoup par téléphone ces temps-ci ; on dirait que tous les confiseurs du pays se sont passé le mot pour faire dire à un de nos poulains : « Que diriez-vous d'une bonne grosse barre chocolatée dans votre tronche ? ») J'ai prétexté que j'avais beaucoup trop de boulot, d'un ton légèrement supérieur. Je n'aime pas donner l'impression que mon job est de ceux qu'on peut interrompre à tout instant – même si c'est le cas, en fait. « Pas de problème », m'a répondu messire Phipps, et il est sorti l'air encore plus ténébreux. Je croyais bien m'en être débarrassé.

Erreur ! Dix minutes plus tard, le revoilà avec un plein panier aux armes de Fortnum's, sinon un panier, du moins un très grand sac plastique débordant de bouffe. Huîtres, olives, petits trucs exotiques, et même du champagne pour faire bonne mesure ! On venait de le rappeler pour jouer dans une grosse production américaine et il voulait fêter ça. Un rôle de salaud, rien que de très normal pour un Rosbif. Je sais, ce n'est pas très politiquement correct, mais il faut reconnaître que ce genre d'emploi est une véritable bénédiction pour nos acteurs snobinards made in England. D'ailleurs, il semblerait que les Anglais soient le seul groupe ethnique au monde qu'on puisse traîner dans la boue sans que personne ne lève le petit doigt. Avant, nos acteurs étaient abonnés aux films en costumes ; c'était ça ou rien. Si personne n'avait l'idée de tourner un Robin des bois ou un Ivanhoé, ils pouvaient aller pointer au chômage. Dix ans ont passé, et aujourd'hui ils sont tous en hélicoptère, à vouloir la peau de Bruce Willis !

Bref, on était là, rien que tous les deux, notre Heathcliff et moi. Je lui ai demandé s'il n'aurait pas préféré fêter cette bonne nouvelle avec une personne chère. Sais-tu ce qu'il m'a répondu ? « Mais que croyez-vous que je fasse ? » Raaaaaaah ! J'ai cru que j'allais tourner de l'œil, et mon cou est devenu tout rouge, comme quand j'avais quinze ans – il suffisait qu'un garçon me demande de sortir avec lui pour que j'aie instantanément l'air d'avoir été égorgée... Mes genoux se sont mis à trembloter comme de la gelée et, quant au bout de fromage que je tenais à la main, il est tombé dans la photocopieuse et l'a carrément bousillée...

Heureusement, je me suis ressaisie. Je lui ai demandé de cesser ses plaisanteries et de me dire ce que cachait cette soudaine familiarité. Puis, sur un ton hautain et prétentieux, celui que je prends sur le répondeur pour dire « nous ne sommes pas là pour le moment », je lui ai rappelé que j'étais une femme respectable. Ça *l'a laissé muet, il s'est contenté d'un petit sourire énigmatique et rusé qui accentuait ses fossettes et... et il a pris ma main.*

Parfaitement.

1° le regard aguicheur; 2° les petites fossettes; 3° la main! Pardonne mon style heurté, Penny, mais j'en suis encore toute retournée.

Mais là n'est pas le plus grave. Accroche-toi: je n'ai pas retiré ma main. *Qu'est-ce que tu dis de ça? J'ai d'abord attendu un instant, peut-être davantage. Mettons une ou deux minutes, en tout cas pas plus de trois, ça j'en suis sûre. J'ai donc laissé ma main et, ensuite, nous avons commencé à, comment dire, euh... à nous regarder dans les yeux. Son regard est devenu tout miel (comme dans les gros plans de* The Tenant of Wildfell Hall[1], *film dans lequel je l'avais trouvé vraiment remarquable). On aurait dit un aristocrate ruiné, dépossédé de son domaine perdu dans les landes... Son after-shave sentait la bruyère. Dieu sait de quoi j'avais l'air... d'un lapin électrocuté, sans doute – avec une plaque d'urticaire.*

On aurait dit que l'atmosphère s'était soudain congelée. J'étais noyée dans ses yeux. Alors – ai-je rêvé? non, j'en suis sûre – j'ai senti son doigt me chatouiller la paume. Autant que je sache, dans le langage des sourds-muets, ça veut dire: « Avec votre permission, je vous culbuterais volontiers, chère madame. » Quel aplomb! Je n'en reviens toujours pas. Il sait pertinemment que je suis mariée. Oui, mariée à un homme bon, honnête, solide, ordinaire, assommant, bien mieux que lui en tout cas, peut-être pas un apollon, mais un vrai mec.

J'ai quand même fini par ôter ma main. J'ose à peine imaginer ce qui serait arrivé si je l'avais laissée. Je crois qu'il m'aurait embrassée... Il faut dire que son visage s'était dangereusement rapproché. Comment aurais-je réagi? Aurais-je fait un scandale? N'oublions pas qu'il est notre meilleur client! Je n'aurais sans doute pas pu faire autrement que de lui rendre son baiser – quel pétrin! Au lieu de ça, je l'ai remercié pour le déjeuner, d'un ton très froid, style « pas ce soir, s'il te plaît », et j'ai prétexté être débordée de

---

1. Il s'agit, à l'origine, d'un roman d'Anne Brontë, *Le Locataire de Wildfell Hall* (N.d.T.).

travail. Il a haussé les épaules, s'est fendu d'un petit sourire entendu, a embarqué son courrier d'admiratrices et a disparu.

Pour être franche, je me sens encore toute bizarre...

Mais aussi très en colère.

D'accord, c'est vrai, il est beau mec, et il est célèbre. Est-ce une raison suffisante pour que toutes les filles se jettent à ses pieds pour un verre de champagne et un bout de fromage ? Je préfère mon mari, aussi borné, chiant et asexué soit-il. Surtout, je veux que Sam soit le père de mes enfants, ce qui n'est pas une mince affaire, et je n'ai pas besoin pour ça que des acteurs arrogants viennent mettre des bâtons dans les roues de mes pauvres hormones, qui sont déjà suffisamment déséquilibrées.

Cher Sam,

Pas de nouvelles de mon sperme.

Pas de réponse du Branleur au sujet du boulot qu'il est censé me donner.

Aucun signe du directeur de chaîne.

Je suis sur des charbons ardents.

Au moins, tout le monde a été impressionné par ma visite à Downing Street. Sauf Nigel, bien sûr, qui n'a toujours pas jugé bon de m'en parler. Beaucoup de gens essayent d'obtenir des places pour le grand jour mais je suis ferme. Je leur dis : « Vous ne vouliez pas de billets pour Mr Blob Blob et ses monstres en pâte à modeler, qu'est-ce qui a changé ? » et ils me répondent : « Le Premier ministre, voilà ce qui a changé ! »

J'ai vu Nigel et il n'a pas fait allusion à mon calamiteux faux pas. Je suppose que c'est encourageant. Notez, ce n'était pas vraiment le moment dans la mesure où il ne s'agissait pas d'un tête-à-tête mais d'un grand brainstorming avec tous les superviseurs éditoriaux de l'unité Fictions de divertissement (puisque c'est apparemment ce que nous sommes), plus des types des finances et du marketing. Nous étions conviés à discuter des projets de développement de la BBC dans la branche cinéma, un sujet qui aurait dû me passionner mais, avec le nuage menaçant au-dessus de mon crâne, impossible de me concentrer. En plus, je suis arrivé le dernier, ce qui n'est jamais bien vu d'un connard vicieux comme Nigel.

— Merci de daigner te joindre à nous, Sam.

J'aurais dû lui dire de me lâcher, au lieu de quoi je me suis lancé dans une explication. Est-ce Churchill ou Thatcher qui a dit : « Ne jamais s'excuser, ne jamais s'expliquer » ? Il ou elle a raison. Nigel m'a laissé aller jusqu'à « Désolé, je… »

— Je vois, oui. Après nous avoir fait perdre du temps en arrivant en retard, tu veux nous en faire perdre un peu plus en nous expliquant pourquoi, c'est ça ?

Incroyable ! Et ce type est *plus jeune* que moi ! George et Trevor étaient présents mais ils ne me furent d'aucune aide – trop occupés à relire leurs notes.

— Hum…

J'ai eu des répliques plus percutantes.

— Hum ? Reconnaissons au moins à cette réponse le mérite de la concision.

Quelques flagorneurs ont littéralement éclaté de rire ! Ni George ni Trevor, encore heureux, mais deux imbéciles de la compta et une jeune femme aux cheveux roses, une ancienne de Sky. Je saurai m'en souvenir, pensai-je, mais à quoi bon ? Ce sera sûrement elle, mon prochain patron.

Je me suis replié dans un coin et Nigel a commencé à pontifier.

— Plus personne ne regarde la télévision, aujourd'hui – du moins aucun de mes amis. La télé, c'est du papier peint, du fast-food, bref : de la merde. La forme d'expression artistique du prochain millénaire, c'est le cinéma. Quelqu'un ici voit-il où je veux en venir ? Allez !

Nous étions de retour sur les bancs de l'école.

— La BBC devrait se lancer dans le cinéma ? suggéra la fille aux cheveux roses.

Nigel lui adressa son plus étincelant sourire. « Eh, eh », pensai-je – mais sans trop y croire : qui, en dehors d'un autre Nigel, pourrait plaire à Nigel ?

— Tout juste, Yaz. *Quatre mariages et un enterrement, The Full Monty, Trainspotting, Arnaque, Crime et Botanique, Insatiable Natacha…*

Ce dernier titre nous surprit, mais personne ne releva. Nigel ponctua son énumération en abattant sa main sur la table.

— Le cinéma anglais n'a jamais aussi bien marché ! L'an dernier, les Américains ont presque aimé trois de nos films. Nous devons saisir cette opportunité. Ça veut dire : repositionner nos putains de culs.

Texto : « repositionner nos putains de culs. »

— Nous devons faire des films.

Un frisson d'excitation parcourut l'assemblée. Je me permis de faire remarquer que la BBC était avant tout un réseau de télévision.

— Boots est une pharmacie, répondit Nigel. Ça ne les empêche pas de vendre des sandwichs au poulet tikka avec de la sauce à la menthe.

Nouvel éclat de rire de Yaz, qui étendit le bras pour prendre une tasse de café et offrir au directeur de chaîne une vue plongeante sur son décolleté. Nigel ne regarda même pas ; il est de ces hommes qui préfèrent haranguer leur auditoire plutôt qu'admirer une jolie poitrine.

— Bon Dieu, Sam ! Bienvenue au XXIe siècle ! En tant que premier relais médiatique du pays, la BBC est le lieu de synergie privilégié pour tous les jeunes talents qui font l'Angleterre de demain. Écrivains, producteurs, cinéastes, la crème de notre Cool Britannia, notre Dream Team à nous. Nous devons jouer le rôle d'interface entre ces gens. Nous avons les moyens techniques et financiers de faire des films – il ne nous manque plus que des idées !

Plus tard, j'ai retrouvé George et Trevor au bar de la BBC. Ils étaient très excités par ce nouveau projet. Après tout, l'idée de faire des films est plutôt exaltante pour des gens chargés de réfléchir dix heures par jour au meilleur moyen d'abrutir la ménagère de moins de cinquante ans. J'ai fait de mon mieux pour partager leur enthousiasme, en vain. La jalousie, sans doute. Je ne veux pas commander des films : je veux en écrire. La perspective d'arpenter les rues de Soho à la recherche d'ados au crâne rasé et au gland piercé frais émoulus de leur école de cinéma me fatiguait d'avance. Plutôt injuste de ma part, je sais, mais ma mère ne disait-elle pas que la vie est injuste ?

Pour George et Trevor, cette réunion annonçait des lendemains qui chantent.

— C'est la chance de ta vie ! Tu n'as qu'à *te* commander un scénario ! Tu l'écris et tu l'acceptes. Ce type nous serine qu'il veut des idées originales, du sang neuf. C'est le moment de placer tes pions !

J'étais presque convaincu. Mais il y avait deux « hic » : d'abord, mes relations avec le directeur de chaîne ne me laissaient guère penser qu'il accepterait un scénario signé de mon nom ; ensuite, même s'il acceptait, de *quel* scénario parlions-nous ? Je n'ai pas écrit la moindre ligne depuis des années. J'ai oublié jusqu'à la façon de tenir un stylo…

Trevor me glissa qu'à son avis l'histoire d'un alcoolique homo en cure de désintoxication ferait un excellent film.

— C'est *ton* histoire, Trevor.

— Et une histoire de merde, ajouta George.

Ils ont tous les deux raison, je sais. Nigel m'offre sans le savoir une opportunité en or, je devrais la saisir à pleines mains. Mais je n'y arrive pas. On dit que la comédie repose sur le conflit et la souffrance. Où est mon conflit ? Où est ma souffrance ? Je suis un type banal, banalement heureux dans le mariage. Hormis une créativité nulle et l'attente des résultats d'une analyse de sperme, il n'y a aucun nuage dans mon horizon.

Ma chère Penny,

Je n'en reviens pas. Depuis que Sam a remis son échantillon il y a trois jours, il est plus nerveux qu'un chaton. Chaque matin, il guette le courrier, alors qu'il sait pertinemment que les résultats ne seront pas communiqués avant cinq jours. Chaque enveloppe qui franchit le seuil de la porte d'entrée est aussitôt sauvagement déchirée, qu'il s'agisse de prospectus pour des clubs de livres ou de publicités d'agences immobilières pour expertiser notre maison. On ne sait jamais, si son « certificat » de spermogramme s'y était glissé par erreur ? Car monsieur s'attend à recevoir un certificat, avec un beau ruban rouge, un cachet à la cire et une mention du style : « Sam Bell : candidat autorisé à repasser l'examen. » Rien de tel qu'un spermogramme pour métamorphoser un homme en triple andouille…

De mon côté, j'ai reçu les résultats de mon analyse sanguine. Et je crois bien que mon corps vient de franchir la première haie. Tout

indique que j'ovule normalement. Hourrah, youpi, youkaïdi-aïda!
Plus que 13 999 999 dysfonctionnements possibles de mes malheu-
reuses canalisations. Vraiment pas facile d'être une femme, parfois…

Aujourd'hui, j'ai dû poster tout un chargement de photos dédi-
cacées de Carl « qu'est-ce que tu me ferais pour un sandwich »
Phipps. Notre petit incident m'a laissé des impressions mitigées.
C'est clair, très clair que je n'ai rien fait pour m'embarquer dans
cette galère. Néanmoins, je conviens que c'est plutôt flatteur.
Quand on a trente-quatre ans et qu'on est une femme mariée,
c'est bon de savoir qu'on est toujours baisable – à condition d'en
avoir envie, ce qui n'est pas mon cas, et d'ailleurs même si je me
laissais faire, ce ne serait pas de mon plein gré.

J'ai annoncé à Sam que mon analyse sanguine révèle une ovu-
lation normale. Il a très mal réagi. Au lieu de se réjouir que, pour
une fois, quelque chose ait l'air de fonctionner correctement chez
moi, il y a aussitôt vu la confirmation qu'il a « raté » son spermo-
gramme et qu'il ne sera bientôt plus qu'une sorte d'eunuque
asexué. S'il croit que ce sursaut d'égocentrisme ajoute à son sex-
appeal! Ce n'est vraiment pas à son honneur. Je confesse avoir été
brièvement traversée par la pensée coupable que, dans cette situa-
tion, un Lord Byron Phipps, notre ténébreux et provocant gentle-
man, aurait montré davantage de compassion et d'élégance
vis-à-vis d'une femme en détresse.

Il aurait aussi davantage confiance dans ses coucougnettes.

Sam,

Toujours rien du côté du sperme.

Toujours rien du côté du Branleur.

Et toujours rien à propos de ma monstrueuse boulette avec le
directeur de chaîne. A croire que je suis à deux doigts de m'en
tirer indemne. Après tout, Nigel n'est pas un mauvais bougre. Il
essaye juste de faire entrer la Bib de plain-pied dans le XXIe
siècle, qui l'en blâmerait? Et il a de l'humour, non? Il réussit à
voir le bon côté des choses. Je me rappelle, quand il s'occupait
de documentaires, il avait fait un reportage sur Ken Dodd[1].

---

1. Un des plus célèbres acteurs comiques anglais (N.d.T.).

Excellent. Vraiment. Chaleureux, populaire au sens noble du terme. Il y comparait Dodd à un clown shakespearien. Pour éclairer le parallèle, on voyait un extrait de *Beaucoup de bruit pour rien*, quand Dogberry et Verges se battent à coup de miches de pain. Hilarant. Il faudra que je dise à Nigel combien j'ai aimé. Yanton Nabokobovich réalisait l'interview. Il parlait de Doddy comme d'un « principe subversif à lui tout seul ».

— Est-ce que chaque plaisanterie n'est pas une révolution en elle-même ? Un acte de rébellion dynamitant les soubassements du statu quo ?

— Euh... p'têt ben, m'dam. Ah ah !

Un grand moment de télé.

Bien sûr, que Nigel est un bon bougre qui a le sens de l'humour. Et je sais qu'il ne me laissera pas tomber.

Aujourd'hui, briefing sur les programmes de la semaine en présence du responsable du standard et du courrier des téléspectateurs. Passionnant. Sous la présidence de George, nous avons passé en revue les différents synonymes de « vagin » utilisables après 21 heures. Vous voyez le tableau : cinq hommes débattant dans le plus grand sérieux pour savoir si « foufoune » est préférable à « cramouille ». J'en ai parlé ce soir à Lucy, et elle m'a ressorti son laïus sur la peur de la foufoune chez les hommes. Elle n'a pas tort : alors que la Bib, à toute heure, ne lésine pas sur le vocabulaire pour parler du pénis (bite, queue, bistouquette, robinet, gourdin, mandrin, poireau, saucisse, pine, zob, Marcel, Totor, doigt sans ongle et même petit chauve à col roulé !), l'affaire se gâte quand on en vient au sexe de la femme : tout paraît trop cru. « Vagin » sonne plus cru que « pénis », même « foufoune » est limite. « Chatte » passe de justesse. Le briefing s'est achevé dans l'insatisfaction générale. Notre choix s'est porté sur « nénuphar », l'euphémisme préféré de la mère de l'un des participants. J'ai hâte de l'entendre dans la bouche de l'une de nos jeunes comédiennes survoltées. J'entends déjà ricaner du côté de l'*Independent*.

Toujours pas de nouvelles de mon sperme. Je l'ai déjà dit ?

Ma chère petite Penny,

Druscilla est venue me voir au bureau. Elle m'a surprise en train de déguster un café. J'ai eu droit au sermon de rigueur : « La caféine est l'ennemie de la femme », etc. Elle a insisté pour me purger avec une tasse de citron pressé. Ensuite, elle m'a demandé si j'avais réfléchi à sa proposition, au sujet du champ de force de Primrose Hill. Jeudi prochain, c'est la pleine lune, et la météo est optimiste. Pauvre fille, elle n'a plus vraiment toute sa tête.

Ce midi, j'ai déjeuné avec Melinda et le petit Cuthbert. Quel enfant magnifique... Je suis sûre que ce curieux air renfrogné qu'il arbore en permanence finira par disparaître comme il est venu, quand sa bouche aura grandi. Nous avons commandé des salades (et des gâteaux). Comme prévu, Melinda a profité de l'attente pour exhiber ses photos. Elle a insisté pour me les montrer une par une, alors que Cuthbert était assis devant moi, en chair et en os (surtout en chair, en boudins de chair). Il y en avait à peu près deux cents. Je les ai malgré tout regardées avec plaisir car, au risque de me répéter, Cuthbert est vraiment adorable, quoiqu'il me fasse parfois penser à Reggie Kray [1], en modèle réduit. C'était tout de même un peu longuet. Comme je regrette l'époque où prendre une photo était un événement extraordinaire, exceptionnel... Cinq ou dix portraits, c'était tout ce qu'il restait d'une enfance. Alors que, de nos jours, on stocke des millions de photos sur des appareils numériques, pour les débiter ensuite ad nauseam *sur imprimante. Et ce n'est pas tout : maintenant que les caméras numérique sont équipées d'un petit écran latéral, on peut aussi bassiner ses amis avec la vidéo, y compris pendant le tournage... Melinda n'en est pas encore là, grâce au ciel, mais elle a quand même pris la peine de m'apporter un tirage complet de toutes ses photos – vraiment, elle n'aurait pas dû.*

Un moment, j'ai pensé lui montrer un portrait de Gertrude (celui que j'avais découpé dans Big Issue, *pas le tirage de luxe), et puis je me suis ravisée. Je me suis dit que ça lui ferait pitié. On se demande bien pourquoi, d'ailleurs.*

---

1. L'un des plus vieux et plus célèbres détenus anglais, emprisonné depuis 1968 pour le meurtre de deux gangsters (N.d.T.).

Au bout d'une demi-heure, Cuthbert s'est mis à pleurer. Doux euphémisme : il cherchait plutôt à réduire Londres en miettes par la seule puissance de son vibrato. Melinda lui a donné le sein illico, sans se préoccuper des gens, attitude que j'ai trouvée à la fois très saine et très féministe ; je regrette simplement qu'elle lui ait ensuite fait faire son rot avec autant de vigueur. C'est le sol qui a tout pris, mais je ne jurerais pas que quelques embruns de renvoi lacté n'aient atterri dans nos assiettes...

Par ailleurs, je croyais qu'on ne faisait plus roter les bébés.

Ce petit incident m'a plongée dans une intense rêverie. Bien qu'il ne soit pas équipé d'un silencieux, qu'il vomisse à tort et à travers et qu'il soit planté d'épaisses touffes de cheveux noirs bouffées aux mites, le spectacle de cet enfant m'a rendue plus désireuse que jamais d'en avoir un moi-même. Surtout quand Melinda m'a montré son petit pull-over Pierrot Lapin. Ça m'a fait un coup au cœur. Redécouvrir Beatrix Potter grâce à mes enfants, c'est le rêve de toute ma vie... En revanche, je n'ai pas trop aimé la casquette de base-ball qu'elle lui a dégottée chez OshKosh, avec l'inscription « Je sais, on me l'a déjà dit », qui m'a paru d'un mauvais goût écœurant (et particulièrement ironique...).

Jamais je n'achèterai ce genre d'accessoire à mon enfant. C'est une façon de dire : « Regardez mon bébé, regardez comme il est beau ! » Je trouve que ça ne se fait pas – surtout en Angleterre. C'est contraire à notre culture et à notre éducation. Ou est-ce que c'est moi qui suis vieux jeu ?

Melinda a aussi acheté un autocollant « Bébé à bord » pour coller à l'arrière de sa Fiat. Sam ne comprend pas que George l'ait laissée faire ; il paraît que c'est complètement ringard. Je dois dire que je n'en raffole pas non plus. Et d'abord, c'est quoi, le message ? Comment est-on censé réagir quand on suit une voiture avec « Bébé à bord » ? « Merci de me prévenir, je m'apprêtais à vous emboutir, mais maintenant que je sais qu'il y a un gosse, je garde un pied sur le frein. » Absurde ! Et si je me fabriquais mon propre autocollant : « Bien que mon mari et moi n'ayons pas encore été touchés par la grâce divine de procréer, nous ne souhaitons pas mourir dans un accident de la route. Merci de votre compréhension » ?

Après être enfin venue à bout des photos et avoir essuyé tout le vomi, je me suis décidée à raconter à Melinda les circonstances de *mon effarante aventure avec Carl Phipps, alias Heathcliff, comme je l'appelle quand il m'arrive de repenser à lui. Oui, Penny, je sais : je t'avais promis de n'en faire la confidence qu'à toi. Hélas, je n'ai pas réussi à tenir ma langue. Eh bien, le croiras-tu : Melinda m'a conseillé de me le taper. Oui, tu as bien entendu : me le taper. Incroyable. Melinda, me dire ça, à moi ! Elle qui est si clean. « C'est différent, m'a-t-elle expliqué. Tu as des circonstances atténuantes. Et puis, Carl Phipps est un des hommes les plus sexys du moment, c'est de notoriété publique. Crois-tu que si Sam avait l'opportunité de s'envoyer Sharon Stone, il s'en priverait ? » « Tu parles que non ! » je lui ai répondu – un peu trop fort, d'ailleurs, car tout le monde nous a dévisagées.*

Je ne pense pas que Melinda ait parlé sérieusement. Elle n'a jamais eu aucune indulgence pour l'infidélité. Je me souviens que lorsque George m'a embrassée le soir du nouvel an, elle en a fait tout un fromage. Bon, c'est vrai, c'était un baiser un peu prolongé. Ce n'est quand même pas ma faute si les douze coups de minuit durent aussi longtemps...

En creusant un peu, j'ai cru comprendre que George n'est pas très attentif à Melinda ces temps-ci. Il paraît que c'est classique après une naissance. Le mari ne reconnaît plus sa femme ; c'était une amante, c'est devenu une mère. Ça lui fait tout drôle de convoiter la créature qui nourrit son héritier. Par ailleurs, Melinda n'a pas encore retrouvé sa silhouette d'antan – pauvre cocotte ! Quoi de plus naturel, il n'y a pas trois mois qu'elle a accouché ! C'est encore bien trop tôt pour penser à soi. Même si trois parts de gâteau pour le dessert m'ont paru exagéré. Moi, par exemple, je n'en ai pris qu'une (plus quelques miettes).

J'ai tout de même bien fait comprendre à Melinda que je n'ai aucunement l'intention de tromper Sam, puisque je l'aime et que, grosso modo, il parvient à combler mes besoins sexuels – enfin, je crois. En tout cas, une chose est sûre : je l'aime. Pour ce qui est du sexe, je dois bien reconnaître qu'en ce moment, je ne suis pas particulièrement rassasiée. Rien d'étonnant, Sam ne pense qu'aux résultats de son spermogramme. C'est devenu une véritable obsession. Son pouvoir de séduction s'en trouve sensiblement diminué...

Yo, mec !

Yo yo yo yo ! Ça y est, mon gars ! Le résultat ! Attention, attention… Planté, à tous les coups, planté…

NON !

JE L'AI !

J'ai réussi mon examen de sperme !

La lettre est arrivée ce matin.

Au début, je ne voulais pas l'ouvrir. Comme pour le passage en fac. A l'époque, je faisais les vendanges dans le Sud de la France et j'ai dû appeler à la maison pour demander à maman de me lire le résultat. Je m'en souviens encore : je suis resté une demi-heure devant la cabine téléphonique avant de me décider à entrer tellement j'étais angoissé. Évidemment, ce matin, pas question de tourner autour du pot pendant une demi-heure car je devais aller bosser, mais j'ai quand même demandé à Lucy d'ouvrir l'enveloppe et de me lire la lettre. J'ai vu la lame du coupe-papier glisser dans la fente de l'enveloppe avec une lenteur irréelle. Quel que soit le verdict du destin, j'étais heureux de voir le bout du tunnel.

Ça commençait de façon assez abrupte. Pas d'en-tête personnalisé, pas de « Cher monsieur », « Courage, mon vieux » ou « Sers-toi un verre, tocard, tu n'as pas de spermatozoïdes ». Juste un formulaire avec des cases cochées au stylo-bille. Bonjour l'accompagnement des malades ! Et ils ne proposent même pas de numéro vert…

Voilà, journal, je dois te dire qu'à première vue, j'ai cru que c'était foutu. La toute première entrée (sous la rubrique « Mobilité ») était : « Paresseux : 30 %. » Je le jure, c'était écrit : « Paresseux. » Un adjectif horrible, évocateur de petits insectes gluants incapables de se magner le train pour éviter d'être écrasés dans les allées des jardins. Paresseux ! Un mot affreusement connoté, pas du tout scientifique. Je m'attendais à un avis de médecin, pas à une critique ! Et, quitte à sortir du lexique médical, ils n'auraient pas pu choisir une expression moins péjorative ? Comme « décontractés » ou « pas pressés » ? J'aurais supporté qu'ils qualifient mes spermatozoïdes de « décontractés ». Des spermatozoïdes tranquillement allongés, les doigts de pied en éventail, batifolant gentiment avec leurs copains. Ç'aurait été sympa. Mais « paresseux » ? Ils veulent être désagréables ou quoi ?

La deuxième entrée était pire. J'en aurais pleuré : « Nagent dans la mauvaise direction : 41 %. » On ne parle pas comme ça de l'essence même de la masculinité ! Mon esprit vacillait. J'ai pensé : mes spermatozoïdes sont idiots. Ils nagent à contre-courant dans mes couilles depuis des années. Puis je me suis dit : attends, ce n'est pas possible. Ce test ne tient pas debout. Comment peuvent-ils déterminer quelle est la *bonne* direction ? Ils sont dans un flacon en plastique ! J'eus alors la vision de millions de petits spermatozoïdes se précipitant en tous sens, se cognant la tête contre les parois transparentes, frétillant de la queue frénétiquement et se demandant : « Nous sommes génétiquement programmés pour trouver un œuf. Où est-il ? »

Parvenu à la fin de la lettre, je songeai sérieusement à m'ouvrir les veines. La conclusion était : « Inutiles : 90 %. »

Mauvais nageurs, mobilité médiocre. Une giclée de bons à rien.

Et voilà. L'horrible vérité inscrite en lettres de feu au-dessus de ma tête : je ne suis pas un homme. Recalé au spermogramme.

Je me demandais déjà s'ils me laisseraient le repasser. Comme le permis de conduire. Je l'ai décroché la quatrième fois mais j'aurais dû l'avoir du premier coup si mes examinateurs n'avaient pas été de vrais nazis. A coup sûr, le biochimiste qui s'est occupé de mon échantillon était un nazi, lui aussi ! Un immonde vermisseau jaloux programmé pour détruire la vie d'hommes méritants. Un petit homme amer et sans avenir, dont les spermatozoïdes sont ridicules, malades et incapables de se frayer un chemin hors de son caleçon. Un déçu de la vie qui se venge en analysant le sperme d'autrui et qui recale tous les étalons.

C'était ça. Donnez un uniforme à un biochimiste testeur de sperme et il se prend pour Hitler !

Je m'apprêtais à téléphoner au laboratoire pour demander un nouveau décompte quand Lucy attira mon attention sur un tampon apposé au bas du formulaire : « NORMAL »

Quel soulagement ! Mes misérables pourcentages sont dans la moyenne, 90 % des spermatozoïdes de l'homme de la rue sont bons à foutre à la poubelle ! Et on ne trouve que deux frétilleurs vraiment efficaces dans le lot. Les trois quarts de nos spermatozoïdes ne sont pas à la hauteur de nos proclamations machistes.

Ils sont paresseux. Idiots. Ils se gourent de direction. Ils ne savent pas où aller.

« On dirait que tu décris les clients d'un pub à l'heure de la fermeture », a commenté Lucy. Très drôle.

Enfin voilà, quoi. Examen réussi. Je suis normal. J'étais si content que j'ai dansé autour de la table et que j'ai renversé mon café.

« Normal, normal, ordinaire, commun, banal ! » chantonnais-je en route vers la Bib. Puis j'ai pensé : attends un peu – normal ? Ordinaire ? C'est limite vexant, non ? Entre nous, je méritais bien la mention « Superbe ». Ça devait être un jour sans.

Mais je m'en fous : je suis tiré d'affaire !

Ma chère Penny,

La lettre qu'a reçue Sam l'a presque fait pleurer. Moi, elle m'a bien fait rire – surtout le passage à propos des 41 % de nageurs à contre-sens. J'aurais plutôt dit 100 % ! Quelle femme ignore encore que les spermatozoïdes nagent dans la mauvaise direction ? Pas besoin de la logistique des services de santé publique pour découvrir ça ! Il suffit d'avoir déjà été prise d'une quinte de toux après s'être fait tirer : aussitôt, ce sont dix millions de ces petits bestiaux qui se précipitent vers la sortie de secours !

Nos deux résultats en poche, j'ai pris une heure sur mon temps de travail pour aller consulter le docteur Cooper. Selon lui, étant désormais clairement établi que ni Sam ni moi ne présentons de dysfonctionnements rédhibitoires, il s'agit probablement d'un problème d'incompatibilité (j'ai failli lui répondre que cette hypothèse m'avait effleuré l'esprit). En d'autres termes, le docteur Cooper pense que mes glaires et le sperme de Sam ne sont pas fait pour s'entendre. Alors que ses têtards tentent péniblement de « remonter le cours de l'Amazone », comme il dit, mon corps déverse du cyanure sur leur passage. Je n'ai jamais rien entendu de plus affreux, mais le docteur Cooper, lui, m'assure qu'il n'y a pas lieu de s'inquiéter, que ce n'est « pas grave, pas grave du tout », et que tout est parfaitement normal – évidemment, avec de vieux ovaires stériles comme les miens, le contraire serait surprenant... mais je me suis bien gardée de lui en faire la remarque.

Quand j'essaye d'imaginer mes entrailles, je vois une vieille prune toute fripée. Comme c'est curieux... Parfois, il me semble que tout cela n'est qu'un mauvais rêve. Moi, stérile ? Non, non, il doit y avoir erreur sur la personne. Je veux des enfants, j'en ai toujours voulu, j'ai construit toute ma vie dans cette unique perspective... Ça ne peut pas m'arriver. Pas à moi. Pourquoi moi ? Pourquoi, bon sang ? Bah... j'imagine que toutes les femmes pensent la même chose. Toutes les femmes perdues pour la maternité.

Mais revenons au docteur Cooper et à son histoire de « test d'interaction sperme-glaire ». Je dois dire que ça m'a mise un peu sur le cul. La vision de la semence de Sam agonisant dans le Styx de mon vagin maudit m'avait presque mis les larmes aux yeux. J'avais l'impression d'être devenue une criminelle. Mais, avant de se prononcer définitivement sur cette épouvantable hypothèse, il va nous falloir nous soumettre à un dernier test : l'« examen post-coïtal ». Le principe est très simple : on baise, après quoi un médecin jette un coup d'œil. On ne m'avait encore jamais rien proposé de plus dégoûtant.

J'ai d'abord cru que nous allions devoir nous enfiler sous les yeux du docteur Cooper, dans son cabinet. Inutile de dire que je ne voulais même pas en entendre parler ! De toute façon, le docteur Cooper a ajouté qu'il ne nous ferait pas passer cet examen lui-même. Quel soulagement ce doit être pour lui ! La fréquentation de mes enfers est devenue son calvaire, et la perspective d'y patauger dans le sperme tout frais de Sam doit le rendre malade d'avance... Il y a de quoi.

Voici donc ce que nous allons faire. Le jour dit, Sam et moi nous lèverons tôt et nous mettrons à la besogne sans perdre un instant. Je m'empresse d'ajouter que ça devrait quelque peu bousculer nos habitudes car normalement nous préférons commencer la journée avec une tasse de thé et des toasts. Par ailleurs, j'ai encore en mémoire le récent et pénible souvenir de la laborieuse masturbation matinale de Sam. Ensuite, une fois copieusement farcie, pour ainsi dire, il ne me restera qu'à me rendre dans une des ces repoussantes cliniques dont s'est inspiré Soljenitsyne pour écrire Le Pavillon des cancéreux, y subir l'assaut des médecins et attendre la surprise du chef. Après des années de frottis vaginaux, d'infections diverses, d'« explorations *de l'infertilité » et tout le saint-frusquin, ma pauvre vieille chatte est désormais aussi fréquentée par le corps médical qu'un chemin de grande randonnée. Parfois, je me demande si je ne devrais pas me faire installer une porte à tambour... Mais revenons à nos moutons. Lorsque l'homme de l'art aura bien farfouillé là-dedans – muni, à n'en pas douter, d'un instrument métallique de la taille d'un grille-pain, mais froid comme un bac à glaçons –, il sera enfin en mesure de me révéler si mon ventre est oui ou non un cimetière de spermatozoïdes.*

Beurk ! Révulsant. Ce serait tellement plus simple de pouvoir tomber enceinte...

J'ai téléphoné à Druscilla du bureau pour qu'elle me rappelle la date de la prochaine pleine lune. Ça ne me servira à rien, mais je préfère ne négliger aucune piste. On n'est jamais trop prudent.

Cher Sam,

Dîner chez Trevor et Kit. J'ai eu droit au sempiternel « Qu'est-ce que je vais pouvoir me mettre ? » Pas de mon fait, bien sûr. Je sais quoi mettre quand je sors : un pantalon et une chemise. Mais Lucy y réfléchit à deux fois avant d'arrêter son choix. Mieux que ça : elle insiste pour me faire partager son dilemme, puis s'indigne que je m'en mêle. Elle est là, en sous-vêtements, et me demande : « Tu préfères la rouge ou la bleue ? » Je sais, le réflexe intelligent serait de garder le silence, car il n'y a aucune chance en ce monde ou dans le suivant pour tomber sur la bonne réponse. Pourtant, c'est plus fort que moi, je finis par trancher.

— Euh... la rouge ?

— Ah ? Tu n'aimes pas la bleue ?

— Je n'ai pas dit ça.

— J'allais choisir la bleue.

— Alors mets la bleue.

— Impossible, maintenant ! Puisque de toute évidence tu trouves qu'elle me boudine... Il faut que je repense complètement le problème...

De la folie pure ! Surtout qu'en plus, il ne s'agit que de Trevor et Kit. George et Melinda aussi étaient invités mais ils n'avaient pas trouvé de baby-sitter. J'ai fait remarquer à Lucy que ce genre de choses risquait de nous arriver si nous mettions un jour dans le mille. Je ne crois pas qu'elle ait jamais réfléchi à la difficulté de mener une vie sociale quand on a des bébés. Impossible de sortir ou de se prendre une cuite quand on veut ; toute spontanéité bannie de nos vies en un clin d'œil ; et voilà comment deux êtres sensés, cultivés, matures, en viennent à désespérer à l'idée de soumettre leur existence au concept abstrait d'un être qui nous pomperait jusqu'à la moelle d'un point de vue physique, psychologique et financier et ne serait même pas capable de former une phrase correcte avant ses cinq ans.

Sam se rase dans la salle de bains. Je l'entends monologuer sur les inconvénients d'avoir des enfants, et je dois me retenir pour ne pas somatiser car je viens juste de me maquiller. Comment peut-on être aussi stupide et égoïste ? Oh ! il n'est pas méchant, ça non ; il y a juste qu'il n'a toujours rien compris au film. Je suis sur terre pour avoir des enfants. Je veux devenir maman. Pas un jour, pas une minute de ma vie ne s'écoule sans que j'en aie l'intime certitude. Aussi, quand je l'entends disserter de la sorte, comme si les enfants n'étaient qu'une option de confort à prendre ou à laisser, je me sens à des millions de kilomètres de lui. Avoir des enfants : y a-t-il d'autres raisons de vivre ?

Je viens de rappeler à Lucy qu'en fin de compte, les enfants sont un choix de vie comme un autre et je crois que ça l'a un peu rassurée.

D'un autre côté... Il m'arrive d'observer Lucy à son insu, pendant son sommeil par exemple, et de me dire combien elle est ravissante et combien je l'aime. Et je pense que j'adorerais l'aimer encore plus, et trouver d'autres façons de lui témoigner mon amour. Alors, je me dis qu'avoir un bébé pourrait être la plus merveilleuse de ces façons. Bon, je ne m'étends pas.

Ma chère Penny,

Hier soir, nous avons dîné avec Trevor et son copain Kit. Bien que Sam ait réussi à me foutre en boule juste avant de partir, nous nous sommes bien amusés malgré tout.

Sam et Trevor déjeunent souvent ensemble à la Bib. Quand ils se mettent à casser du sucre sur les pires acteurs que l'agence leur envoie, ils sont tout simplement irrésistibles. Trevor était particulièrement remonté contre ces insupportables voyous de luxe sortis d'Oxbridge, qu'on paye à sortir des vannes d'ivrognes sur le foot dans ce nouveau talk-show de fin de soirée intitulé « Troisième Mi-Temps ». C'est son plus gros succès en ce moment. Le principe de base de l'émission (que je n'ai pas encore vue) consiste à diffuser des extraits de divers événements sportifs, tandis que, sur le plateau, les invités rivalisent d'efforts pour prononcer le mot « bite » le plus souvent possible...

Ça fait du bien de se payer une bonne tranche de rigolade. C'est toujours comme ça avec Trevor et Kit. Trevor est un vrai boute-en-train, surtout depuis que le succès de « Troisième Mi-Temps » semble se retourner contre lui. Les deux gugusses qui présentent n'ont pas tardé à signer avec le bulldozer Aiden Fumet. Fumet s'est pointé au bureau de Trevor pour lui dire que, compte tenu de leur « cote artistique », ses deux « comédiens » méritaient qu'on leur confie dare-dare une sitcom. Quand Trevor lui a répondu qu'avant de consacrer des centaines de milliers de livres « prises sur la redevance » à un projet abstrait, il serait bon de fournir un synopsis, Fumet a retrouvé sa verve de skinhead pour le traiter d'« immonde petite fiente de fonctionnaire ». Et il l'a mis en garde : si jamais Trevor ou la Bib tentait d'interférer dans la carrière de ses poulains, « l'écurie » Fumet quitterait la chaîne en bloc.

Trevor imite très bien Fumet et son curieux accent hybride : mi-rock star décadente déprimée, mi-forain de l'East End. « C'que la BBC doit comprend', c'est qu'mes gars sont des génies certifiés par *Time Out* ! Alors, à la prochaine couille, j'les embarque tous pour Hollywood ; les Ricains, y savent reconnaît' le vrai talent, et chacun d'mes gars peut s'faire sans problème deux millions de dollars à l'année longue ! »

Trevor, George et moi sommes d'accord pour dire que les artistes sont beaucoup plus arrogants avec la BBC que par le passé. Cela s'explique sans doute par le nombre incroyable d'activités auxquelles un type un peu talentueux (et même moins) peut prétendre aujourd'hui. Il fut un temps où il n'existait qu'une seule chaîne, et ceux qui voulaient faire carrière à la télé n'avaient pas le choix : c'était la BBC. C'est de cette période que datent nos séries-fleuves : les gens obéissaient aux ordres et, si on leur commandait soixante épisodes du même feuilleton, ils s'exécutaient sans broncher. De nos jours, avec huit millions de chaînes disponibles, ce sont les célébrités qui font la loi, ce qui complique singulièrement la tâche des simples exécutants.

Trevor accuse aussi le Festival d'humour de Montréal. Il se déroule au Canada (sans blague), et les comiques anglais s'y rendent comme s'ils allaient jouer aux États-Unis. Ce qui explique qu'ils s'y rendent *tous*. Et ils ne sont pas les seuls : Trevor et moi y allons chaque fois que nous pouvons, car c'est surtout le festival de la cuite, et les restos sont géniaux ! Le problème, c'est que les grosses légumes sont là aussi. Enfin, les grosses légumes, pas vraiment ; ce sont plutôt les larbins des larbins des grosses légumes d'Hollywood. Les sans-grade de la télé américaine qui n'ont rien de particulièrement intéressant à faire à L.A. ou New York. Que je sache, le Festival d'humour de Montréal est surtout l'occasion pour ces ratés de partir en vacances une fois par an et de se la jouer devant des types encore éblouis par le rêve américain.

Ces non-responsables de la télé américaine se baladent donc de cocktails en réceptions, se font payer à boire par des agents artistiques anglais et se font passer pour des pontes. Ils vont voir les comédiens anglais, irlandais, australiens, néo-zélandais, et leur serinent qu'ils sont « formidables, et tellement originaux » ! CBS sera sûrement très impatiente de les transformer en Eddie Murphy ou, à tout le moins, de leur proposer une sitcom.

La triste vérité, on l'aura compris, c'est que les humoristes anglais sont bien trop vulgaires pour intéresser le public américain – pour ne rien dire des Australiens, qui jurent comme des charretiers. En somme, la télé américaine s'intéresse autant au Festival d'humour de Montréal qu'au Tremplin comique annuel de Brighton. Ce qui n'empêche pas les glorieux représentants de notre bel humour de rentrer au pays (après une nuit de beuverie et une autre passée à abuser la confiance de quelque jeune journaliste canadienne) avec de scintillantes promesses de succès outre-Atlantique. Ces légendes sont ensuite colportées par les agents des comédiens et dûment répercutées dans les colonnes de l'*Independent* et, bien sûr, de *Time Out* (« Plus fort que Robin Williams, voici Ivor Biggun de Slough ! » ; « Éric et Ernie rentrent bredouilles, mais Broadway très intéressé par Dog et Fish »). Voir ces affabulations relayées dans la presse finit par convaincre les agents qui les ont lancées. Dès lors, ils se croient autorisés à mettre la pression sur la Bib.

C'est ainsi qu'un Aiden Fumet peut me sortir toutes les semaines : « Écoute, Sam : j'ai sous les yeux le fax d'un type *très* important de chez NBC. Qu'est-ce que t'attends pour nous filer des sitcoms ? »

Qu'est-ce qu'on a ri ! Trevor n'a pas son pareil pour raconter des anecdotes sur son boulot – tout simplement parce qu'il considère qu'il y a plus important dans la vie. Tout le contraire de Sam, qui prend son travail trop au sérieux, reste convaincu qu'il existe des recettes pour réussir une comédie à succès et attache une importance démesurée aux managers, aux festivals et au marché américain.

Dieu sait pourquoi, Sam – peut-être jaloux de l'humour de Trevor – n'a pas pu s'empêcher de parler de notre imminent examen postcoïtal. Sur le coup, je ne lui en ai pas voulu, car Trevor et Kit sont vraiment de bons amis. Tout de même, ça fait bizarre d'étaler sa glaire cervicale en plein dîner... Mais, après tout, mieux vaut en rire. C'est ce que nous avons fait. Trevor et Sam étaient pliés en quatre, ils parlaient de « génocide vaginal », ils nous décrivaient la débâcle des spermatozoïdes battant retraite à la nage en agitant des drapeaux blancs...

On a ri jusqu'aux larmes... et, de fait, j'ai bien failli me mettre à pleurer pour de bon. Tout ça est peut-être hilarant, mais ce qui n'est pas marrant du tout, c'est de vouloir des enfants et de ne pas pouvoir en faire.

Kit est trop mignon. Il est décorateur de théâtre (si on peut dire... Récemment, on lui a donné un budget de 5 livres pour représenter la forêt de Burnham marchant sur Dunsinane, dans Macbeth. *« On s'est débrouillés avec des brindilles... Et puis, tu sais, avec quelques sacs poubelle, on peut à peu près tout faire... »). Il m'a demandé ce que nous ferions si l'examen était négatif et qu'il apparaissait que le sperme de Sam n'est décidément pas le bienvenu dans mon corps. Sans me laisser le temps de réfléchir, Trevor s'est proposé de nous faire un don ! Il l'a déjà fait pour un couple de lesbiennes de Crouch End qu'ils ont rencontrées sur le Net. « Tu sais, m'a dit Trevor, pas besoin d'avoir des relations sexuelles. Même entre nous, Lucy chérie ! On se sert d'une sorte de pistolet à gaufres... » Je n'en croyais pas mes oreilles... Il paraît pourtant que c'est la pure vérité.*

Sam était plié de rire. En fait, j'ai bien vu qu'il était complètement dépassé par les événements. Ces questions l'ont toujours laissé parfaitement indifférent mais, cette fois, il est soudain devenu étrangement silencieux. Je garde espoir qu'il se sente un peu concerné.

La vie me surprendra toujours. Voici que Lucy complote pour concevoir avec mes amis gays à l'aide d'un pistolet à gaufres ! Une histoire que je ne manquerai pas de rapporter à maman au prochain réveillon...

En repensant à toute cette histoire, je me suis demandé : et si Sam et moi n'étions absolument pas compatibles ? Que nous resterait-il comme solution ? L'adoption ? L'insémination artificielle ? Les oubliettes de la mémoire ? Bah, je ferai comme je fais toujours quand je suis trop anxieuse pour m'endormir : essayer de penser à autre chose.

Cher Sam,
Du nouveau au boulot aujourd'hui. A moitié génial. Ça a commencé par être « totalement génial », puis de moins en moins. Je venais de terminer un niveau particulièrement difficile de *Tomb Raider* quand Daphné a pointé le bout de son nez : la secrétaire du P-DG était en ligne et voulait savoir si Lucy et moi étions libres pour un dîner au siège de la BBC.

Quelle question ! La vision de l'extraordinaire poitrine de Lara Croft s'est évanouie sur-le-champ. Les dîners du P-DG au siège de la chaîne sont légendaires. Il reçoit des ministres, des industriels, des footballeurs, des évêques, *tout le monde*. Mais *jamais*, que je sache, de modestes responsables éditoriaux de l'unité Fictions de divertissement. Une fois, j'ai été invité à un cocktail de fin d'année, mais juste une fois, et il y avait deux cents personnes, et ce n'était qu'un cocktail. Là, il s'agissait d'un dîner ! Au siège de la BBC, ce fier navire qui cingle au large de Regent Street ! Quel honneur ! Ma petite visite à Downing Street avait dû parvenir aux oreilles du P-DG. Rien que de très normal, d'ailleurs : j'avais fait le tour de tous les bureaux pour m'en vanter.

Mais peu importe la raison : nous étions invités. Nous « en » étions. Je m'empressai de dire à Daphné d'accepter.

— Quelle date ? J'annule tous mes projets. Si ma mère meurt, elle mourra seule.

— Demain soir.

Petit pincement au cœur. Une invitation dans un délai si bref ne peut signifier qu'une chose : nous servions de bouche-trou. Mais ne boudons pas notre plaisir : je n'avais jamais été invité auparavant, remplacer un absent de dernière minute restait un honneur.

Puis le téléphone a sonné. George.

— Devine ? Melinda et moi sommes invités au dîner du P-DG demain soir ! Incroyable, hein ? Apparemment, nous remplaçons quelqu'un, mais c'est quand même génial, non ? La mégacouille, c'est que nous ne pouvons pas y aller. Melinda n'a pas pu trouver une baby-sitter en qui elle ait confiance. Les deux seules au monde qui ne soient pas accusées de crime contre l'humanité sont déjà prises. Je l'ai menacée de divorce, mais elle n'a pas changé d'avis.

— Attends... Quand as-tu reçu l'invitation ?

— Hier après-midi. Et j'ai appelé la secrétaire du P-DG ce matin pour décliner. Ça m'a fait tout drôle de m'entendre le dire. En un sens, c'est assez *cool*, non ?

Après que George eut raccroché, je me suis efforcé de ne pas me sentir irrité. Nous étions placés en second – et après ? Nous dînons avec le P-DG et ça c'est...

Trevor a appelé.

— Tu ne vas pas me croire : nous sommes invités, Kit et moi, au dîner du boss, mais nous ne pouvons pas y aller ! Sa secrétaire nous a prévenus ce matin. Vu que c'est pour demain soir, nous jouons sans doute les roues de secours, mais on s'en fout ! C'est top, non ? Quand j'ai rappelé il y a une demi-heure, j'avais l'impression qu'on m'arrachait une dent... Mais nous avons une règle et Kit doit faire gaffe.

Kit est séropositif et, même s'il donne l'impression de bien le vivre, même s'il est impossible de deviner son état de santé en le voyant, il préfère ne pas s'imposer d'efforts inutiles. Aussi, lui et Trevor ont-ils décidé de limiter leur vie sociale à une soirée par semaine.

— Et nous l'avons déjà utilisée en *vous* invitant à dîner ! s'est-il étranglé.

J'avoue que je n'ai guère apprécié cette façon de me signifier qu'ils avaient gâché leur précieuse soirée hebdomadaire avec nous alors que des opportunités bien plus prestigieuses s'offraient à eux. Nous nous sommes quittés sur un léger froid.

Résumons la situation : Lucy et moi remplaçons les remplaçants d'un remplaçant. D'accord, nous allons dîner avec le P-DG et je ne crache pas dans la soupe. Je m'arrangerai pour que Nigel l'apprenne. Peu de risques après ça qu'il sacque un intime du Premier ministre et du P-DG.

J'ai guetté toute la journée le coup de fil où Keith Harris m'annoncerait qu'il avait décliné une invitation du P-DG parce qu'Orville était enrhumé[1].

Mais c'est le Branleur qui a fini par se manifester. Aucune perspective de travail dans sa boîte, ce qui est assez décourageant. J'avais caressé l'espoir qu'il sauterait sur l'occasion d'engager une signature aussi prestigieuse que la mienne – un type de la BBC, vous voyez le genre. Il est loin de partager ce point de vue. « La BBC n'est qu'une concurrente parmi d'autres », m'a-t-il dit, opinion particulièrement stupide quand on sait que la Bib est le plus grand réseau de diffusion au monde et qu'elle occupe deux étages dans Dean Street. Pour être franc, je le soupçonne de n'embaucher que de plantureuses créatures avec un piercing au nombril et un scorpion tatoué sur l'épaule. J'en ai déjà croisé un certain nombre dans ses bureaux, mais ce doit être une coïncidence.

---

1. Le ventriloque Keith Harris et sa marionnette Orville, deux vedettes de la BBC (N.d.T.).

Nous rentrons à l'instant de ce fameux dîner mondain au siège de la BBC, à l'invitation du P-DG. Manifestement, nous n'étions là que pour faire de la figuration. Sam, qui avait mené sa petite enquête, s'est aperçu que le patron du Daily Telegraph s'était décommandé à la dernière minute. D'ailleurs, nous n'étions pas les premiers sur la liste d'attente ; d'autres « personnalités » avaient été pressenties pour boucher les trous, mais Sam n'a pas pu me dire précisément qui.

Bon, quand je dis que nous avons dîné avec le P-DG, c'est exagéré ; en réalité, nous avons à peine échangé une parole avec lui, puisque nous étions situés à l'autre extrémité de la table. N'importe, c'était très sympa. Le siège de la Bib est un endroit hors du commun, même depuis qu'une espèce de cinglé s'est amusé à arracher la déco dans les années 50 pour tout refaire dans le style carcéral soviétique. Malgré tout, ça fait tout drôle d'emprunter les mêmes couloirs et de passer les mêmes portes que Tony Hancock, Churchill ou Sue Lawley des siècles avant nous.

Être reçus à dîner dans un lieu aussi mythique, servis par des domestiques en livrée, a quelque chose de magique. On croirait faire un voyage dans le temps, quelque part dans les années 20. Pour commencer, on nous a proposé un apéritif dans une sorte d'antichambre, puis nous avons été invités à passer à la salle à manger, une pièce somptueuse entièrement lambrissée et éclairée de magnifiques lustres en cristal. On m'a placée entre un évêque très aimable et un (jeune) ministre du gouvernement fantôme qui l'était moins. Ce dernier m'a bien vite fait comprendre qu'il était ulcéré d'avoir été placé à côté d'une simple « femme de », a fortiori la femme d'un anonyme. Quand ce connard est entré et s'est aperçu que j'étais assise à côté de la place qui lui était réservée, je jure que j'ai vu ses traits se figer instantanément. Incroyable ! Il n'a même pas pris la peine de faire bonne figure ni de cacher sa déception. Au contraire, il a eu une grimace de dégoût !

Nous nous sommes malgré tout efforcés de lier conversation. Ça n'a pas duré plus d'une minute.

Moi : « Ainsi, vous faites partie du gouvernement fantôme ? C'est fascinant... J'imagine qu'il doit parfois vous peser d'être dans l'opposition ? »

Le connard : « Mmouais... Où m'avez-vous dit que travaille votre mari ? A la télévision ? Les programmes comiques, c'est ça ? Il y a des lustres que toutes ces conneries ne font plus rire personne. Depuis Yes, Minister[1]*, on n'a rien vu d'à peu près décent... »*

Sur ces mots, il ne m'a plus adressé la parole jusqu'au fromage, le temps d'être suffisamment éméché pour me draguer sans vergogne, presque avec une forme de mépris.

Le connard : « Quand on travaille dans le show-business, comme vous deux, les tentations doivent être grandes, non ?... Vous n'êtes jamais jalouse ? Et lui ? »

Je n'ai même pas compris où il voulait en venir. Je suis montée sur mes grands chevaux : « Mais quelle drôle d'idée ! » Puis j'ai repris ma conversation avec l'évêque, qui devait afficher quatre-vingt-treize ans au compteur et semblait m'avoir à la bonne. Il m'entretenait de son passe-temps favori : la collection d'estampes japonaises du XVIIIe siècle. Inimaginable ! Mais où l'Église va-t-elle dénicher de tels numéros ? Tandis qu'il me décrivait avec force détails une statuette en porcelaine représentant un guerrier ninja en tenue d'Adam, ce vieux cochon lubrique m'a soudain pressé la cuisse sous la table ! Décidément, les hommes sont tous les mêmes : pitoyables. Deux verres dans le nez, et les voilà excités comme des chiens, à renifler la première femelle qui passe... Même Sam ne fait pas exception à la règle. Il ne lui manque qu'un évêché. Il était placé à côté d'une espèce de pétasse pourvue d'une fabuleuse paire de pamplemousses (pas tout à fait bio, je le crains) qu'il a passé sa soirée à contempler. Au début, il tâchait au moins d'être un peu discret, même si tout son cinéma pour attraper la salière ou se faire passer du pain ne me trompait pas. Lamentable... Une fois imbibé de quelques verres de vin, il ne s'est plus du tout soucié de me donner le change et, foin de tactiques subtiles, il s'est tout simplement mis à lorgner le décolleté, la langue pendante. Ça crevait les yeux ! Il aurait pu grogner : « Non mais visez-moi un peu cette paire de nibards... », ça ne m'aurait pas scandalisée

---

1. Série diffusée par la BBC de 1980 à 1984, et poursuivie à partir de 1986 sous le nouveau titre de *Yes, Prime Minister*. Margaret Thatcher ne cachait pas son plaisir à la regarder (N.d.T.).

davantage. J'ignore qui est cette grognasse siliconée qui paraissait vingt-trois ans. Certainement la maîtresse d'un des convives, mais de qui ? Peut-être ce type au sourire béat... ou peut-être pas. Comment savoir ? Ils avaient tous des têtes à tromper leur femme... Pourquoi pas mon ministre fantôme ? Mais, dans ce cas, pourquoi aurait-il perdu son temps à me draguer ? Les dieux ne m'ont pas particulièrement gâtée côté nichons, que je sache...

Tout ça pour dire que le regard extasié de Sam, le sourire méprisant du ministre fantôme, la main de plus en plus baladeuse de l'évêque, ça commençait à faire beaucoup. C'est donc avec soulagement que j'ai entendu le P-DG nous inviter à changer de place pour le dessert. Ça m'a permis de bavarder brièvement avec sa femme, que j'ai trouvée très sympathique. De fil en aiguille, j'en suis venue à lui parler de Carl Phipps. Pas de notre déjeuner main dans la main, cela va de soi ; je lui ai simplement appris que j'étais son agent. A ma grande surprise, je me suis entendue lui tresser des lauriers avec un enthousiasme bien involontaire : « il est si gentil », « tellement sexy », et « pas prétentieux pour un sou » – quoique, sur ce dernier point, il y aurait beaucoup à redire. Je crains d'être passée pour une jeune vierge en chaleur, une vraie Lolita... Et après, qu'est-ce que ça peut bien faire ? De toute façon, nous ne serons jamais réinvités.

Sur le chemin du retour, Sam m'a certifié avec insistance qu'il n'était pas ivre. Ça ne l'a pas empêché de s'inquiéter d'avoir pu commettre une gaffe, preuve absolue qu'il était bel et bien beurré. Je lui ai répondu que, quitte à mettre les pieds dans le plat, il aurait tout aussi bien pu mettre les mains dans le décolleté de l'autre salope, vu que ça l'avait démangé toute la soirée (accusation contre laquelle il s'est défendue de façon minable).

Chaque fois que nous revenons d'une soirée, Sam angoisse d'avoir pu dire quelque chose de travers ou d'avoir vexé quelqu'un sans le vouloir. Rien ne m'exaspère davantage. Avant, je lui disais : « Qu'est-ce que ça peut foutre ? » Mais il est si têtu qu'il a fini par me convertir à sa parano. Et maintenant, quand nous rentrons en taxi après une sortie, on passe tout le trajet à se demander l'un l'autre quelle bévue nous avons bien pu commettre et à nous rassurer mutuellement. Affligeant...

De toute façon, mieux vaut pour lui qu'il ne soit pas bourré, et il sait pourquoi. Demain matin, il a du pain sur la planche.

Cher etc.,

J'ai *l'impression* que ça ne s'est pas trop mal passé hier soir. Un peu inquiet à l'idée d'avoir commis une bévue. J'en ai discuté avec Lucy et tout *a l'air* OK. Pour autant que je me souvienne, je n'ai adressé la parole au P-DG qu'à deux reprises : « Bonsoir » au début de la soirée et, un peu plus tard : « En effet, je crois que le secteur de la comédie et du divertissement a plutôt le vent en poupe en ce moment. » Je ne pense pas que ces deux déclarations puissent être d'une façon ou d'une autre mal interprétées. Si ? Il a pu penser que j'étais cynique ? Mais pourquoi diable ? Non, je suis à peu près sûr de n'avoir commis aucun faux pas.

Je suis *certain* de n'avoir commis aucun faux pas.

En outre, contrairement à ce qui m'a été reproché, je n'ai pas passé la soirée à lorgner le décolleté de ma voisine. Certes, ses nichons étaient *là*, devant moi – mais j'avais l'impression qu'ils étaient partout ! Impossible de les éviter. Difficile de rester les yeux fixés au plafond jusqu'au café, pas vrai ?

Une certitude : je n'étais pas bourré. J'ai fait très attention. D'autant que, à ce que j'ai compris, je suis censé tirer mon coup ce matin. Et je veux que ce soit une réussite, parce que j'aime Lucy. Je l'aime de tout mon cœur. Malgré sa paranoïa au sujet des seins des autres femmes, je l'adore. Je le lui ai dit ce soir et elle m'a répondu que j'étais ivre mais c'est faux. Je l'aime, je l'aime, je l'aime, et demain, avant d'aller bosser, je lui ferai l'amour si tendrement, si passionnément, qu'elle s'en souviendra toute sa vie, PARCE QUE JE L'AIME.

Ma chère Penny,

Nous avons tiré ce matin le coup le plus foireux en treize années et demie de pratique sexuelle plus ou moins régulière. Je crois bien que je m'en souviendrai toute ma vie. Sam empestait l'alcool et la clope refroidie, et moi, je n'avais pas oublié le spectacle de mon mari plongé dans la contemplation active d'une paire d'énormes nibards – ce qu'il s'est acharné à nier, évidemment.

Malheureusement, nous savions qu'il n'était pas question de faire l'impasse. L'examen postcoïtal était prévu à 10 heures. On ne loupe pas un rendez-vous avec la Santé publique. Dès que j'ai ouvert l'œil, j'ai compris que c'était mal barré; l'érotisme ne serait pas de notre côté. Après une escale pour le moins bruyante aux cabinets, Sam est rentré dans la chambre en titubant et m'a annoncé qu'il avait la migraine, mais qu'il ne pouvait aucunement s'agir d'une gueule de bois, puisqu'il n'avait rien bu la veille. Pour couronner le tout, nous avions presque une heure de retard, car si Sam avait bien programmé le réveil, il avait simplement oublié d'enclencher la sonnerie.

Prenant mon courage à deux mains, j'ai fermé mes narines au remugle de vieille bière et de tabac dont il était nimbé, et j'ai commencé à l'entreprendre, quand il s'est soudain exclamé : « Mon amour, il va falloir accélérer le mouvement : j'ai une réunion dans une heure... »

J'ai explosé : « Une réunion ! Oh, pardon, toutes mes excuses ! J'avais oublié... Et moi qui viens te demander de fonder une famille ! Mais où avais-je la tête ? Veux-tu que j'appelle ta secrétaire pour lui demander de gérer notre emploi du temps sexuel ? Au crayon à papier, bien entendu. Je ne voudrais surtout pas te mettre la pression ni rien exiger de toi ! » Sarcastique, n'est-ce pas ? Je sais. Que veux-tu, il l'avait cherché.

Évidemment, l'inévitable s'est produit. Il n'a pas pu. Son sexe s'était fait tout petit petit. Je lui ai balancé : « Tu n'as qu'à penser à Miss Double Airbag ! » C'était le mot de trop. Il est sorti de ses gonds, a juré ses grands dieux qu'il n'en avait rien à cirer des autres femmes et que l'amour sur commande, ça n'est pas aussi simple que ça en a l'air.

Finalement, l'un dans l'autre, il s'est plus ou moins débrouillé. Il craignait de n'avoir pas suffisamment éjaculé, mais, comme dit le docteur Cooper, « quelques gouttes suffisent ». Sur le coup, il m'a fait de la peine. J'ai bien vu qu'il s'en voulait de me laisser lâchement en plan. J'ai voulu le rassurer : « Ne t'en fais pas, mon chéri. Après tout, tu n'y es pour rien si ton pénis n'est ni assez grand ni assez fiable... » Ça l'a mis d'encore plus mauvais poil. Dieu sait pourtant que je ne pensais pas à mal ! Il s'est habillé, puis il est parti.

Quant à moi, j'avais rendez-vous à 10 heures à la clinique. J'avais à peine quitté la maison que j'ai commencé à fuir comme une outre percée. La cata... Tant d'écœurants efforts pour mélanger nos sécrétions, et tout cela en vain ? Ah non ! Pas question de revivre une scène de ménage pré-post-coïtale, si tu vois ce que je veux dire !

Me voilà donc clopinant jusqu'à ma voiture, tâchant de ne surtout pas éternuer. Une fois au volant, c'était pire. Prendre la route dans ces circonstances, c'est du suicide – à moins d'avoir une boîte automatique. Comment veux-tu passer les vitesses en gardant les jambes croisées ? Faire tout le trajet en troisième, c'est bien joli, mais ça secoue un peu au démarrage, surtout là où je pense ! Je ne pouvais quand même pas griller les feux...

La clinique n'était plus qu'à deux minutes quand un type s'est arrêté et a allumé ses warnings, bloquant toute la rue.

Je hais les warnings. Ça devrait être interdit. Les gens s'imaginent que c'est une sorte de bouclier. Dès lors qu'ils sont allumés, rien ne peut plus leur arriver. Se garer au milieu de la chaussée, rouler à contre-sens sur l'autoroute, entrer dans un supermarché, envahir la Pologne : tout est permis ! La Panzerdivision ne s'y est pas prise autrement en 1940 : « Ben quoi ? On a nos warnings ! » Mais où va-t-on, je te le demande ? Le jour est proche, j'en suis certaine, où les braqueurs de banques et de fourgons blindés en fuite dans des voitures volées plaideront les circonstances atténuantes... puisqu'ils avaient leurs warnings !

J'ai donc dû faire demi-tour, imitée par les autres conducteurs qui me faisaient le signe V de la main (comme si c'était ma faute). Par miracle, j'ai réussi à trouver une place, pas plus grande que ma voiture. Je ne sais toujours pas comment je m'y suis prise pour faire mon créneau. Un exploit, avec un record à la clé : seulement soixante-douze manœuvres ! Le tout en faisant attention à ne pas secouer la pulpe...

Il ne me restait plus qu'à claudiquer jusqu'à la clinique en serrant les genoux. En passant devant la voiture arrêtée (avec ses warnings), je n'ai pas pu m'empêcher de laisser éclater ma colère contre son abruti de propriétaire : « Espèce de connard ! Tu vois pas que tu empêches tout le monde de passer ? » Ce qui était assez bien observé, je trouve. Mais je m'en suis aussitôt voulu : peut-être était-il venu chercher un infirme... Encore qu'il n'eût pas l'autocollant « personne handicapée ». Ce qui ne m'autorisait certes pas à l'agresser.

Encore toute rouge de confusion, je me suis présentée à la réception. Moment de gêne... « Bonjour, je... je viens m'assurer que mon vagin n'a pas tenté d'empoisonner les spermatozoïdes de mon mari... »

Bien sûr, j'ai tourné ça un peu différemment ; de toute façon, la réceptionniste était au courant. Elle m'a souri d'un air las et m'a invitée à m'asseoir. Il y avait là deux ou trois autres femmes qui patientaient. Quelle impression étrange, inquiétante même, de penser que, tout comme moi, ces femmes venaient de se faire mettre dans l'heure précédente, et que, tout comme moi, elles tentaient désespérément de ne pas recracher la purée...

Par bonheur, c'était un excellent hôpital. On ne m'a pas fait attendre des heures. Je n'ai eu le temps de lire que la moitié d'un passionnant article dans Woman's Own sur la nouvelle fiancée du prince Andrew. Elle s'appelle Sarah Ferguson, mais ses amis l'appellent Fergie. Le numéro ne devait pas être de la première fraîcheur... Quoi de plus nostalgique qu'une salle d'attente ? C'est le seul endroit au monde où l'on puisse conserver un espoir que la princesse de Galles soit encore en vie. Je me suis rappelé ce maudit soir d'été, à Paris... j'en avais les larmes aux yeux.

Enfin, on m'a conduite à la salle de torture. Là, j'ai eu droit au traitement habituel : spéculum et autres atroces instruments d'inspection vaginale, jambes relevées sur l'étrier, chatte dûment écartelée, investie et épluchée. Et allez donc, c'est reparti pour un tour ! Ne vous gênez surtout pas, souillez mon intimité, enfoncez-moi, défoncez-moi, enfilez-moi à coup d'ornithorynques métalliques !

Il y avait là un étudiant qui ne perdait pas une miette du spectacle. Je trouve ça répugnant. Ignoble. Insupportable. Oui, je sais, je connais la chanson, ils sont là pour apprendre, mais désolée, moi, je n'ai pas envie de me faire tripoter l'entrejambe par un adolescent boutonneux... Il y a trop longtemps que j'ai quitté les bancs de l'école.

106

Avec tout ça, j'étais d'une humeur de dogue. Ça ne les a pas empêchés de me tartiner d'un lubrifiant froid comme une crème glacée pour permettre au gynéco d'engager son non moins glacial et immonde schmilblick et de commencer à ferrailler dans mon utérus en lâchant son habituel : « Détendez-vous, madame... » Ben voyons ! Un parfait inconnu vous introduit des ustensiles froids et graisseux dans le vagin en cherchant à voir le plus profond possible, avec pour seuls commentaires des « tss, tss » préoccupés et pour seul témoin un boy-scout invité à donner son point de vue... et il faudrait essayer de se détendre !

Chaque fois, je brûle de répondre sur le même ton : « Asseyez-vous donc sur ce tison, je vous prie, et surtout, tâchez de vous détendre ! » Quelle jolie repartie ce serait ! Si seulement j'osais...

Apparemment, Sam m'avait convenablement honorée, largement assez pour procéder à l'examen, en tout cas. A ma grande surprise, on m'en a immédiatement communiqué le résultat. D'habitude, il faut des siècles pour obtenir ce genre d'informations. Mais, cette fois, chose étonnante, le docteur a extrait sa spatule métallique de mon intimité comme un voleur, l'a raclée contre une plaquette qu'il a disposée sous son microscope, puis, l'instant d'après, m'a annoncé : « Résultat positif. » Tout s'était bien passé. Tout, sauf ce bruit dégoûtant de framboises écrasées qu'il a fait en retirant sa spatule... La faute à ces paquets de gelée dont ils ne peuvent s'empêcher de vous barbouiller – et, cette fois-ci, copieusement. En revenant à la maison, j'ai failli tomber dix fois de mon siège à chaque coup de frein...

Bref, pour nous résumer (déjà le générique d'EastEnders, ça ne va pas tarder à commencer... Dans ce nouvel épisode, la serveuse envisage de se prostituer pour élever ses enfants... Ça promet) : rien que des bonnes nouvelles. Sam et moi sommes chimiquement compatibles, preuves scientifiques à l'appui. Mes glaires ne refoulent pas sa semence (je ne leur en voudrais pourtant pas, après le culot qu'il a eu ce matin...). Je ne peux que m'en réjouir car, bien que Sam soit une ordure, je l'aime. Et puis, je n'aurai pas besoin d'aller demander à mes copains homos de me remplir de sperme un plein pistolet à gaufres... Je dois dire que cette idée ne me séduisait guère.

Voilà où nous en sommes. Cette histoire d'incompatibilité n'était qu'un malentendu. J'ovule au quart de poil et, quant aux spermatozoïdes de Sam, ils sont frais comme des gardons. Bref, nous avons tous les atouts en main. Et pourtant, et pourtant... je ne suis toujours pas enceinte ! Mais pourquoi, bon sang ? Pourquoi ? Où est le problème, à la fin ? Ça devient franchement pénible, voire carrément déroutant. Qu'est-ce qu'on peut faire de plus qu'on n'ait déjà fait ? A part m'ouvrir le ventre ? Tout ça se finira par une cœlioscopie... Et merde ! La prochaine fois, c'est une caméra de télévision qu'ils m'introduiront dans le nombril ! Rien que d'y penser, j'en ai les genoux qui flageolent... Je n'ai jamais rien compris aux nombrils... Le mien est très chatouilleux, même Sam n'a pas le droit de l'embrasser (de toute façon, ça ne fait pas partie de ses fantasmes). Et voilà qu'ils vont envoyer une équipe de CNN pour commenter heure par heure le bulletin de santé de mes ovaires...

Oserai-je l'écrire ? Je commence à m'interroger sérieusement au sujet de la théorie de Druscilla, rapport aux champs de force et à Primrose Hill. Elle a vraiment l'air de savoir de quoi elle parle. Une chose est sûre : j'aurai toujours plus de chances d'être en phase avec les puissances ancestrales du rejouvencement et de la fécondité en baisant au sommet de Primrose Hill qu'à Highgate. Druscilla est une sorcière, c'est entendu, mais elle est ma sorcière bien-aimée, ce qui vaut toujours mieux qu'une fée Carabosse...

Cher etc.,

Grosse pression ce matin au réveil. Test de compatibilité post-coïtale. Ordre du docteur : baisez puis précipitez-vous à la clinique pour faire analyser vos sécrétions. Pas génial pour la femme mais laissez-moi vous dire que le type n'est pas dans une position plus enviable. Dans des conditions optimales, le sexe sur commande est déjà une manœuvre assez tordue mais, le matin, après une grande soirée chez le P-DG, c'est carrément l'audition de la dernière chance. A vrai dire, ça fait des siècles que nous n'avons pas fait l'amour un mercredi matin (pas vous ?). Nous ne sommes plus des étudiants, merde !

Le scénario s'est en outre compliqué de rebondissements imprévus : nous n'avons pas entendu le réveil et j'avais un rendez-vous particulièrement important aux aurores.

« Tu passes ta vie en rendez-vous », se plaint Lucy. C'est faux. Je suis toujours prêt à répondre à ses désirs. Le problème, c'est que, quand je suis disponible, madame n'est plus intéressée. Sa spécialité, c'est me faire perdre mon temps quand elle sait que j'ai à faire ailleurs.

Résultat des courses : avec la gueule de bois (que je croyais avoir réussi à lui cacher) plus l'heure matinale plus le rendez-vous, l'érection instantanée et colossale n'a pas été exactement de la partie.

Lucy a essayé de prendre la chose avec humour, mais on ne peut pas dire qu'elle se soit beaucoup forcée. Les femmes ne s'imaginent pas combien ça peut être compliqué. Comme elles ont l'impression que les hommes bandent à peu près tout le temps, elles croient qu'il suffit de claquer des doigts. Elles ne comprennent pas que le capitaine n'est pas responsable de ce qui se passe dans la soute.

« Je n'en reviens pas ! Quand tu te réveilles, tu as toujours une trique de cheval, tu pourrais servir de portemanteau ! Qu'est-ce qui se passe, là ? » Lucy ne peut pas comprendre. Je reconnais que tous les matins, au réveil, j'ai le gourdin, mais c'est justement parce qu'on ne me le demande pas !

Ce n'est pas juste. Le premier venu peut avoir une érection quand il n'en a pas besoin : dans les bus ; la file d'attente d'un cinéma ; pendant son sommeil. Et ce que les femmes ne pigent pas, c'est que ces érections impromptues n'ont aucune visée sexuelle : ce sont juste des protubérances inutiles.

La bite a une vie propre, autonome, imperméable aux ordres du poste de commandement. Les mères devraient apprendre cela à leurs filles dès leur plus jeune âge. C'est simple : donner des ordres à une bite est la dernière chose à faire si on veut en tirer quelque chose.

Je développe, je sais, mais cette injustice devait être dénoncée. En tout cas, nous avons fini par obtenir le résultat désiré (si on peut parler de désir), mais j'ai senti passer le vent du boulet.

Je suis tout de même arrivé à l'heure à mon rendez-vous, ce qui m'a mis de bonne humeur. Il faut dire que c'était une occasion particulière, en rapport avec les projets cinématographiques de Nigel – et, vu ma cote auprès de lui, je ne pouvais pas me permettre de la foutre en l'air. J'étais très nerveux. Le cinéma restera toujours le cinéma – un univers que nous autres, humbles gens de télévision, ne fréquenterons jamais.

Nous étions censés travailler en prenant notre breakfast dans un hôtel chicos. Le cinglé de Ricain qui a inventé cette formule barbare devrait se voir interdit de muffins jusqu'à la fin de ses jours. Expliquez-moi comment on s'y prend pour discuter de choses sérieuses autour d'un bol de Rice Krispies ? Ou pire, de Choco Pops, puisque c'est ce que je m'étais servi ?

J'ai toujours eu un faible pour les trucs de gosses quand je mange dans les hôtels. Le jambon et les pâtes « alphabet » du menu de Sidney le joyeux dauphin. Question de survie : ce genre de nourriture est bien la seule qu'on puisse avaler dans les hôtels anglais. Si vous êtes assez téméraire pour commander une viande en sauce ou un plat dont le nom contient « jus », « julienne » ou « trio », vous avez intérêt à programmer dans votre agenda un séjour aux chiottes d'une heure et demie l'après-midi même.

Comme il s'agissait du Claridge, la nourriture branchée était sans doute délicieuse et j'aurais aussi bien pu commander du porridge, du saumon ou un breakfast anglais, mais je ne suis pas très breakfast et les odeurs de hareng fumé ou de pilaf de poisson avant onze heures me donnent la nausée. De toute façon, manger du poisson au réveil me semble aussi déplacé que de prendre un croissant au dîner ou de commander un café dans un pub. Mais, comme ce type de breakfast fait très vieille Angleterre, le Claridge se doit de l'inscrire à sa carte. Pas pour moi, merci ; pas de « saumon écossais et œufs mimosa sur leur muffin légèrement toasté » non plus ; je n'ai pas si souvent que ça la chance de déguster un bol de Choco Pops !

J'avais donc rendez-vous avec des gens de Lignes de fuite, une boîte de production cinématographique très en vogue depuis que des Américains ont aimé un de ses films. C'est drôle de voir que, malgré tout le tintamarre autour des films de notre beau pays, de l'esprit Cool Britannia qui souffle sur notre cinéma, des comédiens exceptionnels produits par l'école anglaise, nous continuons de juger de la valeur de nos films à l'aune du goût de quelques Américains. Vous pouvez sortir un film anglais que chaque Anglais ira voir deux fois et que la moitié de la population de la Communauté européenne plébiscitera, il sera déclaré nul et nombriliste à moins que cinq mille Américains l'aient apprécié. D'un autre côté, si vous sortez un navet que seulement cinq mille Américains auront vu, vous serez tout de même considéré comme un metteur en scène talentueux de stature internationale. Une sorte d'exception culturelle à l'envers. Les Australiens ont connu le même phénomène avec les Anglais dans les années 60. Il ne servait à rien d'être célèbre en Australie à l'époque : il fallait percer en Angleterre. Aujourd'hui, ils se sont défaits de ce complexe : comme tout le monde, ils ont pris l'Amérique pour référence. Et, s'il se trouve encore quelques Néo-Zélandais pour penser que réussir à Londres est capital, ce sont ceux qui fournissent le mouton à Marks & Spencer.

Mais les plus courtes sont les meilleures, comme dirait Lucy. Me voici donc assis au Claridge après une partie de jambes en l'air désastreuse, en train de m'envoyer des Choco Pops en compagnie de trois des plus brillants représentants du cinéma anglais. Justin Cocker, un minet à la voix traînarde sorti d'Oxbridge et qui en arrivant a demandé où se trouvaient les « sanitaires » ; un Écossais hargneux nommé Ewan Proclaimer qui, après avoir jeté un coup d'œil à la salle de restaurant, a grogné : « Putain, je déteste ces putains d'Anglais ! Toujours tellement *anglais* ! » ; et une certaine Petra, pulpeuse comme un portemine. La veille, au téléphone, j'avais demandé à Justin Cocker si Petra avait un nom et il m'avait répondu que, si je posais cette question, c'est que je ne connaissais rien à l'industrie du cinéma anglais. Tout juste, Auguste. C'est pour ça que je bosse pour cette bonne vieille télé !

Curieuse réunion. Comme une rencontre du troisième type : la BBC sur Terre et Lignes de fuite quelque part dans la galaxie d'Azimutor. Le plus extraordinaire étant qu'*ils* sont persuadés d'être dans la vraie vie. Sans doute parce que la BBC est une entreprise publique et, à ce titre, une précieuse relique datant des années 40, qui refuse toujours de croire que les années 80 ont existé. Marrant, tout de même, comme il est bien vu aujourd'hui de considérer que l'argent (prélèvements obligatoires compris) provenant de vastes conglomérats médiatiques internationaux est, d'une certaine façon, plus concret, plus réel et plus convenable que celui versé par le public aux entreprises qui le divertissent.

En tout cas, dans cette circonstance précise, l'argent de la redevance semblait les intéresser (et pas seulement pour payer le breakfast). Je leur ai dit que la BBC voulait coproduire des films, avec droit de regard sur les sorties en salle puis diffusion sur la chaîne, et que mon domaine de prédilection était la comédie. Je m'adressais semble-t-il aux bonnes personnes. Ils m'ont expliqué que, si je voulais des comédies, ils en avaient. Des vraies comédies. Pas des comédies de merde comme celles qui passent sur la BBC des comédies percutantes, sur le fil du rasoir, des comédies coup de poing, culottées, dans l'air du temps.

— Deux mots : *Zeit* et *Geist* : l'esprit du temps. La comédie de demain.

J'étais intrigué. C'était à n'en pas douter ce que nous recherchions. Je n'avais plus qu'à orienter mon trio vers Nigel pour redorer mon blason. Ewan Proclaimer m'a remis son scénario, la suite tant attendue de son fameux *Junkie Trip*, un film « à la renommée internationale » (comprendre : apprécié par quelques critiques américains), quoique vu par un public moins nombreux que les téléspectateurs de la météo des plages. *Junkie Trip* avait été une formidable carte de visite pour Ewan, qui souhaitait maintenant, m'a-t-il expliqué, changer complètement de registre.

Comme le démontre son nouveau film : *Junkie Gang*.

— C'est une comédie sur un groupe d'ados, tous accros à l'héroïne. Ils sont gallois ou irlandais… Probablement écossais.

— Mais nous tournerons à Londres, a précisé Petra Portemine.

— Bien sûr qu'on tournera à Londres ! Morag et moi venons de nous installer en ville, a rétorqué Ewan – un homme qui n'aimait pas qu'on l'interrompe. Bon, ces gosses vivent en marge de la société. On les suit dans leur quotidien pendant une semaine. Ils dealent, ils volent, ils se prostituent. Ils s'injectent de l'héro dans l'œil. Ils accouchent dans les chiottes. Ils ont le sida. Ils avortent. Ils sont violés par des flics anglais. Ils se piquent dans les parties génitales. Ils tuent une assistante sociale. Ils se font

112

sodomiser pour acheter leur came mais elle est coupée à de la Javel et ils meurent.

Ma tête bourdonnait.

— Excusez-moi, ai-je risqué. Je veux être sûr de bien suivre. C'est bien d'une comédie que vous me parlez ?

— Complètement. Mais une comédie *réelle*. Sur la jeunesse *d'aujourd'hui*. Pas une connerie de soupe anglaise abrutissante.

Ça me paraissait bien au-delà de mon goût personnel, mais on ne sait jamais : la société évolue si vite de nos jours. Cependant, diffusable ou pas, le projet me révulsait. C'est tellement tout ce qui m'ennuie : ces films interminables à base de sexe, de défonce, de violence urbaine que des jeunes réalisateurs présentent comme les manifestes d'un nouveau naturalisme. Par pitié ! Je sais bien que la vie est dure, mais peut-être pas uniquement ? Il y a plus de scouts que de camés, mais personne ne tourne jamais de film sur les scouts.

J'ai terminé mes Choco Pops en résistant à la tentation de boire le lait chocolaté à même le bol puis je me suis levé.

— Eh bien ! merci de m'avoir parlé du film, Ewan. Malheureusement, je crois que ce n'est pas le rôle de la BBC de financer des œuvres cyniques sur la drogue et la prostitution qui prétendraient refléter la réalité anglaise pour que les junkies qui les écrivent puissent se pavaner à Cannes et ensuite partir bosser aux États-Unis.

— Mais vieux, on s'en tape des merdes anglaises. Tu veux le film ou pas ?

— Eh bien… Disons que je vous rappelle.

J'ai pris l'addition et quitté la salle empli d'un sentiment de fierté sereine. Je suis peut-être incapable d'écrire moi-même, mais j'ai au moins le pouvoir de protéger le public des divagations narcissiques de ceux qui le sont tout autant que moi.

Je suis arrivé au bureau encore tout gonflé d'une sainte colère. J'ai aussitôt dicté à Daphné un fax cinglant destiné à Lignes de fuite, leur indiquant où ils pouvaient se carrer leur scénario. A peine m'étais-je installé dans mon fauteuil, contemplant les économiseurs d'écran *Tomb Raider*, que Nigel m'a convoqué.

La mort dans l'âme, je me suis dirigé vers son bureau, persuadé que mon heure avait sonné : Nigel allait donner le coup de balai tant redouté. Il voulait à tout prix se débarrasser de moi à quelques jours de la visite du Premier ministre (prévue samedi) pour que tout le bénéfice rejaillisse sur lui. Mais, en entrant dans le Saint des Saints, j'ai compris que je me trompais : Nigel m'adressa un sourire rayonnant et me demanda si je voulais un café.

— Sam ! J'ai appris que tu avais vu ce matin l'équipe de Lignes de fuite, Justin, Ewan, Petra ?

J'allais lui répondre que je n'avais fait qu'obéir aux ordres mais il ne m'en laissa pas le temps.

— Bien joué, vieux ! Excellente initiative ! Ewan est un surdoué, l'antidote rêvé à toute cette merde que ton département commande d'habitude.

Une alarme s'alluma en moi.

— Oui... c'est ce qu'*il* m'a dit, bredouillai-je.

— C'est un diamant brut, tout à fait le genre de talent que nous recherchons. Ce serait fabuleux que tu puisses le mettre en phase, lui et toute son équipe, avec la BBC. De toute façon, je dîne avec Petra, Mick et Jerry ce soir ; je leur mettrai la pression. Ça te va ? Ça se présente bien, en tout cas.

Mon café était prêt mais j'avais déjà détalé, sans même chercher une excuse. J'ai piqué un sprint retour dans les couloirs circulaires, renversant au passage les chariots du courrier et bousculant des secrétaires pendant leur pause thé. J'ai franchi la porte de mon bureau juste à temps pour voir le fax cracher sa télécopie. Après transmission.

Le destin m'avait coincé dans les cordes et enchaînait coup sur coup.

Ma chère Penny,
C'est décidé.

Puisqu'il n'y a pas d'autre issue médicale que la cœlioscopie, méthode d'intrusion barbare et importune, et puisque je tiens à l'intégrité physique de mon nombril, je ne vois pas pourquoi je négligerais plus longtemps les autres alternatives. Ce serait idiot de ma part.

Demain, c'est la pleine lune. Mon petit feu tricolore indique une ovulation en règle. Quant à Sam, si ça ne lui plaît pas, c'est le même prix.

Seigneur Dieu.

En rentrant ce soir, Lucy m'a annoncé qu'elle veut que demain, à minuit, je l'emmène en haut de Primrose Hill, un jardin *public*, pour la sauter pendant la pleine lune.

A l'heure où j'écris ces lignes, je ne sais toujours pas si elle plaisantait.

Ma chère Penny,

Ce soir, c'est le grand soir! Pleine lune! En plus, la météo prévoit une nuit très douce avec un souffle de vent. Idéal. Le destin se déciderait-il enfin en ma faveur?

Pendant l'heure du déjeuner, j'ai accompagné Druscilla dans une boutique ésotérique à Covent Garden. Nous avons acheté des cristaux. Je ne crois pas trop à ce genre de gadget, mais je dois reconnaître que c'est assez joli à regarder. Druscilla m'assure que ça ne pourra m'être que bénéfique. Ensuite, nous nous sommes installées sur un banc à Soho Square pour les charger en énergie. C'est très simple, il suffit de serrer le cristal dans le creux de sa main et... ben, de le charger en énergie. Druscilla s'est mise à émettre des grognements lugubres, sans parvenir à me déconcentrer. Comme j'avais gardé mon casse-croûte au tofu de chez Food-to-go dans l'autre main, j'ai certainement dû le charger en énergie par la même occasion, mais je ne pense pas que ce soit très grave.

Pour notre confort, j'ai aussi acheté chez Selfridge's une épaisse couverture « spécial pique-nique », très jolie, ainsi qu'un de ces oreillers gonflables comme il y en a dans les avions, pour me surélever les fesses après l'accouplement et permettre aux spermatozoïdes de Sam de profiter de la pente pour prendre leur élan, dans la mesure de mes moyens. Je les imagine déjà, dans leur petit maillot de bain, se bousculant par millions comme à l'Aqua-boulevard pour se jeter dans les toboggans et aller se fracasser le crâne contre mes impénétrables ovules blindés, dans un effort aussi vain qu'inutile...

Je suis aussi passée chez Kookaï m'offrir une robe incroyable. C'est un nouveau modèle. En fait, c'est une simple gaine qui me fait ressortir le bidon ; je tâcherai de le rentrer. Ça m'a coûté l'équivalent d'une semaine de boulot. C'est Druscilla qui a insisté pour que je la prenne : « Tu comprends, il ne s'agit pas de tirer un coup en douce dans les fourrés ; il s'agit d'un événement hautement sensuel, érotique, cosmique ! » Nous avons même prévu du vin, des chandelles, du musc, de l'essence de primevère et autres antiques fragrances païennes pour nous oindre le corps. Sans Druscilla, je ne sais pas comment j'aurais fait pour dégoter les antiques fragrances païennes, surtout à Londres un vendredi après-midi... Heureusement, il se trouve que chez Boots, ils font des coffrets de savons très pratiques qui couvrent exactement la gamme de parfums que nous recherchions. Druscilla m'en a fait cadeau.

Tout d'un coup, elle s'est écriée : « Au fait : n'oublie pas d'enfiler ton plus beau porte-jarretelles de soie ! » Je lui ai répondu que je n'ai jamais possédé aucun porte-jarretelles, ni en soie ni en coton. Elle a paru interloquée. Druscilla cache bien son jeu, mais quoi de surprenant : la sorcellerie a toujours eu à voir avec la luxure, non ? Bref, elle a insisté pour m'emmener sans délai dans le sex-shop le plus proche acheter des sous-vêtements érotiques. Je n'ai pas pu tenir plus de deux minutes. Je ne me sentais nullement gênée, non ; juste prise de fou rire. Quel endroit démentiel ! Ces godes monstrueux, gros comme des Tours de Londres – pour quel usage, je me le demande... Pour servir de portemanteau ? Et les boules de geisha ! Est-on vraiment censée se les fourrer dans la chatte pour partir en promenade ? J'ai dit à Druscilla : « Franchement, tu en connais beaucoup, toi, des femmes qui se baladent avec des boules de geisha dans le falzar ? » A ce moment, le vendeur s'est approché d'elle et lui a demandé : « Eh bien ! Druscilla, comment te sens-tu avec tes nouvelles boules ? » « A merveille », lui a-t-elle répondu avec un sourire rêveur, en se trémoussant des hanches. Sans mentir, j'ai entendu comme un cliquetis métallique... Et ce n'était pourtant pas l'heure de la quête !

Finalement, nous sommes tombées d'accord pour dire que la tenue la plus sensuelle est encore la tenue d'Ève : pas de culotte du tout ! J'ai toujours trouvé que les dessous coquins tuent le désir. Sauf, peut-être, un simple Teddy en soie, ou bien un joli caleçon, mais je crains que ce ne soit guère indiqué pour entreprendre l'ascension de Primrose Hill. En plus, je doute qu'on puisse ravoir les taches d'herbe sur de la soie…

Je suis rentrée en métro en écoutant de la musique celtique au walkman pour m'imprégner d'une atmosphère païenne spirituelle et fertilisante. Toute cette aventure m'excite follement. Voilà des années que je ne me suis pas fait sauter à la belle étoile ! En fait, cela m'est très rarement arrivé. Insectes et fesses à l'air ne font pas bon ménage…

Pourvu que Sam ne baisse pas les bras… Hier soir, quand je lui ai expliqué ce que j'attendais de lui, on ne peut pas dire qu'il ait sauté de joie. Il s'est même fâché. Honnêtement, je comprends qu'il doute de l'efficacité du projet. Compter sur les échos mourants et les lointaines vibrations de l'Ancien Monde pour venir lui secouer le sperme, ce n'est pas gagné d'avance… Moi-même, je reste sceptique, mais Sam doit bien comprendre qu'au point où nous en sommes, mieux vaut tout essayer. Voilà soixante-deux mois que nous sommes un couple stérile, et tout ce que la médecine peut encore nous proposer, c'est de me gorger de bleu de méthylène et de tourner une vidéo de mon utérus. Si c'est là mon seul salut, je crois avoir le droit d'exiger de Sam que nous explorions d'abord toutes les autres voies. Quitte à passer pour une féministe.

Hélas ! c'est toujours la même histoire… Le tirage au sort n'a jamais favorisé les femmes. Notre corps est si complexe, si biscornu ! Même chose pour la contraception : un parcours du combattant pour la femme (sauf pour moi, semble-t-il), une partie de plaisir pour l'homme. Au début, quand nous avons commencé à faire l'amour régulièrement, Sam voulait que je prenne la pilule ou que je me fasse poser un stérilet, sous prétexte qu'il ne supportait pas les préservatifs. Il me disait : « Tu comprends, ça met une barrière entre nous… » Il avait découvert ça tout seul ! Il me disait aussi : « Ça ôte toute sensualité à nos rapports… » Bref, il en avait marre de se l'emballer dans un sac plastique et, si ce n'était pas trop me demander, il préférait que je me gave de produits chimiques ou que je m'introduise du fil de fer barbelé dans le minou… Finalement, j'ai opté pour un diaphragme. Une calamité. Avez-vous déjà essayé de vous en placer un avec une bouteille et demie dans le nez ? Cette foutue capsule n'arrêtait pas de me sauter des mains pour atterrir dans les toilettes de la salle de bains ! Et la crème spermicide... mon Dieu, quelle horreur ! Je me souviens d'un soir où je l'ai confondue avec le dentifrice. Parée pour une fellation ! Rien que d'y repenser, j'en pleure de rire...

Mais je m'égare... Comme chaque fois qu'il est question de l'égoïsme masculin. Dans ce domaine, les possibilités sont quasi infinies.

Revenons à l'expédition de Primrose Hill. Donc, je dois tout essayer. Ne rien négliger. C'est une question de vie ou de... ou de quoi ?... de non-vie, disons. Bouh ! ça fait froid dans le dos. Regardons simplement les choses en face : qui peut dire quelles forces mystérieuses et toutes-puissantes peuplent l'univers ? La lune a des effets sur le comportement, c'est prouvé. Prenons les chiens, par exemple : la pleine lune leur monte au cerveau ! Et, comme dit Druscilla, même les sécrétions vaginales connaissent des marées, alors... pourquoi pas le sperme ? Si ça se trouve, Sam et moi n'avons jamais fait l'amour à marée montante... Ça vaudrait quand même le coup d'essayer. Quant aux champs de force, je dois avouer que ça ne me dit rien qui vaille. Pourtant, il faut bien admettre que certains lieux dégagent une inexplicable énergie... Je me souviens avoir ressenti d'étranges sensations quand nous sommes allés visiter Devil's Punchbowl, dans le Surrey – et si ce n'est pas un site mystique, alors qu'est-ce que c'est ? Sam avait une autre explication : selon lui, c'était dû aux macaronis-gruyère que nous avions ingurgités à midi... Il se trompe. Je sais qu'il y a une autre raison.

En dehors de toute considération mystico-spirituelle, j'aurais espéré que le côté grivois de l'excursion amuserait Sam. Après tout, ne sommes-nous pas amants ? Ou ne sommes-nous déjà plus qu'un vieux couple qui s'emmerde ? N'y a-t-il pas de place dans notre vie pour une aventure un peu osée, une expédition coquine ?

Eh bien, il semblerait que non.

Sam n'est rentré à la maison que depuis une demi-heure environ. Retenu par les derniers préparatifs avant la visite du Premier ministre, demain. D'emblée, il m'a prévenue qu'il avait encore quelques coups de fil à passer dans son bureau. Je l'entends râler et se plaindre au sujet de ses programmes comiques. Alors que nous avions prévu de passer une soirée de ressourcement érotique et sensuel, rien que nous deux. J'en ai profité pour me faire couler un bain aux véritables pétales de roses, à la lueur des chandelles. J'ai essayé tous les savons. Je commençais réellement à me sentir dans la peau d'une demi-déesse de la fertilité... Alors que Sam, lui, se comportait comme n'importe quel autre soir.

Il me semble qu'un Carl Phipps ne resterait pas ainsi, dans son bureau, à discuter des heures de programmes ineptes, si la dame de ses pensées l'attendait, tout humide, parfumée des pieds à la tête, entièrement nue, étendue sur le lit de leurs amours...

Oh ! mais qu'est-ce que je raconte ? Je-ne-dois-pas penser à ce genre de choses ! C'est mal.

Le principal, c'est que Sam m'ait donné son accord pour ce soir. Je ne peux pas exiger de lui qu'il se transforme en Gérard Philipe d'un coup de baguette magique – ce serait trop beau. Tout ce que je lui demande, c'est de me tringler le jour J, au lieu L et à l'heure H.

Le char de la nuit s'avance. Bientôt, ce sera l'obscurité. La lune croît. L'heure fatale est proche. Tu sais quoi, Penny ? J'ai comme l'impression que cette fois, c'est la bonne. Ça va marcher. Je le sens.

Cher moi-même,

Il est 4 heures du matin et nous rentrons à l'instant du poste de police. Ils ont été très gentils : à la fin, ils m'ont laissé remettre mon pantalon. En fait, je crois que je ne m'en suis pas trop mal tiré.

Revenons sur les événements de la nuit passée.

Sam avait l'air complètement désœuvré, le genre de type à traîner sans but dans les halls de gare. Pas franchement excitant. Comme l'aurait fait Druscilla, je lui ai expliqué très patiemment que, sans une atmosphère de passion torride, ça ne valait même pas la peine de tenter le coup. « Tu comprends, il faut laisser exploser notre énergie sexuelle dans une décharge intense, vibrante, quasi primitive ! Nous sommes comme des animaux, animés de pulsions bestiales, emportés dans l'inéluctable vortex de la Création éternelle ! Écoute : si nous ne faisons pas un tout petit effort de notre côté, je ne vois pas pourquoi les divinités ancestrales de la fécondité se décarcasseraient ! »

119

Il avait l'air abasourdi. Il a juste grommelé : « Mmm… »

Sans lui demander son avis, je l'ai obligé à passer une cravate noire et une tenue de soirée, celle qu'il met chaque année pour les BAFTA Awards[1] et qui ne lui porte décidément pas chance, puisqu'il n'a jamais été primé une seule fois. Les récompenses sont toujours raflées par des types à la mode, malgré des audimats nettement inférieurs. J'ai adressé une prière aux divinités ancestrales et éternelles pour que, du haut de leur firmament, elles daignent enfin remettre de l'ordre dans tout ça et accorder à Sam, enfin, la récompense suprême…

Retour sur cette soirée dantesque.

Lucy m'a demandé de mettre une cravate noire. Maintenant, nous ressemblons tout à fait à Gomez et Morticia[2], surtout avec son maquillage noir autour des yeux. Néanmoins, je dois reconnaître qu'elle est à tomber. Comme une *belle* top model. Je n'ai pas pu m'empêcher de lui en faire la remarque : « Une vraie top model ! » A quoi elle a répondu : « Rien que ça ! » Les femmes ont une curieuse façon de réagir aux compliments. Elles se tuent à vous dire que vous ne faites jamais attention à elles mais, quand vous rendez hommage à leur beauté, c'est tout ce qu'elles trouvent à dire : « Rien que ça ! »

Je crois quand même que ça lui a fait plaisir.

Puis, subitement, Sam est redevenu un ange. Je dois dire qu'il était très séduisant dans sa tenue de soirée. La cravate noire, ça vous change un homme. Quant au smoking, il confère à la bedaine majesté et dignité. Attention ! Je n'ai pas dit que Sam a de la brioche. Ou alors, une toute petite, et encore. Quoi qu'il en soit, je l'ai trouvé très beau – même quand il a insisté pour passer un anorak, « juste pour le trajet »…

Je reconnais que je n'y étais pas pour grand-chose, mais ça a commencé en beauté. Lucy avait préparé des feuilles d'arti-

---

1. British Academy of Film & Television Arts Awards : l'équivalent des 7 d'Or français (N.d.T.).
2. De *La Famille Addams* (N.d.T.).

chaut sur toast (connues, paraît-il, pour leurs vertus fertilisantes) et des huîtres. Nous les avons dégustées devant un feu de cheminée avec un (et un seul) verre de vin rouge. Après, nous avons pris la voiture. Lucy portait une très belle étole noire qui mettait en valeur la blancheur de sa peau – comme une princesse russe ou quelque chose comme ça. Elle était magnifique. Je l'ai dit, elle s'était maquillée tout en noir, à la gothique. Ses lèvres étaient comme une entaille sanglante. A ses oreilles pendaient de grandes créoles en argent que je ne lui avais jamais vues.

Qu'est-ce qui lui avait pris de mettre ces pantalons à bandes lustrées? On aurait dit Donald Duck. Je sais qu'il pensait bien faire, mais a-t-on besoin de se déguiser en personnage de Disney quand on s'apprête à célébrer un rite païen? Même si c'est de la soie...

Par chance, nous avons tout de suite trouvé une place pour nous garer. Les dieux étaient avec nous... Après avoir sacrifié à notre habituelle scène de ménage routière (je me demande comment Sam se débrouille pour détraquer aussi souvent l'alarme de la voiture...), nous nous sommes retrouvés tous les deux au pied de la colline immémoriale. Il était 23 h 30, ce qui nous laissait une bonne demi-heure pour grimper au sommet. J'ai voulu m'accrocher au bras de Sam, mais il était chargé comme un baudet...

C'était sans doute stupide de ma part d'avoir apporté un escabeau mais je pensais que les portes seraient fermées et que nous allions devoir escalader les grilles. Je sais par exemple que Regent's Park est fermé la nuit. Mais ça nous donnait l'air de voleurs, aussi Lucy m'a-t-elle demandé de le rapporter à la voiture – j'y suis donc retourné pour me battre pendant cinq bonnes minutes avec des sandows récalcitrants.

C'était une nuit très calme, du moins pour Londres. La clarté lunaire conférait à la colline un aspect fantomatique. Pour quelques heures, Primrose Hill était à nous et rien qu'à nous – mis à part les écureuils, les oiseaux et, bien sûr, les esprits nocturnes, dont Druscilla m'avait assurée de la discrète présence,

121

voletant de-ci de-là, apportant bonne fortune aux uns et jetant mauvais sort aux autres. A un moment, j'ai bien cru en apercevoir un, mais ce n'était qu'un poivrot assoupi sur un banc près du jardin d'enfants.

A cet instant, je me suis solennellement jurée – pourvu que les dieux nous exaucent – d'amener chaque jour mes futurs petits à cette balançoire...

A mesure que nous progressions sur le sentier, je me suis mise à me sentir étrangement belle, comme hors du temps... J'ai voulu fermer ma conscience aux bruits et à la crasse de la ville moderne pour laisser mon corps vibrer à l'unisson des rythmes perpétuels et des cycles infinis de la vie terrestre que je sentais tourbillonner autour de moi.

J'y serais sans doute parvenue si Sam n'avait passé son temps à me signaler les crottes de chiens. Ça partait d'une bonne intention...

En entrant dans le parc, j'ai posé le pied dans un étron géant. Géant. Qui ne pouvait appartenir à aucune race de chien connue. J'en avais presque jusqu'au genou. Primrose Hill jouxtant le zoo municipal, j'en ai conclu qu'un éléphant s'était échappé.

Ah ! Je déteste marcher dans une merde. C'est probablement le prix à payer quand vous vous baladez dans les parcs de Londres, la nuit, mais les propriétaires de chienchiens ne peuvent-ils pas nettoyer derrière leurs bestioles ? En Australie, dans les rues, il y a toujours des distributeurs de sacs spéciaux et des poubelles. Vous glissez la main dans le sac, vous récupérez les déjections et vous repliez le sac par-dessus. Simple et efficace. Et on traite ce peuple de barbare... Par chez nous, les sacs seraient éparpillés aux quatre vents et les poubelles serviraient de cible au premier taggeur venu. « Taggeur », pas « artistegraffiteur » – ce besoin typique des esprits soi-disant libéraux de défendre ces gribouillages comme étant l'expression authentique et vibrante de la culture urbaine alors qu'on les doit à de petits vandales arrogants me sort par les yeux. Chaque fois qu'il est question des tags à la télé, on nous montre de splendides fresques exécutées en plusieurs mois et exposées à la Tate. Mais, au quotidien, c'est tout autre chose : la répétition inlassable des mêmes signes incompréhensibles, qui ont pour seul but de flatter l'ego d'une poignée de petits cons armés de bombes de peinture.

A mi-chemin, Sam, enfourchant soudain l'un de ses chevaux de bataille favoris, s'est lancé dans une grande diatribe contre les graffiti, ce crime impuni. Dieu sait quelle mouche l'avait piqué ! J'ai été obligée de le faire taire, de peur qu'il ne brouille mes ondes positives, au moment même où j'essayais d'influer sur mon ovulation…

Arrivé au sommet de Primrose Hill, j'ai découvert qu'à ma grande surprise, je commençais à être sérieusement émoustillé. Je m'étais attendu à être paralysé par la honte, au lieu de quoi je me sentais presque… sexy. La nuit était si belle et Lucy tellement séduisante, sous les rayons d'argent de la pleine lune. Nous étions seuls, sur le promontoire aménagé surplombant la ville. Et soudain ce fut magique, comme si nous survolions Londres endormie à bord d'une soucoupe volante. Lucy a retiré son étole, l'a étendue sur un banc et nous nous sommes assis, contemplant le panorama en silence. Lucy était à se damner : sa robe rouge la moulait superbement, une douce brise jouait dans ses cheveux. Moi qui craignais que le trac m'ôte tous mes moyens, je me sentais des appétits de bête fauve ! Je crois qu'à cet instant, elle me plaisait autant qu'à nos débuts – c'est-à-dire beaucoup.

Londres paraissait un grand tapis étoilé étendu à nos pieds. J'avais l'impression d'être devenue un personnage de Peter Pan *(à ceci près que Primrose Hill n'est pas Kensington Gardens). Pendant quelques secondes, je me suis transportée plusieurs milliers de siècles en arrière, à une époque où, de cette même colline, à cette même heure, il était impossible de rien voir d'autre que la nuit immense. L'espace d'un instant, notre existence terrestre et notre condition humaine m'ont paru minuscules, totalement insignifiantes à l'échelle de la Création. Je n'oubliais pas pour autant que le but ultime de notre expédition nocturne revêtait lui aussi une dimension ontologique…*
Une vie nouvelle ! Voilà ce que nous étions venus chercher en ces lieux : donner naissance à une vie nouvelle ! Un recommencement !

Cette heure serait, pour notre enfant, comme l'aube de temps nouveaux. A condition d'avoir un enfant.

Le point d'impact de mon bébé dans le grand cycle de l'éternité...

Nous avons choisi un petit coin tranquille sur l'herbe, derrière la stèle en béton qui signale le sommet. Sam, sans se départir de son sens pratique, avait minutieusement inspecté la place avec sa lampe-torche. Ni étrons ni seringues : c'était parfait. Nous avons pu étendre notre couverture, que j'ai aussitôt clôturée de petites chandelles disposées sur un cercle imaginaire, dans des pots à confiture pour éviter qu'elles ne s'éteignent, puis j'ai pulvérisé de l'essence de primevère tout autour de nous.

Ensuite, je me suis allongée à la clarté lunaire, et là, j'ai... hum... j'ai commencé à dégrafer ma robe. Sam s'est couché sur moi. Puis, aussi incroyable que cela paraisse... on l'a fait ! J'étais très, très fière de lui. Je m'attendais plus ou moins à ce qu'il ne parvienne jamais à envoyer la sauce, mais finalement – hormis quelques plaintes sur l'inconfort de sa position –, il a presque réussi à être romantique. Nous nous sommes beaucoup embrassés (comparé à nos habitudes), caressés et tout le tralala. Je crois avoir déjà dit que je ne suis pas contre les préliminaires, bien au contraire. Avec les années, on a tôt fait d'oublier les préambules amoureux pour entrer directement dans le vif du sujet, si j'ose dire. Malheureusement, je suis au regret de constater que, le plus souvent, Sam se contente de me grimper dessus et de me besogner... Ce n'est pas froideur de sa part ; c'est juste qu'il a toujours « beaucoup de travail demain matin »... Alors, pour une fois, on s'est accordé un peu de bon temps (pas trop non plus) ; ça fait toute la différence.

Je n'irai pas jusqu'à dire que j'ai eu un orgasme. Les circonstances ne s'y prêtaient pas. Trop de tension. En tout cas, je n'en étais pas loin... Et, de toute façon, j'y ai pris du plaisir. Bref, c'était réussi. Je suis désormais une des rares filles à s'être fait sauter en robe de soie neuve au sommet de Primrose Hill, à minuit, aux chandelles, à la pleine lune.

Avant de nous rhabiller, nous sommes restés quelques minutes étendus sur notre carpette (le temps de gonfler l'oreiller et de me le placer sous les fesses), à deviser et rassembler nos pensées, en écoutant le vent remuer le feuillage...

C'est à cet instant que Sam s'est mis à hurler, mettant brutalement un terme à notre idylle.

Nous ne nous étions pas aperçus qu'une silhouette nous avait observés, un vieil insomniaque qui promenait son chien par là, et qui, apercevant deux gisants immobiles flanqués de bougies allumées, nous avait pris pour les malheureuses victimes sacrificielles de quelque rituel satanique. Nul doute qu'il attendait ça depuis des années, car quand Sam s'est mis à beugler, l'autre taré en a immédiatement conclu que le grand soir était arrivé... Il a dévalé la colline et a arrêté la première voiture de police. Quelques instants plus tard, nous étions pris la main dans le sac par les officiers de quart.

Mais, entre-temps, tandis que nous étions là, allongés, encore tout alanguis par les derniers feux de la passion, un écureuil s'était frayé un passage dans le pantalon de Sam, qui traînait un peu plus loin. Qu'espérait-il trouver dans cet antre obscur ? Peut-être bien les noisettes de Sam ! Une chose est sûre : les écureuils de Primrose Hill et de Regent's Park sont sacrément culottés, et particulièrement ingrats si l'on considère la somme d'attentions dont ils sont l'objet de la part de la collectivité ! Bref, le pantalon de Sam gisait là, en boule, ne demandant qu'à être enfilé. Et, alors que Sam, dansant sur un pied, l'autre engagé dans le pantalon fermement tenu par la ceinture, tentait de se rhabiller, la bestiole a sorti sa tête pour voir ce qui se passait...

L'altercation était inévitable. Sam et l'écureuil se faisaient face dans la nuit, chacun à un bout du pantalon, Sam regardant l'écureuil d'en haut, et l'écureuil dévisageant Sam d'en bas, ou plutôt dévisageant ses deux couilles qui pendaient au-dessus de sa tête.

Alors, un hurlement a déchiré la nuit...

Lucy prétend que c'était un écureuil mais, si c'était le cas, il avait dû forcer sur les anabolisants. Pour moi, ça avait tout l'air d'une belette ou d'un furet, ou encore d'un renard. Je m'étais relevé et mon esprit battait la campagne, je souriais en pensant au double whisky que je me servirais en rentrant. Me rabaissant pour ajuster mon pantalon, j'ai soudain senti un souffle chaud sur mes couilles. J'ai regardé plus bas et je l'ai vu ! Les yeux brillants, les crocs luisants, toutes griffes dehors. Sur le coup, je n'ai pas identifié la bête, mais j'ai compris qu'elle allait me déchiqueter les testicules ! Bien sûr, j'ai hurlé. Qui aurait gardé son sang-froid avec un Alien entre les jambes ? Et même s'il est vrai que Primrose Hill est connu pour être infesté d'écureuils, même si les écureuils sont connus pour considérer les humains comme de véritables garde-manger, je persiste à dire que ce que j'ai surpris en train de farfouiller dans mon pantalon cette nuit-là ne ressemblait à aucune race d'écureuil répertoriée. C'était énorme, dur, avec de grandes dents et des petits yeux méchants, et ça hantera mes nuits encore longtemps…

Les flics nous sont tombés dessus sans qu'on ait eu le temps de se retourner. Nous ne les avons même pas entendus arriver, car Sam était en train de bondir et de hurler en frappant entre ses jambes : « Ahh ! Ahh ! Vite, un bâton, n'importe quoi ! Au secours ! Il me mord les couilles ! » L'écureuil, lui, avait dû voir les flics avant nous ; quand ils sont arrivés, le pantalon s'était mystérieusement dépeuplé (sauf de Sam, bien entendu). En revanche, il était toujours baissé, ce qui rendait la situation légèrement embarrassante. Quant à moi, je n'avais eu qu'à rabattre ma robe précipitamment. Sam, lui, avait trouvé le moyen de se coincer l'orteil dans la boucle de sa ceinture si bien que, lorsque les flics se sont pointés au sommet, il était toujours en train de se débattre pour se dégager de ce piège. Et, comme il leur tournait le dos, je crains qu'il ne se soit pas présenté sous son meilleur profil quand ils ont braqué leurs torches sur lui… En fait, nous avons eu beaucoup de chance de ne pas être arrêtés pour outrage à la pudeur. Ce soir-là, il y avait deux pleines lunes sur Primrose Hill.

Hélas ! si Sam n'avait pas eu cette idée insensée de leur donner un faux nom, ils nous auraient sans doute ordonné de déguerpir, ce que nous aurions fait sans demander notre reste. Au lieu de ça, ils nous ont aussitôt appréhendés. Sam s'est enfoncé encore un peu plus en prétendant d'un ton menaçant qu'il était un habitué du 10 Downing Street, ce qui n'a rien arrangé. On n'essaye pas d'en imposer aux poulets, surtout quand on est cul nu… Moi, je me foutais pas mal de me retrouver au trou ; à la limite, ça renforçait le côté païen, risqué de l'aventure. J'avais l'impression d'être une sorcière, une hors-la-loi, un peu comme si les forces de l'ordre avaient voulu empêcher un complot, mais qu'elles étaient intervenues trop tard. De toute façon, je ne doutais pas qu'ils finiraient par nous relâcher assez vite. Après tout, ce n'est pas un crime de prendre un pseudonyme ! Sinon, pourquoi n'arrête-t-on pas tous les acteurs qui portent un nom de scène ? C'est une pratique très courante dans le milieu du cinéma. Donc, ça ne peut pas être illégal !

Nous avons patiemment poireauté au poste de police, puis, après une tasse de thé et une ou deux insinuations scabreuses, les agents nous ont laissés repartir. Leurs blagues n'ont pas eu l'heur de plaire à Sam. Elles n'étaient pourtant pas indignes des âneries qu'il nous programme chaque jour à la télé... Ils ont même poussé l'amabilité jusqu'à nous redéposer à notre voiture.

Heureusement, c'est du passé, et je suis couchée dans mon lit. Près de moi, Sam ronfle déjà, dormant du juste sommeil de l'amant magnifique (et vigoureux). Mais moi, je suis éveillée encore, cramponnée à mes cristaux, fredonnant des hymnes celtiques et priant Gaia qu'elle libère enfin les forces vitales prisonnières de mon corps.

Mère Nature, fais de moi une autre mère, à ton image ! Dans mon cœur, dans mon âme, je sais que Tu finiras par m'exaucer.

C'est à présent le soir qui fait suite à notre colloque sentimental de Primrose Hill et la journée écoulée n'a pas été brillante.

Pour être franc, la journée d'aujourd'hui a été cauchemardesque.

Dans la colonne « Plus » : Lucy est très heureuse de notre brillante soirée d'hier. Étant convaincue que le manque de pensée positive est responsable de nos échecs répétés, elle a décidé de croire dur comme fer que la magie de Primrose Hill allait opérer. Cet après-midi, en rentrant à la maison, je l'ai trouvée assise en tailleur devant un film sur Channel 4, le visage mutin, sirotant une infusion à la camomille et se concentrant gentiment pour que ses ovaires se montrent accueillants avec ma semence. C'est étrange... on aurait dit une femme enceinte. Je ne saurais expliquer pourquoi ; elle dégageait la même aura sereine, quelque chose de féminin, d'épanoui et, oui, de fertile. Je sais

127

que je suis stupide de dire ça, stupide de me monter la tête, mais peut-être pas tant que ça. Si Lucy avait raison ? Si nous avions juste besoin de pensées positives ? En tout cas, s'il y a une justice en ce bas monde, nous serons bientôt parents ; parce que, dans tous les autres domaines, ma vie part en eau de boudin.

Je ne me suis pas ouvert à Lucy du tourment qui m'agite. Lorsqu'elle m'a demandé comment s'était passée ma journée, j'ai répondu : « Bien. » Je n'ai pas estimé que son état d'esprit plein de pensées mystico-positives avait besoin de savoir qu'elle avait épousé le dernier des imbéciles. Je n'ai pas eu le cœur d'avouer à cet extraordinaire condensé de douceur, de confiance et d'amour maternel que la carrière de son héros et protecteur ne tenait plus qu'à un fil. Que nous sommes à deux doigts de dormir sous les ponts. Et que la prestation du Premier ministre à « 3, 2, 1, Contact ! » est le plantage le plus monumental depuis qu'Henry VIII s'est mis en tête de trouver la femme idéale[1].

C'est pourquoi, journal, incapable de chercher le réconfort auprès de mon épouse, je me confie à toi. Voilà ce qui m'est arrivé aujourd'hui.

Malgré mes démêlés nocturnes avec la loi, je me suis réveillé en forme et de bonne heure. « 3, 2, 1, Contact ! » est diffusé en direct à 9 heures et j'avais promis à ma nièce Kylie de l'emmener, ce qui impliquait de faire un crochet par Hackney sur la route du studio.

Kylie, la fille de ma sœur Emily, s'est prise récemment de passion pour la politique. Ma sœur, soucieuse d'encourager cet élan de maturité chez une adolescente jusqu'à présent branchée exclusivement poneys et Barbie, m'a donc demandé qu'elle assiste à l'émission. Un bonheur n'arrivant jamais seul, les Grrl Girls, un décalque des Spice Girls, sont également au programme de « 3, 2, 1, Contact ! », et Emily m'a glissé que Kylie vénérait jusqu'au sol foulé par les chanteuses de ce groupe (pour être exact, étant donné la taille gigantesque de leurs semelles compensées, elle vénère jusqu'au sol au-dessus duquel lévitent les chanteuses).

---

1. Henry VIII eut six épouses : Catherine d'Aragon, Anne Boleyn, Jane Seymour, Anne de Clèves, Catherine Howard, Catherine Parr (N.d.T.).

Revoir Kylie a été un sacré choc. Six mois plus tôt, lors d'un repas de famille, c'était une adorable gamine de onze ans avec, autour du cou, un médaillon renfermant une photo de cheval. Mesdames et messieurs, je vous annonce que le papillon a choisi de retourner à l'état de chenille. Kylie – « K Grrl », comme elle veut désormais être appelée – est devenue une horrible pré-ado. Sa ravissante chevelure blonde est à présent striée de zébrures rouges. Elle a un piercing dans le nez, souvenir d'un voyage scolaire à Blackpool, et elle a menacé Emily de faire une fugue si elle l'obligeait à le retirer. Elle ne porte plus que d'énormes baggy trousers à motifs camouflage dans lesquels on pourrait en faire tenir six ou sept comme elle. Un tatouage (en réalité une simple décalcomanie, Dieu merci) représentant un rat brandissant une seringue décore son ventre, elle arbore un t-shirt sur lequel s'étale la devise « Va chier » et son visage autrefois si avenant est figé dans une perpétuelle moue agressive.

Je lui ai demandé si elle était contente d'assister à l'émission. Le regard stupéfait et méprisant qu'elle m'a alors lancé aurait brouillé un œuf.

— Ben tiens ! J'vais sauter de joie parce qu'on m'emmène à une connerie d'émission pour gamins ! Sûr, j'suis vachement contente !

Je me suis soudain senti aussi ridé qu'un raisin sec. Cette pisseuse me donnait l'impression d'être un vieux con de centenaire. Encore heureux que j'aie rempli mon devoir conjugal la veille car Kylie menaçait de me déviriliser entièrement. Je me suis alors efforcé d'éveiller son intérêt. Mal m'en a pris.

— Le Premier ministre sera là.

— Le Premier ministre est un facho.

— Les Grrl Girls seront là.

— Les Grrl Girls ? Elles sont trop grave nazes, celles-là ! En plus, c'est même pas elles qui chantent, tout ça c'est trafiqué par ordinateur, au cas où tu saurais pas !

— Je te présenterai Tazz.

— Tazz ? Cette débile qui montre son cul à la BBC pour plaire aux vieux vicelards ?

Cette dernière remarque m'a paru injuste. Tazz est une excellente présentatrice et une fille charmante. Pour être honnête, elle est même canon et possède ce qu'à la télé nous appelons le

« petit truc qui fait passer la redevance », mais il y a en elle bien plus que ça. Être guillerette trois heures d'affilée un samedi matin est plus difficile qu'on ne croit. Ça demande un vrai talent.

— Alors tu n'aimes pas « 3, 2, 1, Contact ! »?

— Cette connerie ?

— Tu sais, tu n'es pas obligée de venir...

— Si si, c'est bon, je viens.

Nous sommes montés dans la voiture et Kylie a inspecté mes cassettes. Après les avoir rejetées l'une après l'autre en ricanant, elle a allumé la radio pour couper court à toute discussion. J'aurais aimé que Lucy soit avec nous, elle qui a toujours considéré Kylie comme l'enfant idéale, l'exemple vivant de ce que nous perdrions si nous ne pouvions pas devenir parents. Jusqu'à ce matin, je partageais son point de vue. Les poupées de Kylie, les histoires qu'elle aimait lire, sa passion pour les animaux, tout cela était si mignon – un mot que je déteste mais qui la définissait parfaitement. L'an dernier, à Pâques, nous étions partis en vacances avec elle et Emily. Il avait plu tous les jours et Kylie avait passé la semaine allongée devant la cheminée à dévorer les *Chroniques de Narnia*[1]. C'était un spectacle délicieux. Lucy et moi, nous voulions la même ! A présent, si nous avons la même, je l'envoie *illico* dans un pensionnat pour ados pré-pubères à problèmes.

Retour à mon désastre. Peu importe ce que Kylie pouvait penser, j'étais très impatient d'assister à l'émission et de rencontrer Tazz. Elle est vraiment superbe et je ne connais pas un Anglais qu'elle ne fasse pas fantasmer. Un Anglais hétérosexuel, je précise. En même temps, si j'étais gay, Tazz serait le genre de fille pour qui je virerais volontiers ma cuti. J'en ai parlé une fois à Trevor, qui m'a demandé : « Est-ce que Leonardo DiCaprio te ferait virer ta cuti ? » Ah ! c'est malin. Mais Tazz est si *enjouée*, c'est la fille la plus pathologiquement enjouée de la télévision, enjouée au-delà de toute mesure, au-delà de toute raison, une force de la nature de l'enjouement. Elle est aussi, me suis-je laissé dire, très gentille. Enfin, elle porte de ravissants t-shirts courts et de minuscules jupes ce qui, pour un type comme moi, habitué à

---

1. Collection de sept récits fantastiques pour enfant de l'écrivain anglais C. S. Lewis (1898-1963), à portée édifiante et moralisatrice (N.d.T.).

fréquenter des comédiens ventripotents angoissés à l'idée de dire « bite » passé 21 heures, constitue un heureux changement.

Ce matin, contre toute attente, Tazz portait un pantalon. Une directive de Downing Street, sûrement. Le Premier ministre a beau ne pas être un obsédé, il n'en est pas moins homme. Les yeux de plus d'un invité assis face à Tazz sur « la Sellette » se sont baissés pour surprendre le triangle de sa culotte. Cliff Richard en personne y serait allé de son petit coup d'œil. On comprendra donc que Downing Street ait préféré ne pas prendre le risque de faire passer notre Premier ministre pour un détraqué sexuel.

Une présentatrice canon tend à devenir le dénominateur commun des émissions pour enfants, depuis quelque temps. D'accord, les enfants seraient tout aussi contents de voir une mamie débonnaire, mais les étudiants pas encore au lit après une soirée en boîte veulent quelque chose de plus sexy – tout comme les pères de famille qui proposent en toute innocence : « Si on regardait Tazz, sur la BBC ? Elle est quand même plus sympa que les premiers de la classe d'ITV ! »

Le show a pris un bon départ. Kylie a accepté de s'asseoir parmi les autres gosses, qu'elle a d'abord superbement ignoré. Puis j'ai remarqué qu'elle se rapprochait de deux sœurs du même âge qu'elle – que leur mère destinait sans doute à une carrière peu avouable si j'en juge par leur minijupe fendue et leur t-shirt dissimulant à peine… le peu qu'il y avait à dissimuler. Rassuré sur les fréquentations de Kylie, je suis monté en régie. C'est vraiment chouette d'être producteur exécutif. On vous apporte votre café et plein d'autres choses inutiles ; je fus surpris de m'apercevoir que j'étais le plus âgé. Je me rappelle m'être dit que c'était vraiment chic de la part de Nigel de ne pas avoir cherché à tirer la couverture à lui et de laisser tout le prestige de cet événement rejaillir sur moi.

Ah ah ! J'en ris encore…

Après la demi-heure habituelle de dessins animés (« On trouve ça affreux, mais les gosses adorent »), Tazz annonça les Grrl Girls. Contrairement à ce que ma nièce peut dire, c'était une sacrée chance de les avoir sur le plateau. Les Grrl Girls sont le dernier « girls band » en date, plus original, plus radical et plus tendance que tous les autres « girls bands ». Aucun ne déclenchera jamais la même hystérie que les Spice Girls, mais les Grrl Girls s'en tirent plutôt bien. Après avoir chanté leur tube du moment, elles ont participé à la rubrique « Sur le gril », pendant laquelle des enfants téléphonent pour poser des questions – en réalité toujours la même : « Comment devient-on une star ? »

Je fus surpris de découvrir que la recette du succès était très simple :

— Tu dois juste saisir ta chance, tu vois ? Mordre la vie à pleines dents, expliquèrent les Grrl Girls aux gosses de Grande-Bretagne.

— Fonce ! Fais ce que tu aimes !

— Ouais ! Et surtout : respect !

— Ouais, respect ! Te laisse pas marcher sur les pieds, ta vie est entre tes mains, tu vois ? Si tu dis à ton prof que tu veux être chanteuse ou astronaute, et que le prof te dit : « Non, non, tu bosseras à l'usine ou tu pointeras au chômage », tu vas lui dire : « Non, je serai chanteuse ou astronaute », pas vrai ?

— Parce que tu peux faire ce que tu veux !

— Ouais ! Chanteuse, astronaute ou… tout, quoi.

— Sois toi-même, quoi.

Après cette salve de réponses encourageantes, Tazz annonça que c'était la semaine de la protection de l'environnement sur la BBC et que « 3, 2, 1, Contact ! » était de la fête. Les Grrl Girls firent aussitôt savoir qu'elles étaient très préoccupées par la question et qu'elle méritait tout leur « respect, quoi ». A cet instant, une petite lumière rouge s'est mise à clignoter dans mon crâne. Tazz avait invité le gentil « professeur Dujardin », un type barbu nommé Simon, à venir parler du problème avec les Grrl Girls et les enfants.

Parfois, ce genre de débat à du mal à démarrer. Grâce aux Grrl Girls, ce ne fut pas le cas.

— A propos d'environnement, tu t'y connais en animaux et tout ça ? demanda l'une d'elle.

Simon eut un large sourire.

— Eh bien ! un peu, oui. Je suis zoologiste en chef de l'Académie royale des eaux et forêts.

— Cool ! Alors ma question, c'est : pourquoi ces putains d'oiseaux chient partout ?

Le sourire de Simon se figea.

— Tu sais : dans les parcs, sur les voitures…

En régie, les mouches n'osaient plus voler.

— … sur les toits… ou sur ta tête !

Éclats de rire dans le public. Simon bafouilla :

— C'est-à-dire… je…

Le standard était déjà pris d'assaut par des parents scandalisés. Le producteur hurlait de passer à autre chose dans l'oreillette de Tazz – qui grimaçait désespérément à la caméra 6.

— Une fois, un pigeon a gerbé sur les genoux de mon frère, se rappela soudain l'une des Girls.

— Pouah ! C'est dégueu !

Tazz fit enfin signe au présentateur de la séquence « Météo » de prendre le relais.

Rétrospectivement, je suppose que j'aurais dû considérer ça comme un avertissement. La satisfaction que j'avais d'abord éprouvée (Lucy regonflée à bloc ; moi sur le point d'être l'unique maître d'œuvre d'un moment de télévision anthologique) chuta de plusieurs crans. Nous étions en direct et l'émission pouvait dégénérer. Mais le vent de panique cessa de souffler en régie et je me dis que ce n'était peut-être pas plus mal de s'être d'abord débarrassé des éléments incontrôlables. Je consultai ma montre : encore vingt minutes avant l'arrivée du Premier ministre. Je décidai donc d'aller l'attendre à l'entrée des studios.

Que j'étais naïf !

Je croyais *vraiment* que la gloire de cet instant ne reviendrait qu'à moi seul ! Quelle humiliation ! En arrivant sur place, je vis qu'un petit comité d'accueil avait déjà été prévu. Nigel était là, évidemment, arpentant le tapis rouge d'un air qu'il devait vouloir à la fois décontracté et important, mais il était loin du compte : impossible d'afficher une allure digne et responsable en se trémoussant d'un pied sur l'autre pour essayer de voir ce qui se passe. Devant Nigel, au coude à coude, se trouvaient le directeur financier, les responsables du marketing, du département Câble, des relations publiques et des services annexes. Je reconnus aussi le directeur des programmes de BBC 2, théoriquement plus jeune que Nigel mais devant lui sur le tapis rouge car présentant mieux – et pressenti comme le successeur de Nigel dès Noël prochain. Étaient également présents le directeur de BBC Télévision, le directeur de BBC Radio, le directeur de BBC Radio-Télévision (groupe Radio-Télévision), le coordinateur principal adjoint, l'adjoint du coordinateur principal adjoint, le directeur général, le président-directeur général, le président de la Commission des administrateurs et la Commission des administrateurs au grand complet. En résumé, c'est l'ensemble des dirigeants et responsables de la société qui s'étaient donnés rendez-vous sur le tapis rouge pour pouvoir dire plus tard qu'ils avaient rencontré le Premier ministre – et, au passage, reluquer la plastique de Tazz.

Je me faufilai derrière le groupe, bien décidé à proclamer le moment venu que, même si j'étais derrière tout le monde, y compris en âge, c'était moi qui dirigeais les opérations. C'était *mon* job.

Cinq ou six gardes du corps quadrillaient la zone, équipés d'oreillettes, de téléphones mobiles et de bippers, comme si les Martiens s'apprêtaient à atterrir. J'aperçus Jo Winston et lui fis signe mais, soit elle ne me vit pas, soit elle ne me reconnut pas. Une rumeur chez les gardes du corps et les policiers indiqua l'arrivée imminente du grand homme. Les caméras de « 3, 2, 1, Contact ! » étaient en place et j'entendis un talkie-walkie grésillant annoncer que le cortège venait de quitter Westway et s'engageait dans Wood Lane.

Il ne tarda pas à arriver. Par-delà Shepherd's Bush, un nuage de poussière laissait deviner trois voitures – au milieu, la Daimler du Premier ministre, avec ses vitres arrière teintées – encadrées par deux motards de la police. A l'approche de l'embranchement vers l'accès aux studios, les deux motards de tête se portèrent au carrefour suivant pour bloquer la circulation. Pratique. J'adorerais pouvoir faire ça. Il faut généralement attendre cinq bonnes minutes avant de pouvoir traverser à cet endroit-là. La Daimler n'eut pas à affronter ce genre de problème et, laissant derrière elle l'escorte de motos et de voitures, elle se présenta à la barrière d'entrée des studios de la BBC.

Et ce fut le premier des terribles désastres de cette journée.

Journal, ma main tremble en écrivant que la barrière ne se leva pas.

Le ban et l'arrière-ban de la BBC (y compris moi) se figea d'horreur en voyant le véhicule contraint de s'arrêter tandis qu'un petit bonhomme à casquette sortait de sa cahute.

— Seigneur! entendis-je s'exclamer le directeur général, cet abruti demande au Premier ministre son nom pour vérifier la liste des visiteurs!

Cette voix fut le seul son audible dans le silence qui s'était abattu sur nous. Impuissants et muets, nous assistions aux négociations entre le chauffeur du Premier ministre et le gardien de la BBC.

Mes intestins se nouèrent. Les gardiens de la BBC sont réputés pour appliquer le règlement avec la souplesse d'un apparatchik. Leur mission est d'interdire l'accès aux studios de la BBC à toute personne n'ayant pas de passe ou n'étant pas mentionnée sur la liste des visiteurs. Et ils s'acquittent de cette tâche avec une absence totale d'initiative personnelle. Pas plus tard que la semaine dernière, parce qu'il ne remplissait aucune de ces deux conditions, Tom Jones avait été refoulé alors même qu'il était sorti de voiture pour entonner « It's Not Unusual », « Delilah » et « Sex Bomb »!

Le talkie de Jo Winston crachota. C'était la voix du chauffeur.

— Ils refusent de lever la barrière. Le gardien prétend que le nom du Premier ministre ne figure pas sur sa liste des visiteurs.

Bon Dieu, l'abruti!

— De toute façon, quand je lui dis que c'est le Premier ministre, il me répond : « C'est ça, et moi je suis Camilla Parker-Bowles! »

Les membres du comité d'accueil se crispèrent d'effroi. Le Président de la Commission des administrateurs se tourna vers le Président-directeur général.

— Pourquoi la visite du Premier ministre n'a-t-elle pas été annoncée au gardien?

Le Président-directeur général se tourna vers le directeur général.

— Pourquoi la visite du Premier ministre n'a-t-elle pas été annoncée au gardien?

Le directeur de BBC Radio-Télévision répéta la question au directeur de BBC Télévision qui interrogea le directeur de chaîne,

Nigel, qui se tourna alors vers l'homme censé diriger les opérations, *celui dont c'était le job.*

— Sam ! siffla-t-il.

Avant que Nigel me demande pourquoi je n'avais pas transmis au gardien de l'entrée le nom du Premier ministre, je me frayai un chemin dans l'assemblée et m'emparai du talkie de Jo.

— Sam Bell, responsable éditorial de l'unité Fictions de divertissement de la BBC, aboyai-je (et je constatai avec étonnement que plusieurs gardes du corps de la BBC et du gouvernement notaient mon nom sur leur calepin). Dites au crétin de l'entrée que le Premier ministre participe à l'émission « 3, 2, 1, Contact ! » et qu'il est autorisé à entrer !

Après un intense moment durant lequel nous vîmes le chauffeur transmettre mon message au gardien, j'eus la réponse :

— Il dit qu'il veut le numéro de téléphone du responsable de « 3, 2, 1, Contact ! » pour vérifier l'information. Il dit que personne ne l'a averti de la visite du Premier ministre et il croit que c'est un canular.

CQFD !

La raison de ce malentendu m'apparut dans toute son horreur. A la télé, aujourd'hui, c'est le règne du soupçon. Avec toutes ces émissions fondées sur des canulars, des escroqueries, des pièges, les membres de la profession vivent dans la paranoïa. Ils passent leur chambre d'hôtel au peigne fin pour dénicher des caméras cachées ou des micros miniatures. Personne n'est épargné. Des imitateurs appellent des célébrités en se faisant passer pour d'autres célébrités dans le seul but de leur soutirer des indiscrétions qui sont aussitôt divulguées dans tout le pays. De soi-disant spécialistes en politologie ridiculisent des politiciens en les interrogeant sur des questions d'actualité absurdes. Des associations caritatives bidon tendent des traquenards à des vedettes en perte de vitesse en les poussant à soutenir publiquement des causes stupides. Des caméras cachées enregistrent les réactions lâches des passagers d'un bus confrontés à des faux mendiants ou à des colis suspects. La semaine dernière, un scandale a éclaté lorsqu'un comique marqué à gauche s'est fait passer pour le secrétaire d'État du pays de Galles à « Newsnight ». Il a fallu qu'il explique qu'il adorait son boulot parce qu'il y a toujours du mouton à dîner pour que la supercherie éclate au grand jour.

Ce malheureux gardien, voyant les caméras de « 3, 2, 1, Contact ! » pointées sur sa cahute, a dû soupçonner quelque entourloupe. Il s'est imaginé que, s'il laissait passer la Daimler, Jeremy Beadle[1] jaillirait du coffre et le mettrait en boîte.

Nigel se matérialisa à côté du talkie-walkie.

— Donne-lui ce numéro de téléphone et qu'on en finisse ! me glissa-t-il à l'oreille.

C'était la seule chose à faire, et je me serais volontiers exécuté... si j'avais eu ce numéro. Mais pourquoi l'aurais-je eu ? Je suis un responsable senior. Ce sont mes assistants qui se chargent de ce genre de détail. Nigel le savait bien. Il était presque en larmes.

— Sam ! Toute trace de sifflement avait disparu. C'est *toi* qui es censé diriger les opérations. Fais lever cette barrière immédiatement !

Je rendis son talkie à Jo et marchai vers la barrière, distante d'à peu près cinquante mètres. Je m'efforçai dans un premier temps de garder ma dignité, mais marcher à toute vitesse étant encore plus angoissant que courir, je finis par courir. Arrivé à la barrière, je constatai que le gardien était remué mais déterminé. Qui lui garantissait qu'on n'était pas en train de tester ses aptitudes de gardien ? Nous avons tous en mémoire ces films où le planton laisse entrer dans la caserne la voiture du général et puis se fait remonter les bretelles parce qu'il n'a pas demandé à vérifier le laissez-passer. Le gardien était décidé à ne pas commettre la même erreur. Canular ou pas, il s'était promis de rester collé à son règlement comme une moule à son rocher.

— Il n'a pas de laissez-passer, son nom ne figure pas sur la liste des visiteurs et vous n'avez pas le numéro de téléphone du responsable du programme. Le règlement est très clair sur ces trois points.

Je me demandai comment le Premier ministre prenait la chose. Impossible de le deviner car, comme je l'ai dit, la Daimler avait

---

1. Célèbre présentateur d'émissions humoristiques décapantes et de séquences de caméra cachée (N.d.T.).

des vitres teintées. Et si je m'étais amusé à glisser la tête par la portière du chauffeur, j'aurais été viré dans l'heure. Il va sans dire que l'invisibilité du Premier ministre alimentait la méfiance du gardien. Je faillis demander si le Premier ministre daignerait sortir quelques instants afin de lever tous les doutes mais je n'en eus pas le courage.

— OK, dis-je et, saisissant la barrière, je tentai de la soulever de force.

Absurde. Je tirai, tirai, et le gardien menaçait d'appeler la police, dont quatre représentants casqués stationnaient à quelques mètres. Et si je pesais de tout mon poids sur la barrière ? Peut-être se briserait-elle en deux ? Oui, mais peut-être aussi volerait-elle en éclats, tuant quelqu'un ou crevant un œil au Premier ministre...

Non, décidément, la violence ne résout rien. Je m'éloignai de la barrière et m'approchai du gardien.

— Appelez le standard, demandez-leur de joindre « 3, 2, 1, Contact ! » et de vous passer la communication.

L'attente au téléphone fut cauchemardesque. Les bureaux sont à moitié déserts, le samedi. Finalement, le gardien obtint le standard mais n'alla pas plus loin.

— Ils disent qu'ils enregistrent l'émission en ce moment et que la régie ne prend aucun appel.

— Je sais bien qu'ils sont en direct en ce moment, c'est là tout le...

Que pouvais-je faire ? Rien. Comme chaque fois que l'on est confronté à ces hommes – hommes des barrières, hommes des portes d'entrée, hommes détenteurs de clés... On ne peut pas les raisonner. Des années durant, ils m'ont interdit l'accès à des clubs, des pubs, des salles d'attente, des terrains de cricket et parfois même mon propre lieu de travail.

Je retournai dare-dare au studio pour obtenir leur numéro de téléphone. Tandis que je traversais le parking et dépassais la célèbre fontaine d'Ariel, je sentais les regards de tous les dirigeants concentrer leurs rayons brûlants sur mon dos. Curieusement, je ne me précipitai pas tête baissée sur le mauvais plateau en plein milieu d'une prise mais bien sur le plateau de « 3, 2, 1, Contact ! » au moment où un boys band (appelé « Boys Band ») chantait une chanson sur le fait d'être amoureux (intitulée « Être amoureux »). Je récupérai le numéro de téléphone sur le papier à en-tête d'une script et fonçai vers l'entrée des studios.

En sortant du bâtiment, je vis tout de suite que la Daimler avait finalement été autorisée à entrer. Les policiers étaient intervenus, menaçant le gardien d'une arrestation sur-le-champ s'il refusait de lever la barrière, et le Premier ministre foulait à présent le tapis rouge, recevant les tombereaux d'excuses déversés par le directeur général et le président de la Commission des administrateurs.

Tout sourire, il leur répondit que ces choses-là arrivaient et qu'il ne fallait pas en faire un drame. N'eussent été son regard foudroyant et sa mâchoire crispée, on l'aurait presque cru.

Tandis qu'ils emmenaient le grand homme vers la salle de maquillage, je cherchai des yeux Nigel pour lui adresser un signe de connivence du genre « Eh bien ! on l'a échappé belle, pas vrai ? ». Mais il ne me regardait pas.

Sur le plateau, pendant ce temps, Tazz déclarait aux caméras que les « kids » de « 3, 2, 1, Contact ! » allaient avoir l'immense honneur de recevoir, pour la première fois dans l'histoire de la télévision, la visite du Pre-mier mi-nistre, du chef-du-pays, qui venait d'ailleurs d'arriver dans les studios.

Il y eut des cris, des rires, les petits singes savants de « 3, 2, 1, Contact ! » se mirent à bondir en tous sens. Tazz rayonnait de bonheur, le co-présentateur (dont je ne me rappelle jamais le nom) grimaçait de plaisir, les gros pontes de la BBC, qui assistaient à l'émission depuis un salon du sixième étage, s'efforçaient de paraître sérieux et bientôt ça y était, le Premier ministre faisait son entrée. J'étais en régie avec Nigel et le directeur de BBC Télévision.

— Une sacrée gaffe, à l'entrée, Nigel, grommela ce dernier.

— Oui. Les têtes vont tomber.

— Euh… ça, oui, je m'en assurerai personnellement, inter-vins-je, mais je savais que Nigel parlait surtout de ma tête.

Soudain, les rangées de moniteurs de contrôle qui garnissaient la régie présentèrent tous le visage détendu et avenant du Premier ministre. Il était superbe. Les enfants applaudirent à tout rompre. Je me dis que le pire était derrière nous.

Tazz, bénie soit-elle, lui tendit une perche en or.

— Est-il vrai, monsieur le Premier ministre, que vous jouez de la guitare électrique ?

« Génial ! hurla Nigel. Bien joué, Tazz ! »

Il essayait de toute évidence de s'attirer le bénéfice de cette question, que j'avais moi-même soufflée à la jeune femme. Je n'en revenais pas.

— Oui, très bien, c'est exactement la question que je lui avais demandé de poser, fis-je remarquer.

Le sourire du Premier ministre emplit la régie. Il souleva un sourcil étonné, comme s'il se demandait où Tazz avait bien pu entendre parler de ça.

— Écoutez, répondit-il, les enfants croient toujours que les politiciens sont des vieux croulants mais ils ont tort. Vous savez, je suis un type normal qui aime la musique pop, les jeans et les films comiques. Tout comme vous, Jazz.

Tout le monde en régie avala de travers, mais Tazz ne releva pas et laissa ensuite le champ libre aux enfants. Tout se passa à merveille. Le Premier ministre était ouvert, franc, bannissant toute langue de bois. C'est vrai, quand il avait leur âge, il avait un animal domestique, un cochon d'Inde qui s'appelait Pawpaw ; son plat préféré ? des œufs brouillés et des frites, mais toujours avec du ketchup ; il adorait le football et pensait que l'Angleterre allait gagner la prochaine Coupe du monde ; et il répéta qu'il écoutait de la musique pop et que, d'ailleurs, il jouait de la guitare électrique.

Puis ma nièce Kylie posa une question.

— Monsieur le Premier ministre, les SDF qu'on voit dans les rues sont de plus en plus jeunes, les aides accordées aux jeunes en difficulté n'ont jamais été aussi maigres que sous votre gouvernement, le fossé entre les classes se creuse de plus en plus et, chaque semaine, des maternités sont fermées sur votre ordre. Par conséquent, et ce sera ma question, ne pensez-vous pas qu'en venant dans cette émission déclarer que vous vous intéressez de très près à tout ce qui touche à la jeunesse, vous faites preuve d'un cynisme révoltant ?

Oh sacré nom de nom de bordel de merde !

Le Premier ministre n'était pas du tout préparé à ça. Il est resté bouche bée. En d'autres circonstances, il n'aurait eu aucun mal à parer une attaque comme celle de Kylie. Il lui aurait répondu que son gouvernement proposait davantage d'aides financières que ses prédécesseurs mais qu'il ne voulait pas faire de ses concitoyens des assistés et que les allocations n'étaient donc attribuées qu'aux plus nécessiteux. Il avait repris ces arguments dans de nombreuses interviews et, chaque fois, il m'avait convaincu. Mais, là, il était cueilli à froid.

Il s'était cru en sécurité. Il aurait *dû* être en sécurité.

— Eh bien! en fait… hum… je me sens très concerné par…

Kylie poussa son avantage.

— Par le sort des filles-mères et de leurs enfants? Tant mieux, parce que la plupart auront faim, ce soir.

— Faites taire cette petite conne! hurla le directeur de BBC Télévision. Les phalanges de Jo Winston étaient blanches à force de serrer son stylo. Le téléphone rouge de la régie sonna. Nigel décrocha. « Faites taire cette petite conne! » La voix du directeur général faisait trembler l'écouteur.

— Fais taire cette petite conne! m'ordonna Nigel.

Je transmis à Tazz, au risque de faire sauter son oreillette.

— Non, laissez-le répondre! cria Jo Winston.

Trop tard.

— Eh bien! je crois que nous allons en rester là pour aujourd'hui, déclara une Tazz pétrifiée. Et maintenant, le nouveau clip de Sir… Elton… John!

C'était la pire chose qui pouvait arriver, Jo avait raison: Tazz aurait dû laisser au Premier ministre le temps de répondre. Au lieu de ça, Kylie avait le dernier mot et le grand homme avait l'air d'une pauvre merde.

Jo Winston quitta la régie en silence. Mais son regard était éloquent. Elle pensait que je lui avais tendu un piège.

— Qui est l'incapable qui recrute ces gosses? vociféra le directeur de BBC Télévision.

Je savais à quel gosse en particulier il faisait allusion et je restai muet.

Avant qu'Elton John ait fini sa chanson, toute l'équipe de Downing Street, furieuse, avait quitté les studios, menaçant la BBC de lourdes représailles et proclamant que le Premier ministre était tombé dans un traquenard. Le directeur général avait essayé d'apporter à son prestigieux invité un verre de vin (un buffet somptueux avait été préparé) – en fait, il avait coursé la Daimler sur le parking en brandissant une bouteille de claret. Mais, je le crains, toute perspective de réjouissances avait été balayée par la petite fille qui restait sur le plateau, attendant que ses parents viennent la chercher.

En régie, l'enquête était en cours. Le directeur général et le directeur de BBC Radio-Télévision étaient arrivés. Ils étaient dans un sacré pétrin. Les relations entre la BBC et Downing Street ont toujours été mouvementées et la concession était sur le point d'être reconduite. L'humiliation publique du Premier ministre en direct sur notre antenne n'était certes pas la meilleure façon d'assurer l'avenir d'une télé de service public dans notre beau pays. Tandis que la discussion s'envenimait entre mes nombreux supérieurs, j'avais cruellement conscience du fait que le studio se vidait peu à peu. Par la vitre sans tain, je voyais les assistants de plateau reconduire le public et les techniciens démonter le décor. Au milieu de ce va-et-vient, perdue et un peu effrayée, ma nièce Kylie. Elle n'avait pas la moindre idée de ce qu'elle devait faire. Je lui avais dit que je passerais la prendre après l'émission, mais je savais que, si je m'approchais d'elle, j'étais cuit.

De toute façon, j'étais cuit. Nigel l'avait repérée.

— Cette sale petite anarchiste est encore là ? C'est la fille d'un de nos gars, ou quoi ?

Tous regardèrent par la vitre. Kylie avait l'air encore plus seule. Le démontage du décor s'était fait avec une rapidité et dans un vacarme surprenants : des panneaux en trompe-l'œil roulaient dans tous les sens, d'autres descendaient des cintres. Des hommes et des femmes s'interpellaient. Quand une gamine de douze ans se retrouve coincée au milieu de ce pandémonium, il y a de quoi être intimidée et je vis Kylie à deux doigts d'éclater en sanglots. Elle n'était pas la seule.

— Si Downing Street apprend que c'est la fille d'un employé de la BBC, son compte est bon, dit le directeur général. Bell, allez lui demander son nom !

C'était ma chance ! Je pouvais peut-être m'en tirer ! Il me suffisait d'aller chercher Kylie et de faire porter le chapeau à l'ami d'un ami d'un assistant-décorateur. Je me chargerais de l'enquête et je classerais l'affaire discrètement. J'étais sur le point de quitter la régie quand je vis Kylie en pleurs arrêter une assistante de plateau. Horrifié, je vis l'assistante s'emparer d'un micro. Tout ma vie passa devant mes yeux en un éclair.

« Allô, la régie ? J'ai ici une petite fille qui s'appelle Kylie. Elle dit qu'elle est la nièce de Sam Bell et qu'elle voudrait bien rentrer chez elle. Est-ce qu'il est avec vous ? »

Chère confidente,

Va donc faire confiance à Sam !

Alors que je m'évertue à me relaxer et à évacuer mes tensions, lui semble perdre tout sens des réalités et se comporte dans son boulot comme le dernier des sots. Il n'a pas voulu m'en parler pour ne pas m'alarmer, vu que je suis presque parvenue à fusionner avec mon karma. Mais à le voir remplir ces pages et ces pages dans son carnet, je me suis sentie obligée de lui demander ce qui nous valait cette subite inspiration. « Rien, rien... C'est ce connard de Nigel... » J'ai été obligée de lui dire que ça ne me regardait plus. Je ne veux même pas y penser. Toutes les fibres de mon être ne désirent désormais rien d'autre que vibrer à l'unisson des grands biorythmes intemporels ; or, sous quelque angle qu'on l'envisage, l'univers télévisuel ne fait pas partie des grands biorythmes intemporels. Bien sûr, Sam s'en bat l'œil. D'ailleurs, il ne veut plus me parler de rien. Comme beaucoup d'hommes, il préfère tout refouler et garder ses sentiments pour lui. Pas envie de toucher, pas envie de parler, juste envie de boire, de regarder la télé, de boire encore et de tirer un coup...

Cher journal,

L'histoire de « 3, 2, 1, Contact ! » était dans tous les journaux du dimanche (« Le Premier ministre humilié par une gamine ») et ils continuent d'en parler aujourd'hui. Bien sûr, je suis cité dans tous les articles. A part moi – j'ai fait à ce sujet une déclaration très ferme –, tout le monde penche pour l'hypothèse du traquenard. C'est tellement facile : la fille est ma nièce, etc. Des journalistes ont tenté d'interroger Kylie, mais j'avais prévu le coup et prévenu

Emily qu'elle ne serait plus ma sœur si Kylie disait le moindre mot à la presse. Elle se cache à présent derrière les rideaux de la maison et n'en sortira pas avant que toute l'affaire soit enterrée.

Je n'ai pas eu le courage d'aller travailler aujourd'hui et j'ai décroché le téléphone. Je suis dans une merde noire mais je préfère ne rien dire à Lucy, qui est déjà assez tracassée comme ça. C'est drôle : ce journal ressemble de plus en plus à une psychothérapie alors que je n'y parle presque pas d'enfants.

Ma chère Penny,

Quoique je compatisse sincèrement aux pénibles efforts de Sam, je me sens ces jours-ci étrangement équilibrée et comme transfigurée. Je sais bien qu'il ne faut pas surestimer la force de l'espérance, mais je me sens malgré tout différente. Positive. Il n'y a pas de mal à ça, que je sache ? Je refuse de laisser mes pensées négatives empêcher mon corps de vivre sa vie. Je suis convaincue que les dispositions mentales ont une grande influence sur le moi physique. Or, depuis quelques semaines, je me sens différente. Je ne sais pas pourquoi, mais je le sens. Et si... ?

Sam craint de perdre son boulot. Moi, je suis prête à vivre dans la misère – pourvu que je sois enceinte. Habiter à trois dans un studio, ça ne me fait pas peur.

Quand je lui sers ce genre de beau discours, Sam me répond invariablement : « Ben voyons ! » Je sais qu'il a raison. La pauvreté et la promiscuité n'ont jamais tenté personne. Et, pourtant, s'il suffisait de vendre tous nos biens pour enfin tomber enceinte, je n'hésiterais pas un instant. Je serais pauvre dans la seconde qui suit.

Cher journal,

Lucy continue à prétendre qu'elle se fiche d'être pauvre, du moment qu'elle tombe enceinte. Elle serait contente de nous voir dépouillés de tout si au moins nous avions un enfant. Le problème, c'est que nous allons nous retrouver sur la paille, avec ou sans bébé. D'accord, fauchés et stériles, ce serait beaucoup à la fois. D'un autre côté, Lucy est très confiante, ce coup-ci. Les vertus de la pensée positive ! Si c'est une fille, elle a déjà choisi le prénom : Primrose. J'espère qu'elle a raison. En tout cas, elle est rayonnante.

J'y pense : si ça marche, je lui demanderai quelques pensées positives pour mon boulot.

Ma chère Penny,

Ce matin, début de mes règles.

Je n'attends plus que la mort...

Qu'espérais-je ? Quelle pitoyable dérision... Les cristaux, les champs magnétiques, la pensée positive et tout le tralala : pourquoi ai-je cru à ces fariboles ? J'ai été minable, sur toute la ligne. Moi qui croyais vraiment que, cette fois, ma bonne étoile finirait par briller... Tu parles ! Pas la moindre étincelle. Et merde... Merde, merde, merde !

Pourquoi faut-il que ça tombe sur moi ? Pourquoi, bordel ? Dire qu'il y a des femmes qui se retrouvent en cloque alors qu'elles ne veulent pas d'enfant... Et moi qui ne demande rien d'autre ! Un enfant... Depuis le temps que j'attends. C'est le but de mon existence. Depuis mes premiers jeux de petite fille, je sais que je suis faite pour la maternité. C'est l'unique ambition de ma putain de vie !

Mais il paraît que je ne suis pas faite pour ça.

Et de soixante-trois cycles menstruels ! Soixante-trois mois de merde à essayer, réessayer, ré-réessayer... et pas le moindre résultat ! Je suis maudite, maudite ! (Sans compter que ces saloperies de règles sont très douloureuses.) Mais, ma parole, qu'est-ce que j'ai fait au bon Dieu ? Pourquoi serais-je la seule femme à ne pas avoir le droit de tenir un bébé dans ses bras ? Ma sœur en a deux. Pourquoi ? Melinda en a un. Tu trouves ça juste, toi ? Pas une salope dans tout Sainsbury's qui n'ait sa demi-douzaine de marmots ! Oh, je sais, ce n'est pas beau d'être jalouse, mais c'est plus fort que moi. Je sais aussi que je ne suis pas la seule dans mon cas, que nous sommes des dizaines d'autres dans la même galère, etc. Mais les autres, je m'en tamponne ! Rien à foutre. Marre.

Cher moi-même,

Eh bien ! non, les galipettes de Primrose Hill n'ont rien donné. Ratage complet.

J'ai bien peur d'avoir commencé à y croire. Lucy m'avait converti à son optimisme. Je m'étais mis à imaginer ce que serait notre vie avec un bébé. Des bricoles : le breakfast en famille, les histoires avant de s'endormir, charger la voiture pour partir en pique-nique…

J'arrête là.

Ma chère Penny,

Aujourd'hui, étant de nouveau seule à l'agence, j'ai passé cinq heures au téléphone à tenter de joindre le docteur Cooper pour obtenir un rendez-vous en vue d'une cœlioscopie. A en croire les deux cent quarante-sept versions différentes de J'attends un enfant disponibles en librairie, telle sera la prochaine station sur mon chemin de croix. Le docteur Cooper me le confirmera sans doute. Bien sûr, les guides pratiques d'homéopathie et de médecine douce sont farouchement opposés à des méthodes aussi brutales. Mais que reste-t-il d'autre ? J'ai tout essayé ! Si j'avais suivi les conseils alimentaires prônés dans ces bouquins, il y a belle lurette que je serais morte d'inanition – et toujours aussi stérile que Marie Madeleine !

Je n'ai même pas pu joindre le service de gynécologie. Avec cette foutue épidémie de grippe qui s'est abattue sur le pays, le standard est débordé. Il va falloir songer à la médecine privée… C'est un crève-cœur, car Sam et moi sommes très attachés au principe de la Santé publique, mais nous n'avons plus trop le choix. Les listes d'attente sont tellement longues… C'est bien beau d'agir en accord avec ses convictions ; encore faut-il pouvoir agir. C'est curieux… Ces jours derniers, justement, au nom des idéaux sacrés de l'assurance maladie, et parce que les listes sont si longues, j'ai caressé l'idée d'aller dans une clinique privée (puisque j'en ai les moyens), ne serait-ce que pour libérer un lit… Incroyable, non ? Tu te rappelles, quand Thatcher s'était fait opérer de la main dans le privé, et qu'elle avait répondu aux journalistes : « Je ne voulais pas prendre la place de quelqu'un d'autre » ? *On ne parlait que de ça dans les dîners en ville, on se payait sa tête ! Et, aujourd'hui, on en est arrivés à la même conclusion qu'elle...*

Je suis très, très déprimée...

Cher Sam,

Lucy tient à subir une cœlioscopie dans une clinique privée parce qu'elle ne supporte pas l'idée de passer par le docteur Cooper. J'ai dit : pas question. J'ai prétendu que mes raisons étaient politiques, qu'il fallait se montrer solidaire de la Santé publique. En réalité, c'est tout simplement une question d'argent. Ma gaffe avec Lignes de fuite et mon fiasco avec le Premier ministre sont amplement suffisants pour que Nigel me flanque à la porte et, jusqu'à plus ample information sur ce que le futur nous réserve, je ne peux pas me permettre de dépenses superflues.

Ce soir, je suis allé chez Oddbins et je suis passé d'un whisky pur malt à une bière pression.

Ma chère Penny,

Je suis très fière de Sam. Il n'a pas voulu entendre parler une seule seconde de clinique privée. J'ignorais qu'il était demeuré aussi inflexible sur ses convictions. Bravo, Sam !

J'ai réservé un lit à la clinique pour la fin du mois prochain.

J'ai fait part de mes états d'âme politiques à Sheila, qui est une gauchiste de toujours. Voici ce qu'elle m'a répondu, croyant me faire plaisir : « Oui, mais la main de Thatcher, c'était un cas de chirurgie classique, et c'est ce qui nous avait choqués. Tandis que ton problème de stérilité relève du confort personnel... »

Mot pour mot. C'est ignoble... Il faut croire que beaucoup de gens pensent comme elle... Et sans doute penserais-je la même chose si j'avais eu de meilleures cartes en main au départ... Mais le destin ne m'a pas gâtée.

Cher Sam,

Bon, je savais que la hache s'abattrait un jour ou l'autre. Ça s'est passé aujourd'hui. J'ai perdu mon boulot. Tout l'étage était au courant avant moi. Trevor fuyait mon regard, Daphné était énervée. Je suis un patron plutôt coulant, elle est sûrement inquiète à l'idée de me voir remplacé par un porte-costume Armani qui ne trouve drôles que les sitcoms américaines.

Bref, ayant vu des signaux d'alarme derrière chaque visage, j'étais préparé au pire en entrant dans le bureau de Nigel après une convocation matinale. En un sens, ce ne fut pas si terrible.

— Radio, dit Nigel.

— Radio? répétai-je.

— Radio, confirma le directeur de BBC Radio-Télévision, qui assistait à l'entretien. Mon cher Sam, j'ai à cœur de développer la branche « divertissement » de notre média. Votre précieuse expérience, qui vous a conduit à tirer le meilleur de nouveaux comédiens et scénaristes, fait de vous l'homme de la situation. Vous serez chargé de développer entièrement ce nouveau secteur appelé à occuper une place primordiale dans notre stratégie.

En d'autres termes, me virer coûterait plus d'argent et causerait plus d'ennuis que me confier de nouvelles fonctions à un poste mineur. Mais je m'étais attendu à un blâme plus violent ou, au mieux, à un poste de coordinateur des programmes de nuit, réseau sud-ouest. Toutes proportions gardées, c'était donc plutôt une bonne nouvelle.

— Quel est l'intitulé du job? demandai-je.

— Responsable éditorial de l'unité Divertissement de BBC Radio, répondit le directeur.

J'attendis quelques secondes la suite – les mots « délégué », « adjoint » ou « réseau grande banlieue ». Aucun ne vint – mais on n'est jamais trop prudent. J'ai entendu parler d'un type à qui le directeur général avait annoncé sa promotion au poste de « contrôleur financier de BBC 1 », en faisant passer dans une toux bruyante « Opération Planète verte, Unité Protection de l'environnement, Bristol ». Le pauvre prenait le train à Paddington avant d'avoir compris ce qui lui arrivait.

Donc, c'était tout. Me voilà responsable éditorial de l'unité Divertissement de BBC Radio. Il restait un point.

— Le salaire ?

— Le même, répondit Nigel à ma grande joie. Si tu files doux et si tu ne vends pas un article fielleux à l'*Independent* ou à *Broadcast*…

Marché conclu ! Je devais débarrasser le plancher dans la journée. Seul petit bémol : Nigel avait accepté que j'emmène avec moi Daphné, mais elle a *refusé* ! Je pense qu'elle considère la radio comme un pas en arrière et qu'elle refuse de partager avec moi ce déclassement. Grand bien lui fasse ! Est-ce Kipling qui a écrit qu'elles (les femmes, pas les secrétaires) sont plus dangereuses que les hommes ?

J'ajoute que j'ai de la chance que Lucy ne fasse pas appel à mes services intimes en ce moment car mon image d'homme en a pris un coup. Je considérais mon ancien travail comme un savant brassage d'air, qu'en sera-t-il de mon nouveau ? Une voie de garage aux allures d'impasse en guise de remerciements pour service rendu. D'accord, le divertissement à la radio, c'est sympa, mais Radio 4 offre déjà ce qui se fait de mieux en programmes originaux, brillants, impertinents – or moi j'atterris à Radio 1 et, là-bas, pas question de séries comiques ; ce qu'ils veulent, c'est un ton, et je suis bien trop vieux pour leur apporter ça.

A ma grande surprise, Lucy a accueilli la nouvelle avec optimisme. Elle trouve que c'est bon pour moi. De toute façon, m'a-t-elle fait remarquer, je n'avais jamais aimé mon boulot et là, au moins, j'aurais du temps pour m'adonner à mon vice impuni : l'écriture.

Autrement dit, kif-kif bourricot.

— Ah, tiens, bonne idée ! Il ne me reste plus qu'à ficeler un scénario et à décrocher un Oscar, c'est ça ? Sauf que, ah zut ! ça me revient, je n'ai pas écrit la moindre ligne depuis une éternité !

Ça manque un peu de tact, je sais, mais j'étais à bout de nerfs. Lucy déteste quand je me laisse aller à des pensées négatives.

— C'est vrai, mais tu sais pourquoi ? Parce que tu ne te laisses pas aller à tes émotions, voilà. Si tu vis sur un plan purement superficiel, d'où crois-tu que tu vas tirer ton inspiration ?

Et ainsi de suite jusqu'au coucher. Un peu stressant. Lucy s'est écroulée de sommeil. Pauvre petite chose, tiraillée entre cette histoire de stérilité et un époux complètement hors service. De mon côté, je n'ai pas pu fermer l'œil. Les paroles de Lucy résonnaient dans ma tête. Et si j'évitais d'écrire pour ne pas avoir à me pencher sur mes émotions ? Ou l'inverse ? Si j'ignorais mes émotions pour être sûr de ne rien avoir d'intéressant à écrire ? Dans un cas comme dans l'autre, c'est plutôt pitoyable. Je me suis demandé quelles pourraient être ces émotions. Que se passait-il en moi ? Étais-je triste d'avoir perdu mon travail ? Non, pas vraiment, parce que je ne m'y épanouissais pas. Je n'étais pas un bon responsable éditorial parce que j'étais jaloux de ceux auxquels je commandais des scénarios. Alors, que ressentais-je en donnant libre cours à mes sentiments ? L'envie d'écrire ? Ça intéresse qui, ça ? Mon amour pour Lucy ? Ah ! Pourquoi pas ? L'amour, ça marche toujours. Mon désir d'avoir des enfants ? Certainement. Je ne l'ai peut-être pas assez dit, mais c'est ce que je veux le plus au monde pour notre couple.

Et ça a été la révélation ! Un tel choc que j'en ai eu le frisson. C'était visible comme le nez au milieu de la figure ! Comment avais-je pu être aussi aveugle ? Je le tenais, mon sujet ! Je me suis assis dans le lit. Tout cela prenait forme en un clin d'œil dans mon esprit. La tête me tournait.

— J'ai trouvé, Lucy ! ai-je crié, manquant la faire tomber du lit.

— Trouvé… quoi ?

Je n'arrivais même pas à le formuler. Les mots se précipitaient dans ma bouche comme un torrent.

— Mon sujet ! Mon inspiration ! Un truc évident ! Je vais écrire sur un couple stérile ! Un drame contemporain… sur la vie et le désir de vie… Avec de l'humour, bien sûr, mais de l'humour mélancolique, c'est le meilleur ! Spermogrammes, examens postcoïtaux, séminaires de visualisation… Tu imagines ? La vie sexuelle du couple qui se désintègre, la femme qui est obsédée par sa fertilité, fond en larmes devant des barboteuses, adopte un bébé gorille…

En écrivant cela, je me rends compte que ça peut paraître manquer de tact, mais je jure que ce n'était pas mon intention. Je parlais d'une fiction, de deux personnages fictifs, pas de nous. J'aurais dû mieux présenter la chose, c'est vrai, mais j'étais surexcité. C'était ma première idée potable depuis des siècles.

— Ça va s'écrire tout seul, balbutiai-je tandis que les idées tombaient l'une après l'autre de mon cerveau à ma bouche. Que penses-tu d'une scène où la femme n'arrive pas à choisir la tisane qui sera le plus en phase avec ses biorythmes ? Ou d'une espèce de rituel magique en plein air ? Ce serait tordant !

J'aurais pu continuer comme ça pendant des heures. J'étais complètement parti, comme on dit. Lucy m'a stoppé net. Quand je dis « stoppé net », en fait elle m'a balancé à la figure la moitié de sa tasse de tisane froide.

— Et une scène où la femme balance sa tisane à la figure du salopard prêt à brader le plus intime d'elle-même pour quelques rires faciles ?

J'ai mis trois secondes à comprendre le sens de cette remarque cassante. J'étais stupéfait.

— Quoi ? Mais... tu m'as dit... tu m'as dit qu'il fallait que je regarde en moi !

Je l'avais rarement vue aussi furieuse.

— Je ne t'ai pas dit de faire de ton drame personnel une farce publique ! Ce n'est peut-être pas si mal, que nous soyons stériles. Si nous avions des enfants, tu t'attendrais sans doute à ce qu'ils fassent le trottoir !

Un peu raide, celle-là. D'accord, elle était crevée, à bout de nerfs, mais la prostitution infantile ? Passons.

— Tu ne comprends rien à rien ! J'ai trente-quatre ans, depuis cinq ans j'essaye d'avoir un bébé ! Je suis peut-être *stérile*, Sam !

Là, j'étais un peu paumé. J'avais l'impression que Lucy considérait cette question de la fécondité uniquement de son point de vue, sous prétexte que je l'aborde sous un autre angle qu'elle. On est tout de même deux dans un couple, non ? J'éprouve des sentiments, moi aussi, je suis même sommé de les explorer au plus profond de moi ! Bon, je ne sais pas, peut-être que nous ne pouvons pas avoir d'enfants. Mais, si c'est le cas, qu'est-ce qu'elle attend de moi ? Que je porte le deuil ? Que je gémisse et me lamente sur notre incapacité à donner la vie, quand bien même elle serait en nous depuis toujours ?

J'ai eu la maladresse d'expliquer ça à Lucy, qui y a aussitôt vu la confirmation de ce qu'elle soupçonnait depuis longtemps : je me moque bien d'avoir un enfant ou pas. En fait, je ne veux pas d'enfant. J'en avais trop dit. Mais elle n'essayait même pas de comprendre mon point de vue.

— Et si je n'en voulais pas, qu'est-ce que ça changerait? Ça fait de moi un criminel? Ai-je trahi notre amour parce que je considère que mon existence, aussi, a de la valeur? Ou mon travail? Parce que je n'ai pas fondé tout mon bien-être sur la possibilité abstraite de donner ou non la vie?

Lucy était sur le point de fondre en larmes mais, en bon salaud que je suis, j'ai enfoncé le clou.

— Bon sang, tu ne trouves pas que cette idolâtrie de la génération à venir est un peu… primitive? Un bébé naît. Ses parents lui consacrent toute leur vie, lui sacrifient tous leurs projets. Ensuite, quand le bébé a enfin atteint l'âge où il peut acquérir son indépendance et concrétiser tous les espoirs que ses parents avaient placés en lui, il se met à son tour à avoir un bébé et toute l'histoire recommence!

Lucy s'est levée et est allée se préparer une tisane – pas pour me la lancer au visage, espérai-je. En revenant, elle m'a dit :

— C'est la vie, Sam! C'est pour ça que nous sommes ici, pas… pas pour faire des putains de films!

C'est là toute la question, pas vrai? Parce que *moi*, c'est pour faire des films que je suis ici. En tout cas, pour m'exprimer d'une façon ou d'une autre. On n'a qu'une vie, non? Et c'est celle que je vis, pas celle que je pourrais faire naître. Je sais, ça paraît égoïste, mais est-ce que ce n'est pas tout aussi égoïste de chercher à tout prix à perpétuer son nom? Je ne sais pas. En tout cas, j'ai essayé de calmer le jeu pour que nous puissions retourner nous coucher.

— Lucy, ma Lucy… Écoute, je suis désolé, je ne voulais pas te faire de peine. Bien sûr, que je voudrais un bébé… C'est juste que…

Mais Lucy n'était pas disposée à se laisser calmer.

— C'est juste que tu veux écrire un film sur notre histoire. Alors écoute-moi bien : la prochaine fois que tu évoques, *même de loin*, l'idée d'exploiter notre drame personnel pour ton seul misérable profit, je te quitte. Tu m'entends, Sam? Je suis sérieuse : je te quitte.

Sur ce, elle m'a tourné le dos et nous avons passé la nuit côte à côte, dans un même silence éveillé.

Ma chère Penny,

J'ai passé une nuit de merde. Je me suis engueulée avec Sam. Il m'a traitée de petite fille gâtée hyperémotive et obsessionnelle, et moi d'égoïste et d'handicapé du sentiment. Mais je ne vais pas revenir sur cette querelle, car ces petits tracas ne sont rien en regard de la terrible nouvelle que nous avons apprise ce matin...

Vers 9 heures, Melinda a appelé pour nous annoncer que Cuthbert venait d'être admis à l'hôpital Royal Free, à Hampstead. On pense qu'il a contracté une méningite. Melinda est à son chevet. On n'aura aucun diagnostic précis avant un ou deux jours, mais il se pourrait que ce soit très grave. Ma pauvre Melinda doit être dans tous ses états... Car si c'est bien une méningite et si Cuthbert survit, il faut craindre des dommages cérébraux. Plus rien ne serait comme avant. Mais ce n'est peut-être qu'une fausse alerte. Pour le moment, il n'y a rien d'autre à faire qu'attendre. Je ne veux même pas y penser ; c'est trop dur...

Bien entendu, Sam a l'air de s'en moquer comme de sa première chemise. Je sais bien que ce n'est pas le cas. Toujours est-il que c'est l'impression qu'il donne.

Cher journal,

Je ne sais pas ce que Lucy attend de moi. Aujourd'hui, George et Melinda nous ont appris une terrible nouvelle : Cuthbert a peut-être une méningite. Lucy est complètement bouleversée, ce qui, selon moi, ne sert à rien. Pourquoi miser sur le pire, quand on n'en est encore qu'au stade des hypothèses ? Je comprends que Lucy soit très réactive en ce moment à tout ce qui concerne les bébés, mais à quelle réaction s'attend-elle de ma part ? Quand j'ai entendu la nouvelle, j'ai dit : « Oh, mon Dieu ! C'est affreux ! Pauvres George et Melinda ! » J'ai aussitôt senti que ce n'était pas assez, alors j'ai répété : « Mon Dieu ! », mais c'était pire. C'est vexant. Bien sûr que cette histoire m'inquiète, bien sûr que j'ai de la peine pour George et Melinda, mais je ne vois pas ce que je pourrais dire de plus. J'ai appelé George pour lui demander si je pouvais leur être d'une aide quelconque, mais évidemment non. Le seul fait de poser la question était stupide.

Ma chère Penny,

Aucune nouvelle de Cuthbert. Pas encore assez d'éléments pour rendre un diagnostic.

Aujourd'hui, j'avais rendez-vous pour un entretien avec le docteur James, un homme charmant, à la clinique privée. A sa demande, je lui ai résumé les étapes de ma longue marche vers la terre promise de la fertilité. Comme prévu, il m'a aussitôt inscrite pour une vidéo du nombril. Ce n'est pas lui qui se chargera de l'opération. Tout ce qu'il peut faire, c'est me recommander à un confrère de l'Essex ou d'ailleurs, enfin au diable vauvert. Fin du rendez-vous, voici votre lettre de recommandation, pour vous ce sera 100 livres tout rond, et merci bien... Dix minutes en tout et pour tout ! Heureusement qu'il ne m'avait pas fait attendre – une nouveauté pour moi. Ils ont même eu la bonté de me proposer un café et des petits gâteaux, mais je me suis empressée de refuser. Vu les tarifs pratiqués dans le secteur privé, le moindre biscuit fourré doit coûter au moins dix sacs.

Ensuite, j'ai rendu visite à Melinda et Cuthbert au Royal Free. Ça m'a brisé le cœur. Tous ces petits bébés malades, ces bambins morts de trouille... Quelle injustice.

Melinda tient le coup, mais elle n'a pas beaucoup dormi et paraît complètement déprimée. Cuthbert a été placé en quarantaine. Je n'ai pas pu le voir. D'après Melinda, il a l'air si vulnérable, si fragile qu'elle a à peine la force de lui sourire. Chaque fibre de son corps lui crie de faire quelque chose pour son bébé, mais elle est complètement démunie. Elle ne peut que rester assise à attendre, attendre, rongée de culpabilité et d'angoisse, hantée par la vision de son enfant souffrant, luttant contre les progrès d'une maladie qui le laissera handicapé. Elle s'est mise à pleurer et j'ai pleuré avec elle, alors que j'étais venue pour la réconforter. Pour lui changer les idées, je lui ai conté notre randonnée charnelle au sommet de Primrose Hill. Je suis parvenue à lui arracher quelques rires, alors qu'en fin de compte c'est une histoire triste, puisqu'elle finit mal. Ensuite, elle m'a demandé des nouvelles de Lord Byron Phipps. Je lui ai répondu que je n'en avais aucune et que je l'avais déjà oublié. J'étais loin de me douter...

En sortant de l'hôpital, j'ai dû m'asseoir sur un banc public pour reprendre mes esprits, car cette visite m'avait bouleversée.

154

Pauvre petit Cuthbert… Cet enfant n'est rien pour moi, pourtant je me sens très proche de lui ; d'ailleurs, les bébés en détresse m'ont toujours fendu l'âme. Qui pourrait y rester insensible ?

J'ai appelé Sam sur son mobile pour échanger trois mots. Hélas ! j'ai cru comprendre qu'il était très occupé ; il est en train de régler les derniers détails concernant son ancien boulot. « Rien de nouveau, si je comprends bien ? » Dans sa bouche, ça voulait dire : « Mais pourquoi diable me déranges-tu ? » Sam a toujours été très pragmatique.

De retour à l'agence, je ne me sentais toujours pas mieux. Ça n'augurait rien de bon. Au risque de me répéter, j'étais vraiment à fleur de peau, très vulnérable. Or, voilà que je m'aperçois que quelqu'un était entré pendant mon absence… Nonchalamment installé à mon bureau, épluchant un contrat, qui vois-je ? Carl Phipps ! Toujours aussi beau, voire plus séduisant que jamais – pourquoi le nier ? Il avait ôté son manteau et n'avait sur lui qu'une chemise bouffante blanche largement ouverte sur son torse, un 501 noir près du corps et des bottillons. Ne lui manquait que la rapière pour s'engager dans la flibuste !

Il a commencé par se justifier : « Sheila et Joanna sont parties au point presse à l'Apollo. » Puis aussitôt : « Mais… vous avez pleuré ! »

J'ai menti lamentablement : « P… pas du tout ! »

« Lucy ? Quelque chose ne va pas ? Vous pouvez tout me dire. Je ne supporte pas de vous voir pleurer. »

Et là, tout s'est précipité. J'ai brusquement éclaté en sanglots et, avant d'avoir pu dire ouf, il m'avait pris dans ses bras pour me consoler. Je ne crois pas qu'il avait une autre idée derrière la tête – ou alors, c'était finement joué. Je crois sincèrement qu'il voulait me manifester sa compassion. Encore qu'avec les hommes même le geste le plus désintéressé a des sous-entendus sexuels. Mise en confiance, je lui ai raconté la tragédie du petit Cuthbert et tout le chagrin que j'éprouvais pour George et Melinda. Sa réaction m'a fait chaud au cœur. Il se sentait profondément concerné, et j'ai eu la surprise de m'apercevoir qu'il en connaissait un rayon sur les symptômes de la méningite…

— Dans la plupart des cas de méningite présumée, on finit par s'apercevoir qu'elle n'était que présumée, justement.

— Comment savez-vous ça ? lui ai-je demandé, blottie contre lui.

— Eh quoi ! je suis acteur… C'est mon métier !

Malgré l'état d'abattement dans lequel je me trouvais, l'absurdité de sa réponse ne m'a pas échappé. Carl a dû s'en rendre compte, car il m'a aussitôt expliqué en me caressant les cheveux avec beaucoup de douceur :

— Il y a quelques années, j'ai joué un interne dans Angels[1], pendant trois épisodes. Petit rôle, mais ce n'est pas une raison pour ne pas se documenter. Dans ce genre de cas, les symptômes sont très vagues. Parfois, le bébé retrouve la santé sans qu'on ait pu déterminer la cause du mal. Vous savez, les bébés sont de solides petits gars, bien plus courageux qu'on ne croit !

Ses mots m'avaient redonné de l'énergie. Carl m'aidait à voir les choses du bon côté, même si les espoirs de guérison me paraissaient minces. En tout cas, j'étais heureuse d'avoir pu en parler – avec Sam, inutile d'y compter. C'est terrible à dire, mais c'est ainsi. Sur ma lancée, je lui ai raconté tous mes problèmes sans rien lui cacher, pas même mon angoisse d'être stérile. J'ai trouvé auprès de lui une écoute formidable, qualité assez rare chez un acteur pour être signalée. Je l'ai senti attentif, bienveillant. Bien sûr, il a maladroitement voulu me consoler en me racontant une de ces sempiternelles histoires de cousins ou d'amis qui avaient désespéré pendant des années, et puis soudain, crac… mais venant de lui, je ne sais pas, ça m'a quand même un peu réconfortée.

Bien.

Ensuite…

Bon, puisqu'il faut l'écrire, je vais tâcher de faire court. Ensuite, je l'ai embrassé. Voilà, c'est dit. Je l'ai embrassé. Et c'était génial. On était là à parler, parler, parler, il a essuyé une larme sur ma paupière, il a pris ma main et, l'instant d'après, on s'embrassait – mais alors, le vrai baiser, intense, puissant, passionné, avec pétrissage de langues et tout le toutim.

Mon Dieu, j'en suis encore toute chose…

Ça a dû durer une, deux minutes, trois tout au plus. Une pelle, quoi. Par chance, il n'a pas cherché à transformer son essai – merci mon Dieu ! Il a tendrement resserré son étreinte, sans

---

1. Série de la BBC (1976-1983) se déroulant dans un hôpital (N.d.T.).

156

chercher à profiter de la situation, alors qu'il devait bien sentir ma... bhrrmm... ma poitrine se presser contre la sienne. En plus, je ne portais même pas de soutif sous mon col roulé en cashmere, et comme lui-même n'avait que sa chemise en coton, je pouvais le sentir vraiment contre moi, et moi contre lui... Mon pauvre cœur cognait à tout rompre contre son torse – sans doute le premier rôle d'enclume de toute sa carrière...

J'ai fini par trouver la force de me dégager. C'était ça où passer à l'étape suivante. Je n'ose même pas y penser... Mon Dieu ! faites que je n'y pense pas ! Heureusement, il l'a très bien pris, avec calme et gentillesse. Il s'est redressé, m'a embrassée délicatement sur le front et m'a dit : « Si vous avez besoin de parler, Lucy, n'hésitez pas à m'appeler. Je serai toujours là pour vous. Toujours. » Puis il est parti.

Comment se remettre à bosser après ça ? Je suis rentrée à la maison dans un état second et j'ai aussitôt pris mon journal et un stylo pour essayer de mettre de l'ordre dans mes pensées.

Il y a des années qu'on ne m'avait pas embrassée comme ça... Maintenant, je me sens coupable, mais aussi curieusement enivrée. Et puis je repense à Cuthbert, à ma stérilité, et je me trouve ridicule de m'exciter ainsi pour un simple baiser. La vie réserve décidément bien des surprises...

Il est un peu plus tard maintenant. Je ne vais toujours pas mieux. Plus je pense à Sam, plus je me sens coupable. Pas seulement pour ce baiser, mais aussi pour l'autre soir. Il s'est mis en tête d'écrire un scénario autour d'un couple stérile... C'était plus fort que moi : j'ai explosé. Il ne l'avait peut-être pas mérité. Non que j'aie changé d'avis depuis : s'il met son projet à exécution, je le tue. Néanmoins, j'aurais pu essayer de me mettre à sa place... Après tout, n'est-ce pas moi qui lui ai fortement suggéré d'explorer ses propres sentiments, de se servir de ses émotions comme d'outils de travail ? Mais je ne pensais pas précisément à ce genre d'émotions ! Exploiter notre intimité et notre souffrance pour les jeter en pâture à un public avide de gauloiseries, de rires faciles et de mélo bon marché, je n'attendais pas ça de Sam. Il n'en est pas question ! Malgré tout, je persiste à penser que j'aurais pu lui signifier ma désapprobation en des termes plus choisis.

Quand Sam est rentré à la maison, j'ai soudain éprouvé pour lui un intense sentiment de fidélité et de reconnaissance. Je brûlais de lui prouver ma loyauté et mon amour, et j'en attendais autant de lui. J'avais décidé de lui dire combien je tiens à lui, de me montrer plus compréhensive, plus proche. J'ai voulu le serrer contre moi de toutes mes forces et l'enlacer au propre comme au figuré, mais penses-tu... il m'a juste fait un bisou sur la joue et s'est enfermé dans son bureau à la con pour ruminer sur sa foutue carrière. Il voudrait me jeter dans les bras d'un Heathcliff à la sauce Byron, il ne s'y prendrait pas autrement.

Il ne m'a même pas demandé des nouvelles de Cuthbert...

Cher Sam,

En rentrant à la maison, Lucy m'est tombée dessus en me disant qu'elle voulait à tout prix que nous parlions des tensions dans notre couple. Désolé, mais je ne suis pas d'humeur en ce moment. Je ne sais pas si elle se rend compte à quel point ma vie se barre en couille, ces derniers temps, ou alors elle s'en fout. De son point de vue, mon rôle se borne à lui prodiguer sur commande de la tendresse ou du sperme. Mes problèmes, mon humiliation à la BBC, la fin abrupte d'une carrière à laquelle je travaille depuis que j'ai quitté la fac, elle considère que ce sont des fixations narcissiques, des angoisses indignes, des foutaises que je devrais mettre de côté pour considérer les vrais problèmes : notre crise de couple, notre incapacité à avoir un enfant.

Enfin, bordel ! Le monde n'a pas besoin d'un bébé de plus ! Des millions d'êtres meurent de faim chaque année, des millions d'êtres vivent dans la misère, les privations, la violence. Pourquoi ne commencerions-nous pas par *arrêter* de faire des bébés ? Pourquoi ne choisirions-nous pas de vivre notre vie, d'accomplir notre destinée ? Sans enfant, Lucy et moi avons une chance unique ! Nous sommes jeunes (si si !), nous allons bien ensemble, nous avons un double revenu (pour l'instant), nous pouvons prendre des cours d'aviation, faire du trekking dans les Andes, sauver la forêt tropicale, nous prendre des cuites tous les soirs au pub, bref, l'avenir nous appartient ! Eh bien ! non. Tout ce que nous voulons faire, tout ce qui obsède Lucy, c'est avoir un bébé...

La vérité, je crois, c'est que je me replie sur moi-même parce que moi aussi, je voudrais un enfant. Ce n'est peut-être pas *tout* ce que je souhaite, mais c'est ce qui me tient le plus à cœur.

Pauvre Lucy. Elle demandait juste que je lui montre un peu d'amour, et Dieu sait que je l'aime ! Je l'aime, elle me plaît comme au premier jour. Cette nuit à Primrose Hill, c'était magique, même si ça n'a rien donné.

Le problème, je suppose, c'est que je ne lui montre rien de ce que je ressens.

Je fous en l'air tout ce que je fais.

Ma chère Penny,

Melinda a appelé à 7 heures ce matin. Ce n'était pas une méningite. Tout ce qu'on voudra, mais pas une méningite. Je suis si heureuse pour elle ; jamais elle ne l'aurait supporté. Bien sûr, Cuthbert devra rester encore quelques jours en observation, mais il est bel et bien tiré d'affaire. Melinda est complètement soulagée, comme si on l'avait libérée du poids de l'univers entier.

Réaction de Sam : « Ah ! bien, bien… Formidable. Très bonne nouvelle, vraiment ! Je me réjouis. » L'instant d'après, il était replongé dans les pages médias du Guardian.

En arrivant à l'agence, Sheila m'a apostrophée : « Qu'est-ce qui se passe avec Sam ? Tu le shootes aux gènes de macaque, ou quoi ? »

Je ne voyais vraiment pas où elle voulait en venir. Je n'ai pas mis longtemps à comprendre… Sur mon bureau, dans un vase, m'attendait une douzaine de roses rouges, accompagnées d'un carton anonyme :

TU ES SI BELLE. JE TE VEUX.

Carrément. « Tu es si belle. Je te veux. » A la vue de tous. Pas étonnant que Sheila ait pensé à Sam. Pour laisser un message pareil, sans mystère ni précautions, il faut se savoir en terrain connu. Je suis devenue rouge de confusion, ça a dû se voir jusqu'en Australie. Évidemment, Sheila s'est empressée de mettre les pieds dans le plat, perfide : « A moins qu'il ne s'agisse pas de Sam… ? » « Bien sûr que c'est Sam ! ai-je répondu avec un peu trop d'emphase. On s'est disputés, il veut se faire pardonner. Je suis confuse… »

*Quelle idiote ! Je m'en veux à mort, j'ai presque envie de…
de… ah ! j'en sais rien. Bon, OK, c'est vrai, j'ai embrassé Carl
Phipps. D'accord. Il se pourrait même qu'on se soit roulé une pelle
par ma faute, je le regrette, je m'en repens. Est-ce que ça l'autorise
à quémander publiquement un rapport sexuel ? Certainement
pas ! Enfin, je suis une femme mariée ! Non mais, quel toupet
invraisemblable ! Ce fumier ne recule vraiment devant rien. Il a
tellement l'habitude de se faire draguer par son fan-club de
minettes décérébrées qu'il s'imagine pouvoir enjamber qui bon lui
chante, quand ça lui chante. Quel porc !…*

*Je suis la première à reconnaître qu'il est séduisant et qu'il
me plaît. Mais là, il est allé trop loin. Dès que Sheila a eu tourné
le dos pour aller fumer sa clope (quatre avec le café, ce n'était
sans doute pas suffisant), je l'ai appelé chez lui. Je suis tombé
sur son répondeur :*

*« Salut, c'est Phipps… » Abject. « Je suis absent ou trop crevé
pour répondre… Si c'est pour du boulot, appelez mes gens au
0171, etc. » Mes gens ! C'est-à-dire nous, moi ! « Si c'est Los Angeles,
appelez Annie au 213, etc. Si c'est New York, appelez William
Morris au 212, etc. Sinon, ben, attendez le bip, je vais pas vous
faire un dessin. »*

Ça m'avait amplement laissé le temps de préparer mon message :

*« Carl, c'est Lucy, à l'agence. Tu m'as prise pour une salope ou
quoi ? Pour qui tu te prends ? Tu n'es qu'un rustre. Qu'est-ce que
tu t'imagines ? Qu'il suffit de me siffler pour… pour me tringler ?
Laisse-moi te dire une bonne chose : c'est pas parce que t'as une
belle gueule que je vais me laisser faire. Compris ? Je suis une
femme mariée, alors : va-te-faire-foutre ! Pendant que j'y pense :
on attend toujours ta réponse pour la pub de la lessive en
poudre… Au revoir. »*

Ça m'a fait un bien fou !

Excellentes nouvelles de Cuthbert.

Cher moi-même,

OK. *Maintenant*, je souffre vraiment. Je me sentais tellement
nul ce matin après notre dispute que j'ai fait porter des roses à
Lucy à l'agence. J'y avais glissé un petit message salace : « Tu es si

belle. Je te veux. » Je pensais qu'elle aimerait. Je la voyais déjà, à peine rentrée du boulot, se jetant sur moi. Mais non, rien. Elle n'y a même pas fait allusion ! Elle a repris son journal et, quand elle a eu fini, elle n'a pas arrêté de me dire combien ce nouvel acteur, Carl Phipps, l'agace.

Je crois bien qu'il lui plaît.

En tout cas, j'ai pensé que les fleurs n'avaient pas été livrées. Je lui ai donc demandé si ce matin, en entrant dans son bureau, elle n'avait pas eu une surprise.

Je jure qu'elle est devenue toute blanche.

— Quoi ? Qu'est-ce que tu en sais ? Qui te l'a dit ? Sheila ?

— Je n'ai parlé à personne. Je voulais juste savoir si tu avais bien reçu mes roses ce matin.

J'ai déjà dit qu'elle était devenue toute blanche ? Alors non, c'était « pâle », parce que *là*, elle était blanche. Elle semblait choquée et faisait un effort pour garder une contenance. Cette histoire de bébé, à tous les coups. Elle a besoin de repos.

— Les roses… que tu m'as envoyées ?

— Oui. Avec le message coquin. Tu les as eues ?

— Ah ! oui…

On aurait dit un hamster à l'agonie. Atteint d'un cancer de la gorge en phase terminale.

— Je les ai eues, oui.

Et puis, elle est devenue hystérique.

— Pourquoi ? ! Pourquoi m'as-tu envoyé ces fleurs ? Bon sang, et ce message ! C'était con ! Complètement con !

J'avais mon compte. Je suis sorti. J'écris ces pages dans un pub. Elle me reproche sans arrêt de ne pas lui montrer mon affection (« Montre-moi ton affection », c'est son grand truc, surtout quand je regarde la télé) et quand j'essaye de faire quelque chose de romantique et de sexy, elle m'envoie balader.

Désolé. Je sais que c'est nul de dire ça, je sais que c'est nul de penser ça, mais putains de bonnes femmes !

Ma chère Penny,
  Morte. Je voudrais être morte…

161

Cher Sam,

Premier jour à mon nouveau boulot – ce qui signifie réveil de (trop) bonne heure : 5 heures ! Lucy s'est levée pour me préparer un thé. Adorable de sa part, même si je doute qu'elle ait dormi cette nuit. Elle m'a embrassé et remercié pour les fleurs. Elle a ajouté qu'elle était désolée pour hier soir, que c'était juste la tension, cette histoire de cœlioscopie, tout ça. Je lui ai dit de ne pas s'en faire, et je crois que ça a un peu détendu l'atmosphère, même si ça ne nous a pas non plus particulièrement rapprochés.

Mon nouveau bureau est situé à la Maison de la Radio, et ça me plaît. Un vieux bâtiment qui sent la BBC. En plus, c'est en ville, pas à perpète en banlieue ouest, et ce n'est qu'à trois stations en métro.

Mon travail est horrible. Ma responsabilité principale porte sur la tranche horaire 7 h 30 – 9 heures de Radio 1. A l'origine, il y avait juste un programme musical, maintenant, c'est un peu de divertissement avec un peu de musique. Leur animateur vedette est un certain Charlie Stone, considéré comme le must des présentateurs impertinents – c'est-à-dire qu'il dit des gros mots à une heure de grande écoute. Du reste, il est, d'une façon *indéfinissable*, excellent (c'est, j'imagine, le propre de toute star). Il réussit la performance d'être à la fois branché et grand public. Et la station reçoit beaucoup de plaintes à son sujet, ce qui comble d'aise le directeur des programmes, Matt Crowley.

Ce dernier m'avait proposé, par e-mail, d'assister à un enregistrement de l'émission en direct de Charlie.

— Tu verras, c'est presque de la radio expérimentale, m'écrivait-il. Charlie est satirique, provocant, subversif et à contre-courant.

Comprendre : il dit des gros mots.

Quand je suis arrivé, Crowley était déjà là (mauvais point). Nous sommes restés devant la vitre, regardant Charlie et son équipe en train de divertir la nation tout juste réveillée. Sur les platines, c'était « Sexy Bitch », le nouveau tube de Brenda, cette fille magnifique qui pose toujours en soutien-gorge en couverture de *Loaded*.

— Ooookay, a lancé Charlie. Un réveil chaud chaud chaud par la trrrès chaude Brenda. On dira ce qu'on voudra, elle a un

trrrès beau con... pardon, son ! Et quelle fille sexy ! Sexy et bourrée de talent, c'est comme ça qu'on les aime sur Ra-dio-1 ! Elle
me donne la trique me file la gaule fait monter la pression et
réveille Paupaul ! Désolé chers auditeurs si les micros existent,
mais j'ai juré de dire la vérité toute la vérité rien que la vérité !

Je suis resté sans voix. J'écoute Radio 1 depuis belle lurette et
je n'avais jamais réalisé à quel point j'étais dans le coup.

— A propos de cul, enchaîna Charlie, dites-moi un peu, chers
auditeurs, quand vous vous êtes sentis... hmmm... sexy pour la
première fois ? Ou plutôt : quand vous avez tiré votre premier
coup ? Appelez le standard et racontez-moi ça, vous en mourez
d'envie ! La terre a-t-elle tremblé ? Vous étiez au-dessus ou en dessous ? Vous avez fumé, après, ou vous avez remis le couvert ? Un
coup de fil et nous saurons tout !

Matt m'a regardé d'un œil gourmand :
— Pas mal, hein ?
— Très bon.
— Alors voilà comment ça se présente pour toi, Sam : je suis
le directeur des programmes mais ton patron, c'est *lui*, OK ? Le
Breakfast Show est notre émission phare, et c'est pour elle que tu
vas bosser. Charlie est un génie des ondes ; ton boulot, ta mis-
sion, c'est d'empêcher que Virgin nous le pique !

Plus tard, seul dans mon bureau, j'ai pris une décision.

Une décision terrible, que je n'aurais jamais imaginé pouvoir
prendre, une décision que je me déteste d'avoir ne serait-ce
qu'envisagée. Mais ça y est, les dés sont jetés, et même si je me
dis que j'ai tort, tout au fond de moi, je sais que j'ai raison.

*J'ai décidé de prendre une semaine de vacances. Après m'être
ridiculisée à tout jamais en laissant ce message de dingue sur le
répondeur de Carl Phipps, je ferais bien de ne plus jamais mettre
le nez dehors. Que doit-il penser de moi ? Comment va-t-il réagir ?
Il embrasse une fille, elle l'embrasse aussi, puis, sans transition,
voilà qu'elle l'insulte violemment, lui garantit qu'il peut toujours
se toucher, alors qu'il ne lui a rien demandé ! La honte... Chaque
fois que j'y pense, j'ai envie de me cacher...*

*Et maintenant, qu'est-ce que je dois faire ? Je suis condamnée à
le revoir tôt ou tard. Quitter mon job à l'agence ? Après tout,*

depuis que Sam a été muté à la radio (« une déchéance », selon lui ; je ne vois pas en quoi), le spectre d'une misère imminente semble s'être volatilisé. Si je démissionne, je ne reverrai sans doute jamais Carl Phipps. Tentant.

Au fait, Cuthbert est hors de danger. George et Melinda ont pu le ramener chez eux. Ils sont passés nous voir tous les trois. Preuve de sa santé retrouvée, Cuthbert s'est mis à projeter du vomi tous azimuts, n'épargnant ni mes coussins de collection, ni moi-même. Melinda m'a rassurée : « Les médecins nous ont dit que c'était à prévoir. C'est normal. Il n'y a pas à s'inquiéter. » Bel esprit, ai-je pensé en essuyant sa gerbe. Comme si nous, les femmes sans enfants, n'avions pas aussi une vie ! Comme si nous n'avions pas des coussins à protéger ! En même temps, je ne peux pas lui en vouloir. Quand on a traversé ce que Melinda vient d'endurer, je crois qu'on a toutes les raisons de regarder son enfant comme le centre de l'univers et de n'avoir aucune considération pour les soucis d'autrui.

Cher traître,

Ça y est, c'est fait. Si jamais Lucy vient à l'apprendre, et en fin de compte c'est inévitable, je n'ose pas imaginer sa réaction. Tant pis. Quelle que soit la récolte, le grain est semé. J'ai vendu l'idée d'un film sur la stérilité à Trevor et George. Je sais, c'est de la folie, ça met en péril ce à quoi je tiens le plus au monde, mais je suis un écrivain. Les écrivains puisent leur inspiration dans leur expérience personnelle, comme tous les artistes. Ça fait partie du job.

En relisant ces lignes, je me dis que c'est un plaidoyer un peu faux-cul, et en même temps ce n'est que justice. Lucy n'a pas le droit de me couper de ma principale source d'inspiration. C'est son histoire, c'est vrai, mais c'est aussi la mienne. Et puis merde, je changerai les noms.

Hier soir, j'ai écrit un synopsis complet. Lucy pensait que je continuais mon journal – j'ai un peu honte, même si je me dis qu'avec ce projet de film je ne fais que poursuivre le même travail, sous une autre forme. Le synopsis est à présent achevé, et il est tout bonnement parfait. Si j'étais responsable éditorial, je le prendrais sans hésiter.

J'ai ramené mon texte à un peu moins de mille mots, la bonne longueur. En garder un peu sous la pédale, ne livrer que quelques idées fortes, accrocheuses. C'est ce que je voulais quand j'étais responsable éditorial – il y a quelques jours encore. Pas de ces bottins qui atterrissaient sans prévenir sur votre bureau et pour lesquels il fallait donner une réponse le soir même. En outre, Trevor et George avaient accepté qu'on déjeune ensemble et je ne voulais pas qu'ils aient une excuse pour ne pas l'avoir lu. Je le leur ai donc fait porter par coursier à la première heure et je les ai retrouvés chez Quark à midi. Pour la première fois, je ne me trouvais plus assis face à deux collègues de travail mais face aux tout-puissants responsables éditoriaux de la BBC. Je n'en menais pas large.

Trevor était arrivé le premier. Je ne me suis pas embarrassé des palabres qui préludent d'ordinaire à ce genre de rendez-vous. Bon sang, je le connais depuis des années.

— Alors, qu'en penses-tu ?

Bonne nouvelle : il avait adoré. Dans mon ventre, une boule se dénoua.

— Je trouve l'idée excellente, Sam. C'est profond, c'est drama-tique. Même le directeur de chaîne est enthousiaste.

Je tombais des nues.

— Tu l'as montré à Nigel ?

— Oui. Sans lui dire qu'il était de toi, bien entendu.

C'était hallucinant. Impliquer le directeur de chaînes si tôt dans le processus, c'était rarissime. Du jamais vu, en fait.

— C'est le *Zeitgeist*, mon vieux, m'expliqua Trevor sans se douter que celle-là, on me l'avait déjà servie. Tout le monde est concerné par le problème, tout le monde connaît quelqu'un qui est passé par là. C'est une affaire nationale. Tu sais combien de foyers ont regardé notre documentaire sur la fécondation in vitro ? Huit millions ! Et presque autant pour les redifs !

A ce moment-là, George est arrivé. Il était en retard parce qu'il avait dû déposer Cuthbert à l'hôpital pour un check-up. Cuthbert semble recouvrer la santé, comme en témoignait la trace de vomi que George s'efforçait de nettoyer sur sa poche de chemise.

La serveuse canon qui m'avait ridiculisé lors de mon dernier déjeuner d'affaires attendait de prendre la commande. J'espérais que George se livrerait à quelque éloge bruyant de mon travail, pour qu'elle sache que je ne suis pas un pauvre type mais un jeune écrivain talentueux en passe de vendre son scénario à des pointures de la Bib. Mais il n'en fit rien. George est incapable de ne pas être concentré quand il choisit son menu. Ce n'est qu'après avoir passé commande et tandis que la serveuse disparaissait en cuisine qu'il me livra le fond de sa pensée.

— Bon, Sam, on a tous jeté un coup d'œil à ton script et on trouve ça extra.

— Je lui ai déjà dit, intervint Trevor.

Et, tout à coup, ils se mirent à parler en même temps.

— La scène où il est dérangé en plein repas d'affaires parce qu'elle veut s'envoyer en l'air...

— ... et où il n'arrive pas à bander!

— Excellent! Ça t'est vraiment arrivé?

J'avouai.

— Et celle où elle renverse son thé parce qu'elle est allongée sur une pile d'oreillers...

— D'ailleurs, comment Lucy prend-elle la chose? C'est tout de même très intime.

C'était un passage délicat. Trevor et George sont aussi des amis de Lucy et j'allais leur demander de couvrir ma trahison.

La serveuse ne m'en a pas laissé le temps. Elle nous apportait nos entrées et George s'est lancé dans sa diatribe habituelle contre les « restaurants modernes ». Il est particulièrement remonté contre la nouvelle cuisine.

— Je déteste cette bouffe de peine-à-jouir! grommela-t-il assez fort pour être entendu de la serveuse. Des portions si petites dans des couvercles de poubelle! « C'est quoi, ça, une assiette mal nettoyée? — Heu... non, monsieur, votre plat de résistance! »

Si la remarque de George affecta la splendide serveuse, rien dans sa contenance lointaine et impassible ne le laissa deviner. Elle lui adressa juste son sourire « Toi, je ne te calcule même pas », rempocha son calepin et tourna les talons.

Sans transition, Trevor revint sur le problème Lucy.

— Je suis bluffé qu'elle te laisse faire. Vraiment. D'accord, c'est une fiction, l'héroïne ne porte pas son nom mais bon, ça vient bien de quelque part, tout ça.

Le moment était venu de lâcher le morceau. Après tout, me dis-je, c'était normal de ne pas en parler à Lucy : inutile de lui donner de faux espoirs si le film ne se faisait pas. Le cinéma reste une entreprise à hauts risques.

— Si vous me commandez le script, je garde quand même mon boulot à la radio et je bosse pour vous incognito.

Je vis que ni George ni Trevor ne comprenaient la raison de ces précautions, mais ce n'était pas leur problème ; l'essentiel est qu'ils aiment ce que j'ai écrit, que Nigel aime ce que j'ai écrit ; curieusement, pour la première fois depuis longtemps, j'ai la certitude d'avancer dans la bonne direction.

Ma chère Penny,

Je suis retournée à l'agence aujourd'hui. Sur mon bureau m'attendait un petit mot cacheté. J'ai immédiatement deviné qu'il était de Carl car l'enveloppe était en papier chiffon et scellée à la cire ! Or je ne connais personne qui soit assez romanesque pour se permettre ce genre de fantaisie. Carl, donc, m'écrivait :

« Votre message m'a blessé, je ne puis vous le dissimuler. Sans doute vous avais-je moi-même blessée. Dieu m'est témoin que je ne l'ai pas voulu. La vérité, Lucy, c'est que je me sens attiré par vous depuis le premier jour où je vous ai vue. Pas seulement parce que vous êtes resplendissante, mais aussi à cause de votre air un peu triste, de ce désir obscur que je sens en vous, qui me fascine et me donne envie de mieux vous connaître. Hélas ! ce n'est qu'un vœu. Vous êtes une femme mariée, et je nourris pour vous des sentiments coupables. C'est pourquoi j'ai décidé de ne revenir à l'agence qu'en cas d'impérieuse nécessité. Je vous promets de faire en sorte que nos chemins ne se croisent plus. Cependant, sachez que vous trouverez toujours en moi un ami sincère et prêt à vous aider. Votre serviteur, Carl Phipps. »

Eh bien ? Qu'est-ce que tu dis de ça ? C'est certainement le petit mot le mieux tourné qu'on m'ait jamais adressé. Comment a-t-il fait pour si bien me comprendre ? « Ce désir obscur que je sens en vous... » Mais c'est moi tout craché, ça ! Je crois n'avoir jamais rencontré d'homme si intuitif. Je ne lui ai pourtant pas parlé de mon désir d'avoir un bébé... Ou alors de façon très allusive, au détour de la conversation, ce qui n'enlève rien à sa clairvoyance. Il n'a même pas relevé la grossièreté de mon message – quelle grandeur d'âme ! Car enfin, mets-toi un peu à sa place : une nana qui l'appelle pour l'envoyer bouler comme un malpropre, alors qu'il ne lui a rien demandé (en tout cas, pas avec des mots) ! Il y a pourtant de quoi être furieux...

Oh ! et puis c'est du passé. N'en parlons plus. Tout est fini avant même d'avoir commencé, et c'est bien mieux ainsi. Je suis ravie d'avoir pu mettre un point final à cette affaire. Peut-être, dans un autre monde, une autre vie, sur une autre planète, ne m'aurait-il pas déplu de... Ah, non ! non ! Je n'ai pas le droit d'y penser ! C'est ridicule, je devrais avoir honte ! Je dois suivre l'exemple de Carl : retenue et dignité.

Tout de même, c'est incroyable : on dirait bien qu'il en pince vraiment pour moi...

Cher Sam,

Lucy a eu sa cœlioscopie aujourd'hui. Ça fera une très bonne scène. Pas très sympa de ma part d'écrire ça car, manifestement, ce n'était pas un moment très agréable pour elle, mais j'ai l'impression que le scénario s'écrit tout seul. Je n'ai jamais ressenti une telle motivation. J'aimerais partager avec Lucy cette implication dans un projet mais, bien sûr, je dois rester discret.

Nous nous sommes levés à 5 h 30. Lucy n'avait même pas le droit de boire une tasse de thé. La conduire jusqu'à l'hôpital fut un cauchemar. Les heures de pointe commencent dès 3 heures du matin, dans ce pays. C'est décidé, aux prochaines élections, je vote écolo. Ce qui est con, c'est que l'automobile est l'un des rares domaines sur la réalité duquel nous acceptons tous de fermer les yeux pour ne considérer que l'image mythique. Moi le premier. C'est clair : comparés à la propagande de l'industrie automobile, Staline et Goebbels n'ont plus qu'à aller se rhabiller. Toutes ces pubs montrant des voitures roulant en douceur sur de vastes routes désertes... Qui, en ce bas monde, a jamais conduit sur une vaste route déserte ? En vingt ans de permis, pas une seule fois je n'en ai eu l'occasion. Et ils vous disent monts et merveilles de la voiture. Je m'en fous, moi, de la voiture ! Qu'ils me disent plutôt où trouver la route! Juste une fois dans ma vie, j'aimerais en croiser une!

C'était une expérience quasi surréaliste. Nous étions assis dans cette machine qui m'a coûté 15 000 livres, une machine censée libérer l'humanité, et nous roulions au pas, maudissant tous les autres conducteurs. Le pire, c'est que tout le monde partageait le même état d'esprit. Sur des kilomètres et des kilomètres, chaque homme enfermé dans sa boîte de métal bouillant détestait ses semblables. Tous les matins, chaque Britannique s'enfermant dans sa boîte de conserve devient un être haineux. Ensuite, après avoir eu la journée pour se calmer, il remonte dans sa boîte et recommence à haïr son prochain. Et, pourtant, à la question : « Pourquoi ne pas utiliser le bus? », tous répondront : « Pas question, c'est trop horrible. »

Ma chère Penny,

Je t'écris ces mots dans la chambre d'un petit hôpital tout simple, tout cafardeux, où j'attends qu'on vienne m'étriller comme une anguille au fond de sa nasse.

C'est Sam qui m'a conduite ce matin. Très gentil de sa part. J'aurais tout de même apprécié qu'il m'épargne son coup de gueule habituel sur le thème : « Mais pourquoi y a-t-il autant de monde sur la route? », comme si nous n'étions pas aussi responsables que les autres. Difficile à digérer, surtout quand on n'a même pas une tasse de thé dans le ventre. En même temps, il s'est montré très attentif; il m'a posé tout un tas de questions sur l'épreuve qui m'attend et qui semble le préoccuper au plus haut point. J'y vois une preuve de sa bonne volonté, car je sais que tout cela lui répugne. A moi aussi, d'ailleurs, mais c'est bon de le sentir si proche.

J'ai profité des bouchons pour soutirer à Lucy quelques informations relatives à la cœlioscopie. Je dois dire que ça a l'air monstrueux, mais non dénué de potentiel comique.

Grâce aux huit millions de livres sur la maternité que j'ai lus en un ou deux ans, je sais exactement ce qui m'attend. Sam a

même profité des embouteillages pour prendre quelques notes.
D'abord, ils commencent par vous introduire un tube dans le
ventre et à vous gonfler d'air, pour améliorer la visibilité ; puis ils
vous perforent une deuxième fois, juste au-dessus du triangle
pubien – la carte de Tasmanie, comme dirait Sir Les Patterson [1]
(je devrais avoir honte d'écrire des choses pareilles) –, pour
enfoncer une sonde, remuer un peu tout ça et pouvoir prendre
des vues. Par la même occasion, ils vous injectent des litres de
bleu de méthylène, afin de faire mieux ressortir les fins détails –
précision qui semble avoir beaucoup amusé Sam, peut-être par
excès de nervosité.

Ça reste tout de même dingue, tout ce par quoi les femmes
doivent passer. Je me demande si une scène avec un médecin
(peut-être homo) proposant à sa patiente de choisir la couleur
des yeux pour qu'ils ne jurent pas avec celle de ses intestins
serait drôle ? Peut-être un peu *too much*. Je dois sans cesse me
poser la question de la tonalité apportée au scénario. Sera-t-il
comique avec un peu d'émotion, ou très émouvant avec une
pointe d'humour ? Quelque part entre les deux, je suppose.

Quand ils ont bien tout gonflé, teinté, introduit comme il faut,
ils percent un dernier trou juste sous le nombril pour y introduire
une longue fibre optique terminée par un petit appareil de prise
de vue. Un cauchemar. Le simple fait d'en parler à Sam a suffi à
me rendre malade... Heureusement que j'avais le ventre vide : la
voiture sortait du nettoyage. Curieusement, tandis que je n'épar-
gnais à Sam aucun des détails les plus sordides de l'intervention,
je me suis soudain rendu compte que j'avais oublié de m'épiler le
maillot, comme je me l'étais promis. Je ne pensais plus qu'à ça.
Comme s'il n'y avait rien de plus important ! Absurde. D'habitude,
quand j'ai rendez-vous chez le gynéco, je n'y fais même pas
attention. Même à la plage, ça m'est égal. Pourquoi, aujourd'hui,
ai-je éprouvé le besoin d'être parfaite, jusque dans les moindres
détails ? Mystère. Peut-être parce que, malgré toutes ces avanies,

---

1. Le grotesque agent secret du film *Les Patterson Saves The World*, de l'Australien George Miller (1987) (N.d.T.).

j'ai besoin de sentir que je suis toujours une femme, et d'affirmer cette féminité.

Lucy m'a confié qu'elle avait oublié de s'épiler le maillot en prévision de l'intervention. Génial ! Je lui ai dit : « Tranquille, ma chérie ! C'est une cœlioscopie, pas un défilé en bikini ! » Ça l'a fait sourire. Je garderai sûrement la réplique dans le scénario.

Pourquoi Sam ne peut-il s'empêcher de faire des plaisanteries stupides sur un sujet aussi grave ? Je sais bien qu'il ne pense pas à mal, mais c'est énervant, à la fin... Je crois qu'il ne réalise pas combien cette intervention est avilissante, humiliante, déshumanisante. On a l'impression de se retrouver en classe de biologie, mais à l'autre bout du microscope, comme un vulgaire cobaye. Mais j'entends un chariot brinquebaler dans le couloir... Je crains que mon heure ne soit venue.

Lucy était un peu KO quand je suis venu la rechercher cet après-midi, elle ne m'a presque pas parlé sur le chemin du retour. Le médecin m'a dit que tout s'était passé sans problème et que nous aurions les résultats ces jours prochains, « quand le labo nous aura renvoyé les photos ». Je déteste les médecins qui se croient malins avec ce genre de formule à double sens. Merde, il parlait des intestins de ma femme, pas de clichés de vacances ! Il figurera tout de même dans mon film. Je verrais bien Stephen Fry dans le rôle.

Le retour fut presque pire que l'aller. Mais, bon sang, qu'avons-nous fait au monde ? Ou plutôt : que nous sommes-nous fait ? J'ai passé vingt-cinq minutes à me battre pied à pied avec une voiture qui cherchait à me passer devant après avoir surgi d'une rue à gauche. Pour bloquer sa manœuvre, j'ai occupé chaque centimètre de bitume laissé libre devant moi sans jamais jeter un regard au conducteur. Pourquoi ? Mais pourquoi donc ? Je crois que ça tient à la voiture. Elle pervertit notre âme. Si je bousculais ce type à pied sur un trottoir, je lui dirais : « Oh, pardon » et je m'effacerais pour le laisser passer. Mais là, je choisis de gaspiller vingt minutes de ma vie (pendant lesquelles j'aurais pu me détendre) à livrer une guerre de tranchées à un inconnu dans un bouchon. C'est pitoyable.

En arrivant à la maison, Lucy s'est précipitée au lit. J'ai essayé de travailler à mon scénario mais je n'avais pas la tête à ça. Avec Lucy à moitié droguée dans la chambre, je ne me sentais pas fier. Les scrupules, je pense. J'espère que ma détermination n'est pas en train de fléchir. Je dois aller jusqu'au bout. Ce scénar est la première chose qui me fasse bander depuis des années.

Ma chère Penny,

Hier, j'ai donc subi ma cœlioscopie. J'en ai encore la gorge tout irritée – mystère qui ne laisse pas d'intriguer Sam. Comment se fait-il qu'une opération au ventre ait des répercussions dans la gorge, c'est-à-dire à l'autre bout ? Selon lui, il ne peut y avoir d'explication à ce phénomène qu'exotique et irrationnelle. La raison en est pourtant simple : c'est à cause du tube respiratoire que l'anesthésiste m'a introduit dans l'œsophage. Sam a paru déçu de l'apprendre. Bizarre...

J'ai comme l'impression que son nouveau job à la radio lui tape sur le système. Il faut dire qu'il n'y a pas de quoi grimper aux rideaux...

Cher journal,

Décidément non, il n'y a pas de boulot pour moi à la Maison de la Radio. Ils en ont inventé un pour éviter un clash avec la direction. On attend de moi que je commande des scénarios de comédies pour jeunes, mais je n'ai aucun budget. Il est entièrement passé dans le salaire de Charlie Stone. Quand j'ai découvert ça, les bras m'en sont tombés. Le « Breakfast Show » est tellement important pour la station qu'ils lui ont attribué jusqu'au dernier penny. Je me suis encore pointé à son émission ce matin pour voir à quoi l'argent du contribuable est utilisé – et aussi, je l'avoue, parce que je n'avais rien de mieux à faire. Expérience assez traumatisante : il était en train d'interviewer deux des Grrl Girls et je crains que ça n'ait réveillé en moi de douloureux souvenirs.

— OK, lança Charlie (et ce seul mot coûtait déjà 5 livres au contribuable), maintenant je reçois Strawberry et Muffy, les deux bombes des Grrl Girls, et mon falzar vient de doubler de volume ! Pas de doute, j'ai une troisième jambe qui pousse ! Vous devriez voir ça, chers auditeurs !

J'ai assisté au début de l'interview mais j'ai vite renoncé. Je suis retourné à mon bureau, conforté dans ma résolution de boucler ce scénario. Je ne peux pas finir ma carrière à rire aux vannes sexistes de Charlie Stone. Mon scénar est mon ballon d'oxygène. Lucy comprendrait cela. Je le sais.

Ce n'est pas pour ça non plus que je vais lui en parler.

Ma chère Penny,

Aujourd'hui, nous avions rendez-vous avec le docteur James – si j'ai bien retenu son nom. Avec tous ces spécialistes, je finis par m'y perdre.

Il se confirme que mon corps ne présente aucune anomalie. Je ne suis pas sujette à l'endométriose[1]. Ouf ! Aucune adhésion sur la cavité abdominale, et toutes les preuves d'une ovulation normale. Pas de fibrome à la surface de l'utérus et, autant que le docteur James ait pu le déterminer, aucune déformation congénitale (« mais ne me demandez pas de vous le garantir à 100 % »). Pas de kystes ovariens non plus, Dieu merci – leur seule évocation me donne des boutons –, et pas de troubles abdominaux apparents. Inimaginable, le nombre de calamités auxquelles j'ai échappé !

— Les excellentes nouvelles que voilà ! s'est exclamé le docteur James, plutôt du type réconfortant, quoiqu'un peu direct. On ne fait pas d'omelette sans œufs, pas vrai ? Et votre omelette à vous, c'est un bébé !

Il nous a ensuite montré des clichés de mon anatomie interne, qui lui ont arraché des cris d'extase :

— Magnifique ! Une splendeur !

---

1. Localisation anormale de la muqueuse utérine, qui provoque dans l'organisme la sécrétion de substances défavorables à la fécondation et au développement de l'embryon. C'est l'un des facteurs de l'infertilité (N.d.T.).

Nous, nous les avons trouvés plutôt obscènes – tout dans les tons jaunes, rouges et pourpres. On aurait dit des photos tirées d'un film d'épouvante. Curieuse impression que de s'observer ainsi de l'intérieur... et d'avoir des admirateurs ! Le docteur James était intarissable :

— Regardez-moi ça si c'est beau... Tout simplement superbe ! Ça, c'est de l'intestin ! De la bonne tripe, bien saine, bien luisante ! Toutes mes félicitations, chère madame. Avec du boyau de cette qualité, vous ne devez avoir aucun problème de transit – je me trompe ? Quant à la teinte orange, n'ayez aucune inquiétude : pour une raison que j'ignore, le développement a tendance à accentuer les couleurs chaudes...

Après s'être copieusement émerveillé sur mon système digestif, le docteur James a fini par revenir au sujet qui nous occupait.

— Ainsi que je vous le disais, les résultats sont encourageants, vraiment très encourageants. Tout est en ordre.

Que demander de plus ? C'est formidable ! Parfait ! A un tout petit détail près, cependant : toujours pas de grossesse à l'adresse indiquée. Qu'en dit le docteur James ? Rien, bien sûr. Sam et moi tombons sous le coup de la malédiction médicale qui a nom : « Stérilité non identifiée. » Ou, en termes scientifiques : « Mystère et boule de gomme. »

— Cas classique, s'est excusé le docteur James. Très classique... Du moins, chez les femmes stériles...

Applaudissements.

Et maintenant ? Qu'est-ce qu'on fait ? Fécondation in vitro ? Je ne vois que ça. Le docteur James pense que ça peut encore attendre. Nous sommes jeunes, nous avons peut-être joué de malchance, tout simplement. Il n'y a pas de raison que ça dure éternellement. Le cas est fréquent de femmes qui sont tombées enceintes juste après une cœlioscopie... Comme si d'avoir tout nettoyé là-dedans, ça avait remis les choses en place. Malgré tout, il a reconnu qu'il serait peut-être temps de songer à une forme de traitement...

L'enfoiré. Tout ce cinéma pour en arriver là... J'aurais encore préféré qu'il me dise : « Écoutez, je n'ai jamais rien vu d'aussi monstrueux... Vous n'avez pas d'ovules. Pas de trompes. Pas de chance. Faites une croix dessus et pensez à autre chose. » Mais

*aurais-je pu le supporter ? Comment aurais-je réagi ? Qu'aurais-je
fait ? Je n'en sais foutre rien...*

Cher Sam,

Ça y est, nous avons les résultats de la cœlioscopie. Bonne
nouvelle et mauvaise nouvelle. Ils n'ont rien trouvé d'embê-
tant, mais ils n'ont rien trouvé non plus qu'ils pourraient soi-
gner. Ma pauvre Lucy envisage à présent la fécondation in
vitro et ça ne l'enchante guère. Moi non plus. D'accord, ça
signifierait que j'ai toutes les données nécessaires pour décrire
toute cette horrible manipulation dans mon scénario, mais là
n'est pas du tout la question. En fait, je veux clarifier tout de
suite ce point crucial pour que, dans dix ans, quand je serai
devenu un nom à Hollywood, je puisse me retourner sans
rougir sur cette période de ma vie. J'ai bien conscience du fait
que j'exploite en douce le malheur de Lucy (et le mien) pour
en tirer profit, mais j'arrêterais tout avec joie dès maintenant.
Film ou pas, s'il y avait la moindre chose en mon pouvoir
pour que Lucy tombe enceinte, je m'exécuterais. Je sais ce que
je dis. Mais il apparaît qu'il n'y a rien que je puisse faire sinon
la sauter quand elle le demande ou remplir mon rôle dans le
processus de fécondation in vitro.

Il est important pour moi d'écrire ces lignes. Le film ne
compte pas. Si demain Lucy tombait enceinte, je serais le plus
heureux des hommes.

De toute façon, je n'ai pas besoin d'elle pour me documenter
sur la FIV.

*Bien que nous nous dirigions tout droit vers la fécondation in
vitro, j'ai pris la décision de faire l'amour avec Sam au moins
une fois par jour pendant un mois, dans l'espoir que la théorie du
« grand ramonage cœlioscopique » exposée par le docteur James
ne soit pas qu'une théorie. Nous avons commencé ce nouveau
programme hier soir, et j'ai déjà une terrible confession à te faire.
A mi-parcours, je me suis rendu compte que je pensais à Carl
Phipps. Je me suis efforcée de le chasser de mon esprit, bien sûr,
mais il semblerait que mon subconscient soit plus incorruptible*

que ma conscience, car l'image de Phipps est aussitôt revenue me visiter sans que je puisse m'en débarrasser.

J'aime Sam, de toute évidence ; là n'est pas la question. C'est tout à fait différent…

Cher Sam,

Lucy a décidé de s'inscrire pour une FIV après ses prochaines règles (en supposant que nous échouions encore d'ici là, malgré la remise à neuf de sa tuyauterie). Le docteur Cooper, notre généraliste, a écrit à l'hôpital de Spannerfield, le meilleur paraît-il dans ce domaine, pour nous obtenir un rendez-vous.

Grande réunion à la Maison de la Radio, ce matin. J'étais furieux, parce que le travail avance à merveille sur mon scénar et je ne supporte pas d'être dérangé par mon autre travail (le « vrai »). Au fait, la Bib vient officiellement de me passer commande du script, c'est génial ! Pour la première fois depuis les sketches radiophoniques de mes jeunes et folles années, je suis un écrivain professionnel ! Avec en plus des droits d'auteur prometteurs pour un début : 40 000 livres échelonnées. Le dernier versement intervient à la fin du tournage, je ne touche donc pour l'instant que 10 000 livres. J'ai demandé à Aiden Fumet de gérer mes intérêts. Maintenant que nous sommes du même côté de la barrière, je le trouve beaucoup plus sympathique. L'affaire s'est conclue en mon absence. Ni George ni Trevor ne se voyaient annoncer à Nigel que leur jeune recrue talentueuse est, en réalité, le pitoyable Sam Bell, éjecté de la BBC pour incompétence. Sans doute Nigel me voit-il comme un néo-punk aux cheveux en crête, d'autant que c'est tout à fait le genre de la clientèle de Fumet.

Reste qu'une ombre plane sur cette consécration professionnelle : mon job à Radio 1, que je me dois de garder si je ne veux pas éveiller les soupçons de Lucy – sans compter que je ne vois pas comment nous pourrions vivre avec 10 000 livres plus son salaire de misère.

Donc, tôt ce matin, après un petit coup rapide (« T'en fais pas pour moi, laisse-toi aller », murmurait Lucy d'une voix endormie), je l'ai quittée, allongée sur le lit, les fesses sur trois oreillers, les jambes levées, et je me suis précipité à cette réunion. Ils aiment

176

commencer tôt, la radio étant un média du matin, contrairement à la télé.

Ce fut une réunion fascinante de banalité. Elle faisait partie d'un séminaire proposé par le directeur général, censé amorcer une réflexion sur la diversification de notre programmation régionale. Ce projet était déjà connu ici sous le nom de Damier, en référence, selon certains, au quadrillage des différentes régions du pays, mais qui signifiait aussi, selon d'autres, « Développement Autonome du Maillage Inter et Extra Régional ». Peu importe, personne ne connaît jamais le sens de ces sigles.

Le séminaire était présidé par Tom, directeur du département Jeunesse de BBC Radio. J'avais déjà rencontré Tom à mon arrivée. Il avait tenu à m'expliquer que les plaisanteries sur la drogue ou même la sodomie ne le dérangeaient pas le moins du monde. Pour tout dire, il était même très partisan d'un humour décalé, du moment que ça passait à l'antenne après 21 heures et que ça ne heurtait pas les minorités.

Son petit speech d'introduction annonçait la couleur.

— Bonjour, et tout d'abord merci à tous d'être présents de si bonne heure pour cette nouvelle réunion du séminaire Damier. Le thème qui nous rassemble ici, comme vous le savez tous, est : les programmes régionaux et la jeunesse.

Je l'ignorais. Jusqu'à présent, toutes les réunions « Damier » avaient tourné autour de la question : pourquoi les réunions du programme de diversification régionale se tiennent-elles toujours à Londres ?

— Nous allons donc aborder la dimension « jeunesse » de BBC Radio. Comme vous le savez tous, le directeur général est conscient à 100 % de la nécessité pour la BBC de diversifier ses programmes régionaux pour les 4-14 ans et je partage à 100 % son point de vue... euh... Bill, je te laisse la parole pour nous exposer ta stratégie globale de décentralisation.

Je n'ai toujours pas compris quel poste occupe Bill. Aucun de ceux à qui j'ai posé la question (y compris Tom) non plus. Ma théorie, c'est qu'un jour, Bill est entré à la Maison de la Radio pour répondre à une interview sur Radio 4 ou apporter leur paye aux animateurs de Radio 1, et qu'il n'a jamais trouvé la sortie. La Maison de la Radio est un vrai dédale.

— La clé de voûte de la diversification, ce sont les accents. Nous n'entendons pas assez d'accents sur nos ondes. Il nous faut des accents du Nord, des accents écossais et au moins un accent gallois.

Tom réagit au quart de tour, comme un soiffard qui entend le patron du pub annoncer la fermeture.

— Je suis à 100 % d'accord avec toi, Bill. Les accents sont au cœur de notre démarche et je voudrais d'ores et déjà souligner l'importance pour nous d'avoir, autant que possible, des accents *authentiques*. La BBC a une politique d'embauche dynamique, fondée sur des quotas précis, nous devons les respecter.

Un murmure d'approbation parcourut l'assistance. Seule ombre au tableau : la plupart des cadres supérieurs de la BBC sortant d'Oxford ou de Cambridge, ils sont rigoureusement incapables de prendre le moindre accent tant soit peu marqué. Le choix était donc limité : ou les dirigeants de la BBC arrêtent de donner du travail à leurs vieux camarades de promotion, ou ces vieux camarades s'inventent des origines plus rustiques.

— Après tout, ça ne me dérange pas, conclut Tom. Nous apprenons bien à nos gosses à parler de travers, pourquoi ne pas demander la même chose à des types qui connaîtront sur le bout de doigts les règles qu'ils enfreignent ?

Ma chère Penny,

Aujourd'hui, j'ai eu mes règles. Encore un mois supplémentaire à ajouter à la longue, longue litanie de mon infertilité, qui prend sa source dans mon lointain passé.

Demain, Sam et moi avons rendez-vous à l'hôpital de Spannerfield. Je sais que Sam appréhende cette nouvelle échéance, malgré le fait qu'il manifeste depuis peu un intérêt aussi subit qu'inexplicable pour cet interminable processus médical. Depuis quelques jours, il ne cesse de me poser un tas de questions sur l'ovulation, les poussées de LH[1], etc. Je ne peux que m'en réjouir, mais je crains qu'il ne feigne de s'y intéresser que pour me faire plaisir. C'est peut-être mieux que rien…

---

1. Hormone sécrétée par l'hypophyse et dont la décharge provoque chaque mois l'ovulation (N.d.T.).

Cher Sam,

Nous avons rendez-vous à Spannerfield demain. Je suis un peu nerveux, un peu triste aussi. Ces sentiments m'ont permis d'avancer dans mon scénario (n'est-ce pas ce que voulait Lucy ?), qui se présente de mieux en mieux. J'ai l'impression que le film sera moins loufoque que je l'avais prévu. Non qu'il ne soit pas drôle. Avec tout le potentiel comique lié au sexe, ce serait une sacrée gageure. Mais il aura aussi un versant plus dramatique.

J'en ai lu un extrait à George et à Trevor. J'étais tout fébrile, parce qu'ils ne connaissent de moi que mes blagues, mais je voudrais donner à Colin (c'est le héros de mon film) une épaisseur supplémentaire, lui faire partager mes émotions. Je recopie ci-dessous l'extrait en question – après tout, le scénar fait aussi partie de ce journal.

— *COLIN (pensif, angoissé) : Eh bien, j'ai l'impression que nous sommes au bout de la route de la fertilité. Il ne nous reste plus que la fécondation in vitro. Je sais, c'est une démarche positive, etc., mais je me sens si… triste et… si adulte. Je suppose que c'est comme ça qu'on comprend qu'on n'est plus un gosse, pas vrai ? Ce moment dans votre vie où tous les clichés qui vous faisaient rigoler chez vos parents ou leurs amis se mettent à arriver à des gens de votre âge. Toutes ces choses compliquées, sérieuses, tous ces échecs, c'est bon pour les adultes. L'alcoolisme, le divorce, la solitude, les problèmes de fric… de stérilité, comme pour Rachel et moi…*

En lisant ce passage, je trouvais ça larmoyant, narcissique, mais Trevor et George se sont montrés très encourageants. Un peu d'émotion, m'ont-ils expliqué, donne de la profondeur à l'histoire et renforce par contraste le côté « comédie ». Ça me va !

D'ailleurs, ils trouvent la partie comique toujours aussi drôle. George a failli se rouler par terre après la scène où Colin, devant l'infirmière, retire de son slip l'échantillon de sperme. Il refuse de croire que ça m'est vraiment arrivé.

Nous sortons de notre rendez-vous à Spannerfield. Notre nouveau spécialiste attitré s'appelle le docteur Agnew. Il est très sympathique. Il nous a expliqué qu'il préférait nous soumettre à deux derniers examens avant de s'en remettre à la FIV (fécondation in

vitro). Pour moi, une hystérosalpingographie (HSG), et pour Sam,
un nouveau spermogramme. Il semblerait que le précédent ne soit
pas valable. A la clinique de Spannerfield, ils préfèrent mener
leurs propres analyses. L'HSG n'est ni plus ni moins qu'une radio
de l'utérus et des trompes. Ce qui signifie : nouvelle injection de
colorant dans le col de l'utérus. Chouette, moi qui en mourais
d'envie… Quant à Sam, il ne lui reste plus qu'à jouer du poignet.
Il commence à avoir l'habitude. Mais, comme par hasard, il est le
seul à se plaindre et à protester ! Il ne changera donc jamais. J'ai
dû lui faire la leçon : « Bon sang, Sam, ce n'est quand même pas
la fin du monde… Tout ce que je te demande, c'est de t'astiquer le
minaret, pas d'enculer un hérisson ! Tu peux quand même faire
ça pour moi, non ? » Ça l'a tellement fait rire qu'il l'a aussitôt noté
sur un bout de papier. Va comprendre… En tout cas, le geste m'a
paru touchant.

Cher Sam,

Lucy dit qu'il s'agit juste d'une petite branlette comme la dernière fois. Ben voyons ! Sauf que, cette fois, ils ne me laissent pas le faire à la maison : je dois aller à l'hôpital pour me masturber ! Seigneur, c'est la pire chose qui puisse m'arriver… J'ai eu le malheur de le dire à Lucy, qui m'a rétorqué qu'*elle* avait en tête des choses bien pires : se faire rentrer des caméras par le nombril, injecter un colorant dans les boyaux, gonfler les intestins comme de vulgaires chambres à air et photographier de l'intérieur – et surtout, savoir que, quotidiennement, tous ces clichés seront consultables par l'ensemble des services médicaux du pays.

Ah, évidemment ! Si elle abat son atout « femme », qu'est-ce qu'il me reste ?

Elle m'en a aussi sorti une bien bonne sur un hérisson. Celle-là, elle sera dans mon film.

Ma chère Penny,
Carl est passé à l'agence aujourd'hui pour signer des contrats.
Nous avons à peine échangé un mot. Il m'a adressé un simple sou-
rire et a aussitôt suivi Sheila dans son bureau, agissant exactement

comme il me l'avait promis dans son petit mot. Rien à redire. C'était la seule attitude possible. Malgré tout, ça m'a flanqué un coup. Car je ne désirais secrètement qu'une chose : qu'il prenne le temps de s'asseoir et de discuter un peu de la pluie et du beau temps. En même temps, comment oublier ce long, ce profond baiser que nous avions échangé la dernière fois que nous nous étions vus ? Carl a raison : inutile de souffler sur les braises. Néanmoins, j'aurais apprécié qu'il ne se contente pas d'un « salut ! » impersonnel. Même si je sais que c'est la voix de la sagesse. Car, tout bien considéré, sur le principe, j'ai trahi Sam, ni plus ni moins. Enfin, pas tout à fait, juste un petit peu. Suffisamment, en tout cas, pour que ce soit grave. Si je découvrais que Sam a eu une relation dans le cadre de son travail, ou qu'il m'a trompée même une seule fois, sur un coup de tête, je crois que je serais folle de rage, pour ne pas dire plus. Je ne sais pas comment je réagirais, mais je sais que je lui en voudrais à mort.

Cher journal,

Je classe sans hésiter cette matinée parmi les plus sordides de mon existence.

Masturbation collective à Spannerfield.

Et encore, la formule est mal choisie. On dirait une petite fête amicale et conviviale, un bal populaire ou un comédie musicale. Fred Astaire et Ginger Rogers dans *Masturbation collective à Spannerfield*.

Ce n'était ni amical ni convivial.

Seigneur, c'était lugubre. Ils vous disent d'arriver entre 9 heures et 10 heures, mais Trevor m'avait conseillé de venir au moins un quart d'heure avant l'ouverture, avant que la file d'attente se développe. Trevor est un habitué de ces tests de sperme car, quand il avait accepté de faire un geste (ah ah !) pour ce couple de lesbiennes, elles avaient insisté pour qu'il subisse un examen préalable. Trevor s'en est offusqué, les a accusées de vouloir paramétrer leur procréation afin de donner naissance à une race supérieure de lesbiennes. Les lesbiennes lui ont répondu qu'avant de bousiller un pistolet à gaufres elles préféraient s'assurer que ses spermatozoïdes n'étaient ni paralysés, ni bicéphales, ni morts. Délicieux, je dois dire, mais je crois que les membres de la communauté lesbienne sont connues pour leur franc-parler – rien que de très normal, après des années de revendication politique et sociale.

En tout cas, il devait y avoir plus de branleurs aujourd'hui que quand Trevor y est allé car, à mon arrivée à 8 h 40, quatre types étaient déjà assis dans cette salle d'attente déprimante tapissée d'affiches mettant en garde contre le tabagisme. Pourquoi cette parano de la cigarette dans un service de don de sperme ? Est-ce que des types s'en grillent une après leur petite séance ?

Je me suis faufilé jusqu'à une chaise aussi loin que possible des quatre autres et, presque au même moment, un autre mec s'est pointé. Heureusement, celui-là devait avoir fait sa petite affaire avant de venir car il est allé droit au guichet où il a signé un document. A moins que... Alerte, alerte ! Y avait-il un système d'attente spécial ? Fallait-il pointer avant de se branler ? Je me suis approché du guichet et, en effet, sur le comptoir était posé un formulaire. « Signez ici à votre arrivée et attendez votre tour. » C'était un petit formulaire punaisé sur une petite tablette. Bien sûr ! Ç'aurait été trop facile de mettre « Fumer peut tuer votre bébé » sur le petit formulaire et « Signez ici à votre arrivée » sur une des affiches !

A présent, donc, je n'étais plus le cinquième mais le sixième homme. Un moment, j'ai eu envie d'expliquer au nouveau venu qu'en réalité, j'étais arrivé avant lui mais que je ne connaissais pas ce système. Je n'en ai rien fait, bien entendu. J'ai appris une chose, aujourd'hui : *personne* ne parle jamais dans une salle d'attente de branleurs. Un incendie pourrait ravager l'hôpital, on préférerait cramer plutôt que crier « Au feu ! ». Vous vous asseyez, vous attendez, vous la fermez.

De longues minutes s'écoulèrent donc en silence jusqu'à ce qu'à 9 heures, des infirmières se mettent à circuler dans les couloirs et commencent à s'activer. Entre temps, trois autres types s'étaient joints à nous et nous étions à présent assis au coude à coude, ce qu'aucun de nous ne semblait apprécier. Enfin, une infirmière apparut derrière le guichet et appela le premier nom. L'heureux élu se lève, va au guichet, prend son flacon ainsi qu'un document plastifié et quitte la pièce en direction de la salle de branlette.

A présent, les choses sont claires : *une* salle de branlette. Une seule putain de salle. Où nous allons nous rendre un par un, le temps que nous passons dans la file d'attente dépendant de l'agilité et de la motivation du type qui nous précède. Le cortège avance au rythme du branleur devant nous.

Au bout d'une petite dizaine de minutes, la porte au fond du couloir s'ouvre et le premier revient dans la salle. Il glisse son flacon par une petite trappe, rend le document plastifié à l'infirmière et se casse, le salaud !

Après une ou deux minutes à traînailler, l'infirmière appelle le deuxième, qui se lève, récupère flacon et document plastifié, disparaît dans la salle de branlette.

Je dois dire que ce document m'intriguait. Qu'est-ce que ça pouvait bien être ? Un mode d'emploi ? Il ne devait pas être beaucoup lu, alors. Et *plastifié*. Une précaution un peu lourdingue, non ?

Le suivant mit quinze minutes pour finir le boulot. *Quinze minutes* pour une branlette ! Il fut un temps où j'expédiais le tout en quinze secondes ! Je n'étais apparemment pas le seul à me faire cette réflexion. Dans la salle d'attente, tout le monde consultait sa montre en soupirant. En sortant de la salle, le type a couru jusqu'au guichet, a rendu le matériel et s'est enfui. Et ainsi de suite…

Il y avait une machine à café dans la pièce. Quand je dis « café », il faut comprendre « eau bouillante où surnagent des îlots marron ». Parfaitement inutile. Et étrange : nous savions tous que la machine servait une sorte de liquide marronnasse mais il était écrit « machine à café » et nous nous sommes tous servis. S'il avait été indiqué « machine à liquide marronnasse », nous ne l'aurions même pas regardée.

Enfin, à 9 h 45, mon tour vint. « Monsieur Bell ! », annonça la jeune femme (il fallait que ce fût une jeune femme ; c'est pareil quand vous allez acheter votre première boîte de capotes chez Boots : vous attendez des heures qu'un vendeur se pointe à la caisse et vous finissez par les demander à une gamine de votre âge). Elle me tendit mon flacon et mon mode d'emploi plastifié. Enfin, plastifié… c'était plutôt un papier vieux de vingt ans dans une chemise en plastique graisseux. Depuis le temps, il avait dû en voir de belles…

— Dernière salle à gauche. Quand vous aurez terminé, vous glissez votre flacon ici et vous me rendez le formulaire.

Il faut bien l'admettre : je me suis déjà branlé dans des lieux plus agréables. Comprenez-moi : je ne suis pas en train de dire que le ministère de la Santé publique devrait consacrer ses précieux deniers à la décoration de boudoirs tendus de velours rouge et chargés de parfums voluptueux pour des pauvres types comme moi. Je déplore juste que le décor fût aussi triste.

Il y avait une chaise, un porte-revues, un rouleau de sopalin, un lave-mains et une poubelle. Point final. Le formulaire plastifié me priait de me laver consciencieusement les mains et la queue avant de passer à l'action. Dans la poubelle, les morceaux de sopalin froissés témoignaient sans ambiguïté que les branleurs précédents avaient suivi les instructions à la lettre. Dire que si j'étais entré dans cette pièce quelques minutes plus tôt... Je préférais ne pas y penser.

Je me suis donc lavé les mains. Puis j'ai vu la chaise. C'était une chaise banale, dossier et assise rembourrés d'un coussin. Tout à fait le genre de chaise qu'on aurait trouvée dans la salle des profs d'un collège dans les années 70. J'ai le regret d'ajouter qu'elle était tachée, ou plutôt usée par le temps. Sur le coussin d'assise, à l'angle des deux jambes qui s'y étaient posées depuis des années (à l'endroit, donc, où le matériel est traditionnellement déballé), il y avait un grand triangle sombre. Dans le porte-revues, quelques magazines de cul. Je n'en avais pas feuilletés depuis belle lurette. « Eh eh ! Cadeau ! » ai-je pensé. Mais impossible d'y trouver le moindre intérêt : ils étaient trop anciens. Pas anciens-intéressants, genre années 60 ou porno à papa. Juste vieux de trois ou quatre ans. Sur le mur, au-dessus, une petite note indiquait que toute donation de « matériel de lecture » était la bienvenue. De *lecture* ! A notre époque, des gosses de cinq ans peuvent commander des snuff-movies sur Internet et un hôpital continue d'appeler des magazines de cul « matériel de lecture » ! Pourquoi ne demandent-ils pas plutôt à *Penthouse* une donation pour aider tous ces hommes à faire leur donation à eux ?

Soudain, je pris conscience du temps écoulé.

Mon Dieu ! Déjà deux minutes ! Je vis aussitôt tous ces hommes dans la salle d'attente, regardant leur montre, pensant :

« Combien de temps est-ce qu'il te faut pour te secouer la nouille, pauvre nul ! » Tout comme moi, quelques minutes plus tôt. Et j'entendis alors : « Je suis sûr qu'il est en train de *lire les articles* ! »

Je devais y arriver, je devais y arriver ! Pas question de bloquer la file d'attente. Mais comment y arriver avec une pression pareille ? Impossible. Je me suis assis, relevé, j'ai regardé les revues. Un vent de panique s'est levé en moi – mais c'était bien la seule chose qui voulait se lever !

Finalement, au prix d'un suprême effort, je suis parvenu à retrouver le calme. La porte était verrouillée, je ne reverrais jamais les types de la salle d'attente, ça prendrait le temps qu'il faudrait !

Je me suis donc rassis sur cette affreuse chaise élimée et ai entrepris de me concentrer sur ce que je faisais. Sachant, pression supplémentaire, que je ne devais pas louper la *première goutte* ! Tous les bouquins que j'avais lus sur le sujet ainsi que le formulaire plastifié ne manquaient jamais de le préciser : la première goutte est la meilleure, c'est indiscutable. Tout le reste n'est que néant, plein de bruit et de fureur et ne signifiant rien.[1]

J'y suis arrivé. En quelque sorte. Je crois que c'était suffisant. J'espère. Le temps le dira. En consultant ma montre, j'ai calculé que j'étais là depuis vingt minutes. J'ai perçu une vague de ressentiment très nette en retournant au guichet pour rendre mon flacon. J'étais tellement perturbé que je suis reparti avec le formulaire et qu'on a dû me rappeler pour que je le rende… Bref, l'humiliation.

Comme je l'ai déjà dit, j'ai connu des matins plus agréables.

A choisir, j'aurais préféré me faire injecter un colorant dans le col de l'utérus, mais je n'en dirai rien à Lucy, cela va de soi.

Ma chère Penny,

Aujourd'hui, hystérosalpingographie. Il paraît que ce n'est pas très douloureux, mais on m'a dit qu'il valait mieux se faire raccompagner ensuite ; un malaise est toujours possible. Sam avait une importante réunion ce matin. Il m'a proposé de l'annuler ; je lui ai répondu que ce n'était pas la peine, que je demanderais à Druscilla de venir – ce qu'elle a fait très gentiment. Seul petit

---

1. *Macbeth*, V, 5 (N.d.T.).

problème : Druscilla a tendance à confondre centre de soins et chambre de torture – principalement le service de gynécologie, voué à la profanation de la Nature, au blasphème et au déicide. Autant de sujets de conversation quelque peu gênants dans une salle d'attente... D'autant que Druscilla ne parlait que pour être entendue des autres patientes : « Tu sais, la moitié des interventions qui sont pratiquées ici pourraient être efficacement remplacées par un traitement phytothérapique. Crois-moi : bien peu de maladies résistent à un bon lavement à base de rose ou de lilas. »

L'hystérosalpingographie s'est très bien passée. Jambes écartées en l'air, tripatouillage en règle, brochette de carabins acnéiques écarquillant les yeux, bref, la routine. Puis, injection de teinture à l'iode, légèrement penchée en arrière pour qu'elle puisse s'infiltrer jusque dans les trompes. On peut suivre en même temps la progression du liquide sur un petit écran de télévision. Spectacle captivant. Je pensais ne pas avoir le cœur à regarder, mais je me suis rendu compte que je me sentais parfaitement bien. Ensuite, ils ont pris quelques radios, et c'était déjà fini. Ça n'avait pas duré plus de vingt minutes en tout – dix seulement pour le docteur Agnew. Je suis sortie de là un peu faible et légèrement indisposée, mais heureuse que ça se soit si bien passé. Il semblerait que, pour beaucoup de femmes, ce soit plus pénible. Serait-ce mon corps qui se désensibilise insidieusement ?

Ensuite, j'ai été prendre un café avec Druscilla et je lui ai raconté mon affaire avec Carl. Bizarrement, elle a eu la même réaction que Melinda :

— Ne laisse pas ce pauvre garçon mariner dans son jus... Qu'est-ce que tu attends pour te le taper ?

Je n'en revenais pas. Jamais je n'aurais imaginé que mes meilleures copines aient une conception si cavalière de la fidélité. Quoique dans le cas de Druscilla, cela relève davantage de l'obsession sexuelle ; pour elle, tout est bon à baiser, dès lors que l'occasion s'en présente. Avec une nette préférence pour la partouze, si possible à l'ombre d'un dolmen.

J'ai répondu à Druscilla :

— Attends, pas si vite... Ne vendons pas la peau de l'ours. Si ça se trouve, ce pauvre Phipps n'a aucune envie de conclure... D'accord, on s'est embrassés, mais il a bien vu dans quel état ça

m'a mis, et d'ailleurs il abonde dans mon sens. Si ça se trouve, c'est un garçon honnête ; il ne recherche peut-être qu'une relation purement amicale ?

— C'est ça ! « Relation amicale et pénétration si affinités », s'est exclamée Druscilla, si fort qu'une dame en a craché son café. Mais Druscilla se fout bien de se faire remarquer. Moi non.

Quelles que soient les intentions de Carl à mon égard, je dois dire que je suis déçue par le peu de considération que mes copines ont pour Sam. Si je les comprends bien, j'aurais épousé une sorte de peine-à-jouir, un cœur froid, bref, un nigaud, un branleur que l'on peut trahir et tromper sans scrupule, en toute impunité. Ce que Druscilla répond à ça ?

— Je ne te le fais pas dire, ma chérie.

Ma parole, quelle chienne...

Cher Sam,

Lucy a eu son hystérosaloperie aujourd'hui. Elle voulait que je l'accompagne mais bon, j'ai du boulot, moi. La BBC me paye pour que je me tourne les pouces à la Maison de la Radio, pas à l'hôpital de Spannerfield. En plus, aujourd'hui, croyez-le ou non, j'avais quelque chose à faire.

La Fondation Prince Charles organise un méga-concert à Manchester. Radio 1 le retransmet en direct et c'est donc à l'unité Divertissement qu'il appartient de gérer le truc. C'est-à-dire à moi. Deux raisons à cela : il y aura à l'affiche des comédiens (la comédie, c'est très rock'n'roll, pas vrai ?) et des stars du rock sur le retour, considérées comme des pestiférées sur Radio 1. N'ont-elles pas commis le double crime d'avoir quarante ans et de composer des chansons avec une mélodie ?

Et voilà comment je me retrouve chargé de toute la retransmission, avec pour commencer un déjeuner chez Quark en compagnie de Joe London. Oui ! *Joe London*, le chanteur des Muvvers, l'homme qui régna sans partage sur la scène rock entre 1965 et 1975. Alors je les laisse ricaner, les petits cons rasés portant bouc et lunettes de soleil et les minettes aux épaules tatouées qu'on croise dans les couloirs de la BBC – aujourd'hui, j'étais sacrément excité.

— Nous sommes tous très contents, à Radio 1, que vous présentiez ce concert, Joe.

— Pas de problème, mec, c'est cool pour moi.

— Et la Fondation est très reconnaissante, aussi.

— Ah, le prince, ouais, le putain de prince de Galles. Je l'aime bien, lui... Un fan des Supremes, un bon p'tit papa, aussi...

Il vida son bock de bière sans alcool.

— Et c'est pour aider qui, ce concert, déjà ?

— Eh bien ! Joe, principalement, les enfants qui se droguent.

Les manières civiles de Joe changèrent brusquement.

— Ouah... Des vrais petits cons, oui ! Des petits feignants ! De mon temps, on se bougeait le cul tout seul pour aller chercher notre dope !

J'allais dissiper le malentendu quand le manager de Joe nous rejoignit – un type énorme, une boule de graisse, avec le crâne tondu, un bouc et pas de cou. Sa tête semblait prolonger directement ses épaules. Il portait un costume de soie noir à la Nehru, des pantoufles en lamé et ployait sous deux ou trois kilos de bijoux en or. Il s'appelait Woody Monk et me gratifia d'un hochement de tête avant de siffler en connaisseur notre serveuse, dont la jupe semblait avoir encore raccourci (sans doute sous l'effet des regards concupiscents des centaines de clients qui la matent à chaque déjeuner).

— Dans les années 60, c'était un vrai boxon, ici ! Mais les poupées n'ont pas changé !

Le boxon, les poupées... C'était vraiment la vieille école. Joe et Woody étaient toujours aussi rock'n'roll et, à côté d'eux, je me sentais redevenir un gosse. De nos jours, tous les imprésarios ressemblent à des Tintin à lunettes.

Je demandai à Woody s'il pensait que Joe accepterait d'accorder quelques interviews, après le concert.

— Et comment, qu'il va accepter !

Comme pour faire taire les protestations de Joe, il lui sortit un numéro du *Sun* avec un article sur la tournée des Rolling Stones.

— Mate un peu ça, Joe ! Jette un coup d'œil ! Moi, je trouve ça obscène, répugnant – complètement disproportionné !

Joe retira ses lunettes de soleil.

— J'sais pas, Woody, mais… j'crois bien que c'est du silicone.

— Je ne te parle pas de la fille, crétin ! Les Rolling Stones : cent millions pour une tournée ! Même chose pour les Eagles ! Des stades pleins à craquer, des millions de dollars de recette… ça devient dément ! A la grande époque, partir en tournée, ça voulait dire se réveiller chaque matin avec un goût bizarre dans la bouche et une petite sauteuse dans ton pieu. Mais plus personne ne part en tournée pour la baise. Maintenant, c'est le pognon. Des millions de dollars pour chaque type… Et pas question de lever le pied : le fisc te lâche pas…

Bref, Woody voulait que Joe fasse de plus en plus de concerts. Son prochain *best of* sortirait à Noël, un peu de promo serait la bienvenue.

— On sort bientôt une compil', je crois, Woody ?

— Ouais, mais un truc classe. Jolie couverture, tout en or, ce sera le *Gold Album*.

— Euh… Woody, on a déjà fait un *Gold Album*.

— Ah ! T'as raison. Bon… alors, disons *Le Meilleur de Joe London*.

— Déjà fait… et aussi *Les Inoubliables, Les Classiques, Les Hits de Joe London…*

— Stop !

Woody était du genre nerveux.

— Écoute, Joe, on l'appellera *Le Même Album Que d'Habitude Avec Une Couverture Différente* si tu veux, on s'en fout. Tout ce qui compte, c'est que le prince Charles soutient ton come-back.

Le mot était lâché. Ce concert de soutien à l'enfance malheureuse n'était rien d'autre qu'une tentative pour relancer la carrière déclinante d'une vieille gloire du rock. Peu importe. Au moins, nous étions assurés que Joe ferait tout pour être présent dans les médias, ce qui change agréablement des jeunes chanteurs (« Pas question de répondre à ces enculés de journalistes ! »). Cependant, Joe était visiblement mal à l'aise avec cette histoire de concert de charité.

— Eh, Woody, minute ! C'est pas un putain de come-back ! Pour faire un come-back, faut s'être rangé des voitures et moi, jamais j'me suis rangé des voitures !

— OK, OK, alors la tournée s'appellera : « Fidèle au poste »...

— Ça me va.

— Tu montes sur scène, le public hurle, tu leur demandes : « Et vous, vous êtes toujours fidèles au poste ? »...

Je ne me rappelle pas m'être jamais autant amusé à un repas d'affaires. Dire que j'ai gâché toutes ces années à déjeuner avec des comédiens...

— Bon, faut que j'y aille, annonça Woody. C'est OK pour toi, on est bien d'accord sur tout ?

Je lui répondis que, pour ma part, c'était OK.

— Cool... Parce qu'on veut pas de conneries. Ce concert, là, c'est du sérieux.

— Sûr, renchérit Joe. A cause des pauv'gosses et tout ça...

— On s'en fout, des gosses, Joe ! Ils n'ont qu'à chercher du boulot, ces petits glandeurs.

L'affaire était entendue.

Mais revenons à mon scénario. Je l'ai intitulé *Maybe Baby*. En ce moment, Lucy est assise sur le lit, face à moi, toujours aussi craquante. Elle est très fière de moi parce qu'elle croit que j'écris mon journal. Il faudra bien un jour que je lui dise la vérité. Je l'ai bien avouée à Nigel aujourd'hui. Au début, il était un peu estomaqué et puis il a éclaté de rire et a pris ça avec humour. Il m'a félicité et s'est lui-même félicité de m'avoir viré. « C'est la meilleure décision que j'aie prise depuis mon arrivée à la Bib ! J'espère que, quand tu auras ton Oscar, tu n'oublieras pas de me remercier ! »

Marrant. Depuis que Nigel m'a commandé ce scénar, je le trouve de plus en plus sympa. Est-ce de ma part un signe de faiblesse ou de magnanimité ?

En tout cas, la BBC à l'air de suivre ça de très près. Nigel prétend que le sujet est dans l'air et qu'il concerne tout le monde. En plus, le film ne devrait pas coûter cher, et il n'y aurait donc pas besoin d'une coproduction. La raison pour laquelle la plupart des films mettent du temps à voir le jour, c'est qu'il faut lever des fonds. Pour *Maybe Baby*, la question est déjà réglée. Et Nigel est très impatient d'endosser son costume de producteur.

— Le cinéma fonctionne selon un cycle annuel. Un petit film doit passer par tous les festivals : Venise, Sundance, Cannes, Berlin. Il faut une critique canon avant d'aborder les Oscars en février.

« Avant d'aborder les Oscars » ! Ça aurait dû sonner comme une fanfaronnade mais, tout à coup, ça me semblait plausible…

Par ailleurs, l'empressement de Nigel est très compréhensible : un directeur de chaîne à la BBC doit rapidement poser ses marques. Le jour où vous vous mettez à chercher un poste clé dans le secteur privé, il vous suffit de dire : « *La Roue de la Fortune, La 4ᵉ Dimension, Chapeau melon et Bottes de cuir* ? C'était moi ! » Il est devenu indispensable de se faire connaître très vite, aujourd'hui. Et, Dieu merci, je bénéficie directement de cette situation.

Ma chère Penny,

Aujourd'hui, nous avions de nouveau rendez-vous avec le docteur Agnew, à Spannerfield, pour les résultats des examens. Une fois de plus, rien à signaler. Les 90 millions de spermatozoïdes de Sam tiennent une forme olympique. Pas un ne manque à l'appel. Par ailleurs, il semble qu'ils soient suffisamment nombreux à ne pas avoir paumé leur boussole.

Quant à ma mystériosodingographie, elle n'a rien révélé d'anormal. Mes trompes sont comme neuves, sans adhérences, fibromes ni adénomes, pas plus que de polypes dans l'utérus, ni à la jonction des trompes. Docteur Agnew dixit. Une chance, car ces polypes paraissent avoir mauvaise réputation. Je ne sais même pas à quoi ça ressemble… Une sorte de petit kyste, certainement. C'est ma hantise. Le corps féminin a le choix entre plusieurs millions d'anomalies et de dysfonctionnements. Cette seule pensée me rend malade. Alors que l'unique souci de Sam, c'est de s'assurer que ses spermatozoïdes n'ont pas oublié les mouvements du dos crawlé…

En tout cas, le docteur Agnew est vraiment compréhensif. Il est bien d'accord avec moi sur le fait que, puisque aucun traitement, aucune opération ne changerait rien à rien, et puisque notre couple demeure obstinément stérile, il ne nous reste plus qu'à envisager sérieusement de recourir à la FIV. Non seulement c'est l'unique possibilité d'être enceinte (à l'évidence), mais, d'un point de vue purement médical, cela permettra sans doute de découvrir, enfin, la véritable cause de ma stérilité, et de cesser d'invoquer la malchance.

— *Parfait. Quand commençons-nous ?*

— *Dans sept mois.*

Mon sang n'a fait qu'un tour.

— *Ah non, merde ! J'ai trop attendu.*

— *Vous n'avez qu'à passer par notre secteur privé. Ce sera l'affaire d'un mois.*

Eh bien ! chiche. Et je me moque de l'avis de Sam. Puisque je dois en passer par-là, puisqu'il n'y a pas d'autre voie, le plus tôt sera le mieux, et qu'on en finisse ! Puisque nous avons les moyens de nous passer des services de santé publique, nous n'avons aucune raison de nous entêter à faire poireauter inutilement ceux qui viennent après nous sur la liste d'attente. Sachons profiter de notre chance. Et je me fiche de savoir que mon attitude « contribue à l'établissement d'un système social à deux vitesses », comme dirait Sam. Comme si cette société à deux vitesses n'existait pas déjà. Nous avons un appartement, d'autres sont sans domicile : qu'y puis-je ? Dois-je coucher dans la rue pour éviter d'être « complice du système » ? J'achète des plats préparés chez Marks & Spencer, tandis que le tiers-monde se bat pour faire germer un grain de blé, et on vient me parler de « société à deux vitesses » ! Quoi ? Seulement deux ?

Ce n'est pas snobisme de ma part. De toute façon, la Santé publique ne peut qu'y gagner. Tous les bénéfices réalisés par l'hôpital de Spannerfield à titre privé servent à financer la recherche publique. Ce n'est pas de l'argent perdu, il me semble. Sam ne l'entend pas de cette oreille. Pour lui, que les hôpitaux publics aient le droit de développer un secteur privé pour financer leurs activités, c'est la pente savonneuse qui mène tout droit à la privatisation pure et simple. Sam pense que les responsables de la Santé finiront par dire aux hôpitaux : « Eh bien ! puisque l'autofinancement partiel paraît vous réussir, nous allons pouvoir épargner des deniers publics en vous rayant de notre budget. Ce sont les lois du marché ! » Ainsi, la nécessité pour les hôpitaux d'avoir un secteur privé finira par créer une véritable bureaucratie du profit.

Je n'ai pas voulu perdre mon temps à en débattre davantage. J'ai dit à Sam : « Puisque tu te sens si concerné, qu'est-ce que tu attends pour vider les placards, le frigo, et tout porter au Secours populaire ? » Ça l'a calmé. Il a aussitôt changé de sujet pour me demander si « hystérosalpingographie » s'écrit avec un « y » ou avec un « i »...

Fait nouveau, on dirait que Sam se passionne pour la rédaction de son journal. Il ne veut omettre aucun détail, ni commettre aucune erreur, si minime soit-elle. Je ne vais pas lui jeter la pierre : après tout, c'est moi qui l'ai poussé à l'écrire. Je regrette simplement qu'il ne juge pas utile de me faire part de ses pensées intimes. Je trouve que nos conversations, même nos engueulades, ont quelque chose de terriblement conventionnel et prévisible. Est-ce dû aux années de mariage ? Est-ce inévitable ? J'aimerais beaucoup discuter de tout cela avec Sam, mais je sais aussi qu'il changerait de sujet au bout de quelques minutes.

Ne nous plaignons pas : au moins, il transcrit ses sentiments noir sur blanc. C'est un début. Il finira bien par apprendre à les partager.

Je m'efforce de ne pas trop penser à mon désir d'enfant. C'est trop dur nerveusement. Le matin, je me réveille en pleine forme, jusqu'au moment où je me rappelle qu'à cette heure, si j'avais rempli mon plan de vie, je devrais avoir deux têtes blondes de quatre et cinq ans en train de faire du trampoline sur mon lit... Alors, je me sens submergée par une immense vague de marasme, à laquelle je ne puis échapper qu'en me rappelant comme j'ai de la chance d'être en vie, entre autres extraordinaires bienfaits. La méthode donne parfois des résultats surprenants.

Cher moi-même,

Long rendez-vous avec George et Trevor au siège de la Bib. Nigel était là pendant la première heure puis il avait un avion à prendre (deux jours de séminaire à Toronto : « Dessins animés et santé mentale de l'enfant : Bugs Bunny contre Sigmund Freud ? »). *Maybe Baby* est en train de prendre de la vitesse. Ils parlent déjà de casting et cherchent un réalisateur. Ils demandent aussi quelques aménagements dans le scénario. Rien d'important, mais il va falloir que je me penche sur la question. Nous venions de lire la scène de la branlette à l'hôpital et nous étions pliés de rire, mais George a fini par lever une objection.

193

— C'est trop un truc de mec, Sam. Tout ce qui concerne Colin est bon, hilarant, même…

— Et aussi émouvant, d'une certaine façon, a ajouté Trevor.

— Mais Rachel pose problème. On reste un peu… à la surface du personnage.

Je ne cacherai pas que je m'en étais moi aussi fait la remarque et que j'étais heureux de pouvoir en discuter. Nous étions d'accord pour dire qu'elle avait quelques bonnes répliques mais George et Trevor (ainsi que les quatre-vingt-dix autres types de la Bib qui ont apparemment lu le texte) trouvent qu'elle est dépeinte d'un point de vue trop masculin.

— Ça manque d'émotion, a dit Trevor. Or, soyons lucides, c'est une histoire de femme. Tu ne peux pas fonder un film qui traite de la stérilité uniquement sur des blagues de mec.

— Si drôles soient-elles.

— Tu dois approfondir le personnage de Rachel. Pourquoi ne pas faire appel à un coauteur femme ?

Je frémis en repensant à l'idée qui m'a alors traversé l'esprit.

Oui, il va falloir que je me penche sérieusement sur la question.

Ma chère Penny,

Les dés sont jetés. Si, d'ici mes prochaines règles, un miracle naturel ne s'est pas produit (surtout, rester positive !), va pour la FIV. Ma place est déjà réservée.

Mon Dieu, j'ai tellement besoin d'un bébé… Parfois, je suis tentée de m'en remettre à la prière. Pas sur un banc d'église, évidemment, mais à la maison, au calme. Pour être honnête, il m'arrive de me surprendre à prier en silence, lorsque je suis seule et qu'il n'y a personne pour me déranger. Je sais que c'est idiot, voire déplacé, puisque je ne crois pas en Dieu, au sens traditionnel du terme. De quel droit m'autoriserais-je à l'invoquer ? En même temps, ça ne mange pas de pain. Si Dieu n'existe pas, ça ne m'aura rien coûté d'y croire. Et s'Il existe, je parie qu'Il aime mieux la prière dubitative d'une sceptique que pas de prière du tout. J'ai donc tout à y gagner.

Quoi qu'il en soit, je ne me considère pas comme athée. Je crois en une forme d'existence supérieure. Il y a tant de questions sans réponses... La science ne sait pas tout. Qui sommes-nous? Qui nous a créés? Dans quel dessein? Une seule réponse, toute simple: Dieu. Si l'univers est une énigme, appelons Dieu l'auteur de cette énigme. C'est ainsi que je le vois. Disons que je suis une agnostique. Certains prétendent que c'est la solution de facilité, une solution très commode, puisqu'elle consiste à ne croire en rien, sauf quand ça vous arrange.

Si l'on y songe, nous sommes devenus très irrespectueux à l'égard de Dieu. Jadis, Il incarnait la toute-puissance, Il inspirait la crainte, Il était l'autorité suprême; l'humanité tout entière se prosternait devant Lui en signe d'humilité et de repentance, pour la rémission de ses péchés. Mais, de nos jours, les gens s'adressent à Dieu comme s'il n'était qu'un conseiller spirituel ou un vulgaire thérapeute conventionné. L'autre jour, je regardais un talk-show sur une chaîne américaine. Un invité confiait: « Ça faisait longtemps que je ne Lui avais pas adressé la parole. Pourtant, quand j'ai eu besoin de Lui, Il ne m'a pas laissé tomber. » Le présentateur a acquiescé d'un air entendu, puis il a ajouté: « Il faut en avoir fait, du chemin, avant d'accepter que Dieu entre dans votre vie... » Propos d'une incroyable banalité, mais qui lui a pourtant valu une salve d'applaudissements. Quel aplomb, tout de même! Comme si Dieu et ce type étaient sur un pied d'égalité – des potes, quoi! Stupéfiant. L'Être suprême est devenu une sorte de mollusque aux ordres du premier venu; au moindre coup de Trafalgar, il n'y a qu'à le siffler pour qu'il se mette à chanter vos louanges et à vous jeter des fleurs. Je n'imaginais pas Dieu, trônant dans ses nuages, tel un groom supra-humain, en train de se lamenter: « Mais qu'est-ce qu'il attend pour me sonner, ce sac à beignets égoïste et satisfait? Ça le gênerait de me faire un peu de place dans sa vie, oui ou merde? »

Je n'ai pas de position arrêtée vis-à-vis de la religion, mais je sais que mon dieu, si j'en avais un, serait un dieu terrible et grandiose, un dieu glorieux, occulte et majestueux, pas un dieu de pure commodité, une concierge qui passe son temps à caresser les geignards dans le sens du poil et à les consoler de mener une vie aussi stressante...

Mais je suis peut-être injuste. Si ça arrange les gens de se déculpabiliser à si bon compte, qu'est-ce que ça peut bien me faire ? Si seulement je pouvais avoir ne serait-ce qu'un peu de leur insouciance et de leur désinvolture... Tout ce que je demande, c'est un bébé, mais je le demande de toutes mes forces, d'un désir si puissant, si envahissant, qu'il me dépasse...

Cher Sam,

Lucy a ses règles. Nous avons épuisé tous les recours ; il ne nous reste plus qu'à remettre notre sort entre les mains de la médecine. Lucy m'a demandé si j'avais pensé à la prière et je lui ai dit que non mais que, si elle le souhaitait, je pouvais tenter le coup. Nous ne devons rien négliger. Ça pourrait marcher. Après tout, l'idée d'un vieux barbu perché sur un nuage faisant la pluie et le beau temps sur Terre n'est pas plus absurde que le charabia des médecins que nous avons consultés. D'ailleurs, tous les mecs que je connais ont lu *Une brève histoire du temps* et aucun, à commencer par moi, n'y a rien pigé.

Pourquoi avons-nous tellement confiance en la médecine ? A l'école, je m'en souviens, on nous avait expliqué que, dans l'Antiquité, on croyait que le monde était posé en équilibre sur le dos d'une tortue. Ah ah ah ! Nous avions bien ri. « Quelle bande de débiles ! » Parce qu'aujourd'hui, on en sait un peu plus, peut-être ? A en croire Stephen Hawking et ses copains, il y avait à l'origine un agglomérat de matière infiniment dense de la taille d'une balle de cricket dans laquelle était contenu tout l'univers (où se trouvait cette balle et d'où venait-elle ? Apparemment, seuls les abrutis posent ces questions). Un jour, la balle a explosé, dégageant une énergie et une matière telles qu'elles ont donné naissance aux étoiles et aux galaxies qui sont toujours, à l'heure actuelle, en cours d'expansion.

Bien. En quoi cette théorie est-elle plus convaincante que celle de la tortue ?

Les scientifiques prétendent que, dans un ou deux milliards d'années, nous aurons mis au point un télescope capable de découvrir l'origine de l'univers. Chaque jour, nous sommes à deux doigts de découvrir la vérité. « Quand l'univers avait trois secondes, les protons commencèrent à se former. » Ah ? Et puis ? Dans cent ans, on découvrira qu'en fait, un gigantesque éléphant de l'espace a fait un pet foireux et que l'univers est né de sa colique, et les écoliers riront bien en apprenant notre théorie du big-bang.

L'aplomb des scientifiques a le don de m'exaspérer. On dirait qu'ils vivent dans un monde à part, pur et innocent, que seuls des hommes venus de l'extérieur peuvent corrompre. L'autre jour, je regardais un documentaire à la télé sur Einstein et Oppenheimer. On y expliquait que c'était vraiment des types charmants et pacifiques ; pendant la guerre, n'avaient-ils pas supplié le président Truman de ne pas utiliser la bombe ? C'était une arme trop puissante, trop terrifiante, aucun homme n'avait le droit de s'en servir. J'ai pensé : quelle belle paire d'hypocrites ! Pendant des années, ils consacrent toute leur intelligence à mettre au point une bombe sous la menace de laquelle nous sommes désormais condamnés à vivre, et puis ils se dégagent de toute responsabilité en demandant de ne surtout pas la lâcher. Après quoi ils entrent dans l'Histoire comme deux paisibles savants aux cheveux blancs et aux yeux fatigués.

Hier, je suis passé voir Nigel de retour du Canada. Il m'avait appelé deux fois de Toronto, me demandant mon avis sur quelques réalisateurs et coproducteurs. Il a le sentiment que nous devons faire appel à des vieux routiers du cinéma. Il a raison. D'accord, George et Trevor sont parfaits, mais que connaissent-ils, et moi donc, des rouages de la distribution, disons en France ? Dans cette hypothèse, une rallonge de budget serait souhaitable, et la BBC devrait par conséquent trouver des partenaires. Non que le film réclame en lui-même plus de moyens mais, pour développer tout son potentiel dramatique, Nigel voudrait mettre le paquet sur le metteur en scène. Et « mettre le paquet » n'est pas un vain mot : dans la plupart des films, à Hollywood en particulier, une très large part des budgets faramineux dont la presse se gargarise représente en fait les émoluments des seuls premiers rôles.

— Il nous faut quelqu'un d'expérimenté, mais de tendance. Nous ne devons pas perdre de vue que nous cherchons un ton moderne, décalé.

J'ai senti le coup venir. Je ne me trompais pas. Rendez-vous aujourd'hui avec Justin, Petra et Ewan Proclaimer, des films Lignes de fuite.

Ce fut une tout autre ambiance. Petra m'a souri et Justin m'a posé la main sur l'épaule en s'écriant : « A nous le pognon, mec ! » Même Ewan a cessé de grogner pour adopter un ton plus civil. Il a l'air encore mieux coté que quand je l'avais rencontré au Claridge. Il vient de signer un contrat pour trois films avec Hollywood. Je doute que l'un d'eux soit *Junkie Gang*. Il a surtout parlé d'un film de science-fiction avec Bruce Willis et Gary Oldman. Quoi qu'il en soit, il dispose d'un trou de six mois avant de se lancer dans la mare aux crocodiles… et il adore mon scénario !

— Les comédies romantiques, c'est tout ce que j'aime. Mais attention : pas les comédies romantiques de merde. Celles qui ont du punch, de la cuisse, des couilles, quoi ! *Macbeth, Œdipe*, ça, c'est de la comédie romantique ! Quoi de plus craquant qu'un mec qui aime tellement sa mère qu'il se la tape ? Et quoi de plus drôle ?

Un peu inquiétant, mais passons. Je me dis qu'avoir Ewan Proclaimer au générique peut faciliter la levée de fonds. Sans compter que son emploi du temps précipite les événements, ce qui n'est pas pour me déplaire. Chaque fois que j'entendais parler d'un film, c'était parce qu'il avait mis des années à voir le jour et, là, j'enchaîne raccourci sur raccourci !

Ce qui me ramène au scénario. Il y a toujours deux problèmes – un petit et un gros.

Le petit : je n'ai pas encore trouvé de fin. En fait, j'en ai deux qui fonctionnent bien, une heureuse et une dramatique. Je ne réussis pas à choisir. Peut-être parce que Lucy et moi entamons une FIV et que je ne veux pas tenter le sort.

Le gros : le personnage féminin. Tout le monde s'accorde à reconnaître qu'il n'a pas trouvé sa voix, or c'est crucial. L'histoire tient bien sans ça, la comédie fonctionne, mais je veux trouver le ton juste. J'y travaille depuis une semaine mais plus ça va, plus Rachel ressemble à un mec.

Le temps presse. Petra et Justin s'occupent du casting. Ewan est parti en repérages. Je dois trouver ma Rachel.

Ma chère Penny,

Ce matin, j'ai pris livraison de ma première cargaison de médicaments à Spannerfield. Et pour commencer, un spray nasal, à inhaler dès ce soir. Il faut s'introduire une sorte de pompe dans la narine et inspirer un grand coup. Jusque-là, rien de bien sorcier. Incidemment, et alors que nous avons déjà réglé la totalité du traitement, le docteur Cooper m'a annoncé qu'il prendrait les médicaments en charge. Selon les secteurs, il semblerait que l'assurance maladie couvre ce genre de frais ou ne les couvre pas. Pour une fois, nous avons de la chance, car ces remèdes coûtent la peau des fesses! La vie est vraiment une loterie...

Sam part pour Manchester après-demain, pour assister au méga-concert de solidarité organisé par la Fondation Prince Charles. L'événement est retransmis par la BBC et, pour une raison inconnue, Sam a été choisi pour représenter la Maison. Je pourrais l'accompagner, bien sûr; en temps normal, je m'en serais même fait une joie. Mais j'ai préféré dire à Sam que je me sentais encore un peu à plat depuis cette sale pingographie et que je préférais me reposer.

Mensonge!

Mon Dieu, j'ose à peine l'écrire: je me suis décidée à revoir Carl. Il m'a appelée à l'agence pour m'inviter à dîner... et j'ai accepté! Je n'ai évidemment aucune raison de me sentir coupable. Qu'y a-t-il de mal à manger un morceau avec un ami? Et il n'y aura rien d'autre au menu, c'est juré! Pourtant, je n'ai pas la conscience tout à fait tranquille. Car il n'est pas question que je prévienne Sam. Pour lui dire quoi? « Au fait, pendant ton absence, j'ai rendez-vous à dîner avec l'homme le plus sexy d'Angleterre... Tu sais, celui qui m'a roulé une pelle! » Je pourrais lui dire innocemment: « Tiens, je dîne avec un ami après-demain soir... » Sam me répondrait: « Un ami? Quel ami? » Moi: « Quelle importance, tu ne le connais pas... » Lui: « Je ne le connais pas? » Moi: « Sam, voyons, ce n'est pas du tout ce que tu crois... » Lui: « Qu'est-ce que je suis censé croire? », et ainsi de suite... Après ce petit échange dévastateur, le Grand Croquemitaine aux yeux émeraude n'aurait plus qu'à me remercier d'avoir si bien préparé le terrain...

Cher moi-même,

J'écris ces pages dans ma chambre de l'Hôtel Britannia, Manchester, en face de la station Piccadilly. C'est comme ça que j'imagine le Kremlin pendant la Révolution d'octobre. Un décor somptueux, des lustres en cristal, des sculptures en marbre et des types défoncés errant dans les couloirs à la recherche d'une bouteille ou d'une fille.

L'équipe de la BBC est descendue au Midland Plaza (un Holiday Inn en plus branché), mais Joe London et Woody Monk ont *leurs habitudes* au Britannia.

— Ils comprennent les alcoolos, ici, m'a expliqué Joe. Maintenant, j'm'en fous, mais c'est pour les souvenirs, tu vois?

— Et les boîtes sont pleines de jolis p'tits lots, a ajouté Monk.

Je n'ai pas tardé à découvrir qu'il avait raison. Sauf que les « jolis p'tits lots » ont des regards de tueuse. Ces filles du Nord m'étonneront toujours. Elles ont l'air tellement dures. Ça doit être la météo. Elles sont insensibles au froid. Elles ne portent jamais de collants! Incroyable. Au beau milieu de l'hiver, on les croise dans les rues de Newcastle ou de Leeds, en route vers le stade, par petits groupes. Des filles déterminées, avec des mini mini-jupes en lycra, des t-shirts à manches courtes, déambulant sur le pavé juchées sur d'improbables chaussures à talon haut. Pas la peine de la ramener avec la traversée de l'Antarctique par Scott – elles, elles auraient fait le trajet deux fois plus vite et seraient rentrées avant la fermeture de la baraque à frites.

Je suis bien content d'être casé et débarrassé de ces histoires de filles à lever, de tactiques d'approche… Je serais terrifié à l'idée d'adresser la parole à ces filles (du reste, je l'ai toujours été). Mais bon, rien n'interdit une petite pensée nostalgique, pas vrai?

Monk, Joe et moi venons de fêter un concert mémorable en nous accordant un dernier verre au bar du Britannia. Car la nuit fut longue, je dois dire. Du délire 100 % rock'n'roll. Tout est allé comme sur des roulettes, le contraire de « 3, 2, 1, Contact! ». Croyez-le ou non, ma sœur m'avait demandé une place pour Kylie! Le langage que j'ai employé était, je crois, peu fraternel – je ne l'ai jamais insultée de la sorte depuis notre adolescence – mais pas question d'offrir à cette petite anarchiste de Kylie l'occasion d'assassiner le prince de Galles!

Le concert se déroulait dans la Manchester Evening News Arena, qui est bien assez grande. Il devait y avoir 15 000 fans. Génial. Mon boulot de débutant consistait à... euh... pour être franc, je n'ai toujours pas compris. Traîner en coulisse pendant que les techniciens s'activaient, je suppose. C'est ce que font tous les responsables, non ? Avec les repas d'affaires, bien sûr, mais il était beaucoup trop tard pour songer à déjeuner.

L'affiche était splendide. Dans la catégorie Senior, nous avions Joe London, Rod Stewart et David Bowie. Phil Collins était attendu mais il y avait du brouillard à JFK. Ajoutez à cela quelques petits nouveaux pas mal du tout... Le prince se mettrait-il à avoir du goût ? J'avais déjà remarqué que, lorsque le programme définitif du concert avait été rendu public, certains de mes collègues branchouilles de Radio 1 avaient eu l'air vexé de passer à côté de l'événement. Le groupe le plus en vue était Mirage. Le plus gros succès actuel. Le chanteur, un certain Manky (je crois), se reconnaît facilement : il déteste tout, à commencer par son propre groupe. Hier après-midi, je suis allé faire un tour pendant les répétitions. C'était eux qui étaient sur scène, et Manky était en train de s'étriper avec Bushy, guitariste et auteur des chansons. Un numéro d'anthologie ! Les micros étaient ouverts et l'Arena résonnait des injures que ces deux fous furieux s'envoyaient à la figure.

— Pauv'connard ! J't'emmerde !

— Pauv'naze ! J't'emmerde !

J'étais au supplice car Mirage tenait le haut de l'affiche (ce qui n'empêchait ni Joe ni Rod de prétendre que c'était eux) et j'avais peur que ce différend, pour l'instant verbal, ne dégénère. Le bassiste du groupe plaqua un accord.

— Oh ! Les deux, là ! Vous arrêtez de foutre la merde, ouais ? On la fait, cette putain de balance ?

— J't'emmerde ! lui lança Manky avant de s'emparer d'un micro tandis que Bushy branchait sa guitare et jouait les premières notes de « Get Real », leur nouveau tube. Manky est étonnant : il y a une sorte de rictus dans sa voix, comme s'il disait « J't'emmerde » entre chaque parole.

La chanson terminée, Manky renifla bruyamment et rota dans le micro. Les gradins de l'Arena tremblèrent. Bushy se précipita sur lui.

— Sale porc !

— J't'emmerde !

Et l'ensemble du groupe se jeta dans la mêlée.

En repartant vers les coulisses, je croisai deux figures familières : Dog et Fish, les deux animateurs censés apporter la touche « comique » à la soirée. D'expérience, je savais que ça consisterait pour eux à revenir sur scène entre chaque chanson et à faire comme s'ils n'avaient pas envie d'être là. C'est devenu, de nos jours, une figure imposée : l'animateur éprouve la nécessité de se dissocier de l'événement qu'il présente, voire de le descendre en flammes. On voit ça tous les ans pendant la cérémonie des Oscars. Un jeune crétin se pointe sur scène et, en gros, déclare : « Écoutez, on sait tous que c'est du pipeau, mais bonne soirée quand même. »

— Salut, Sam ! Alors, on va sauter madame ?

Je mis quelques secondes à saisir l'allusion. Puis je me rappelai les circonstances de mon départ précipité du 1-9-0. Je ne trouvai pas davantage la réplique mais je leur servis un rire plein de sous-entendus.

— Au fait, on a appris, pour ton boulot. C'est con pour la télé, mais te frappe pas, la radio, c'est *cool*. C'est le seul vrai média post-moderne. La télé de demain !

— J'ai cru comprendre que mon successeur ne vous avait pas confié de sitcom ?

— Non, l'enculé ! maugréa Fish. J'y croyais pas ! Après notre carton plein à Montréal, avec tous les Amerloques qui faisaient la queue au guichet !

Oh, et puis, ce n'était plus mon problème ! J'avais ce concert à préparer.

— Bon, en tout cas, ce soir, pas d'injures, pigé ?

— Pigé, enculé ! répondit Dog en éclatant de rire comme si c'était une réponse spirituelle.

Sur scène, c'était au tour de Brenda de faire la balance. Brenda chante, mais sa principale qualité est d'être incroyablement séduisante. C'est la nouvelle icône de *Loaded*. Ses costumes de scène sont réduits au strict minimum – des nuisettes transparentes – et sa voix a des intonations quasi orgasmiques. Après son tube « Sexy Bitch », elle avait connu un échec cinglant avec

202

« Sex Me Again ». Un des ingénieurs du son m'a appris qu'elle allait se payer un nouveau photo-reportage dans *Loaded* pour donner un coup de pouce à sa carrière. Cette fois-ci, son impresario l'a convaincue de laisser tomber la nuisette pour poser tous tétons dehors. Dans ce triste monde, les chanteuses ont intérêt à avoir vite beaucoup de succès pour être autorisées à se produire un peu habillées.

Ce n'était pas vraiment à régler la balance que travaillait Brenda, car elle chantait en play-back, mais une répétition était nécessaire pour s'assurer que la chanteuse serait bien couverte par les caméras (à défaut d'autre chose). Elle commença à se déhancher en remuant les lèvres. C'était trop pour moi. Encore quelques secondes et j'aurais eu besoin de tirer un coup. Qu'est-ce que Lucy aurait pensé de moi? Je retournai donc en coulisses. C'est toujours comme ça, quand je suis loin de ma femme. Je me sens si proche d'elle. Je l'imagine toute seule à la maison, devant un bol de soupe et une rediffusion d'*EastEnders*. J'ai déniché un téléphone et je l'ai appelée mais elle avait l'air distante. Elle m'a dit qu'elle se sentait vannée, qu'elle allait juste brancher le répondeur et se mettre au lit.

Ma chère Penny,

Nous nous étions donné rendez-vous au Quark. Je n'y étais jamais allée, mais je sais que Sam est un habitué des lieux, il y a souvent des repas d'affaires. C'est un endroit très chic. Évidemment, je suis arrivée la première. A peine installée, on m'a servi des petits apéritifs à grignoter. J'avais le sentiment d'être une vraie call-girl. Je n'avais pourtant rien commis de répréhensible, mais j'avais la désagréable impression que personne n'ignorait que j'avais rendez-vous avec un homme qui n'était pas mon mari.

J'ai senti mon cou s'empourprer. Je me répétais : « Surtout, ma grande, pas de vin rouge… Pas une goutte d'alcool. » Un verre de trop, et je ne répondais plus de rien.

Trois secondes plus tard, un fringant sommelier débouchait une bouteille de champagne sous mon nez: « Meûssieur Phipps nous a chargé de prévenir Madâââme qu'il aurait un lêêger retâârd…

Il nous prie de vous offrir le champââgne pour patienter... » Bref, lorsque Carl a fait son apparition, j'avais déjà bu deux verres et demi. J'aurais préféré rester sobre, mais quand on est assise comme une potiche, sans rien à faire qu'attendre, il faut bien se donner une contenance d'une façon ou d'une autre...

Carl avait sorti le grand jeu. Tout le monde s'est retourné sur son passage. Il s'était laissé pousser les cheveux et les pattes, comme Dick Turpin[1] dans cette série américaine sur le câble, si stupide mais si drôle. Avec ses boucles noires et son long manteau, on aurait dit qu'il venait de livrer un duel en Toscane ou d'écrire une tragédie en cinq actes à la plume d'oie. Sans se préoccuper des regards, il s'est dirigé droit vers moi et, avant même de me saluer, il m'a embrassée sur la bouche! Certes, il n'a pas eu l'audace de me faire une langue, mais c'était tout de même ce que j'appellerais un baiser lippu. Je ne m'y attendais pas du tout. Puis il s'est redressé, m'a déshabillée de son langoureux regard de braise et m'a dit que j'étais absolument ravissante – mensonge éhonté, même si je portais ce soir-là mon nouveau chemisier en soie sans soutien-gorge (la soie a tendance à mettre en valeur les petits seins, ce qui est mon cas).

Puis il s'est répandu en excuses sur son retard – répétitions, rendez-vous importants, etc. Bref, il ne se pardonnait pas de s'être fait voler quarante minutes qu'il aurait pu passer en ma compagnie, quarante très précieuses minutes, puisque mon mari n'était absent que pour une nuit...

J'ai tiqué.

— Comment, Carl . Vous saviez que Sam était en déplacement?

Il m'a regardée au fond des yeux.

— Je ne devrais pas vous le dire, mais votre mari m'a écrit de la part de Son Altesse Royale pour me demander de lire un poème au gala de ce soir... Au lieu d'accepter, ce que j'aurais dû m'empresser de faire, j'ai préféré saisir l'occasion... Que voulez-vous, Lucy, c'est le destin qui a décidé pour moi.

---

1. Ce brigand du début du XVIIIe siècle est le héros hirsute d'une série d'abord diffusée sur London Weekend Television à partir de 1979 (N.d.T.).

Je n'en revenais pas. Ainsi, il avait patiemment attendu que mon mari s'absente de Londres pour avoir l'affront de m'inviter à dîner en tête à tête !

— Mais alors, vous aviez tout prévu ! Vous n'êtes qu'un vil séducteur ! me suis-je exclamée.

— On ne peut rien vous cacher, m'a-t-il répondu les yeux dans les yeux.

Je devais ressembler à une betterave rouge piquant un fard.

— Carl ! Enfin, je suis mariée ! Je... j'aime mon mari ! Vous n'êtes pas sérieux ! Je ne devrais même pas être assise à cette table, avec vous...

— Alors pourquoi êtes-vous venue ?

Il n'y avait rien à répondre. J'étais piégée. Bien sûr, j'aurais pu m'indigner, lui opposer que j'avais accepté son invitation en toute ingénuité... mais pas après ce qui s'était passé entre nous, à l'agence. Indéfendable. Et puis, comment expliquer ma mise en plis, mon chemisier outrageusement transparent ? La vérité, c'est que notre rendez-vous n'avait rien d'innocent, et que nous le savions aussi bien l'un que l'autre. Mais je refusais de voir cette vérité. Parce que j'en avais peur.

Carl s'est chargé de répondre à la question qu'il m'avait posée.

— Vous êtes venue parce que vous êtes seule, Lucy. Parce que vous avez besoin de tendresse, de passion, et que personne ne vous en donne. Je lis le désir dans vos yeux...

J'ai voulu protester que ce n'était pas vrai, mais j'étais devenue incapable de mettre un mot derrière l'autre. Les effets du champagne, sans doute, sinon de... Mon Dieu ! Carl voyait juste. Il a poursuivi :

— J'ai bien essayé de me tenir éloigné de vous, en tout bien tout honneur, comme je vous l'avais promis, mais comment pouvais-je laisser passer cette chance ? C'était au-dessus de mes forces... Lucy, je vous désire depuis le premier jour. Vous me fascinez. Aucune femme ne vous est comparable.

Aveu ou flatterie ? Quoi, Carl Phipps, star internationale, bourreau des cœurs, en pincer pour moi, alors qu'il n'a que l'embarras du choix ? Il a balayé mes pauvres arguments : oui, j'étais vraiment différente des autres, oui, il m'avait choisie entre toutes les femmes. Et là, au moment où je m'y attendais le moins, paf ! il m'a refait le coup de la main dans la main. S'y était-il senti encouragé ? Je l'ignore. J'avais simplement laissé ma main gauche en évidence sur la table, il a négligemment posé la sienne dessus, et je ne me suis pas dérobée. Après ça, comment soutenir que je ne suis pas responsable des événements qui ont suivi ?

En coulisses, c'était l'effervescence. Charlie Stone réalisait quelques interviews qui seraient insérées pendant les solos de guitare un peu longuets de nos vétérans. Je le suivis avec deux ou trois artistes, en partie pour me donner une contenance, mais aussi parce qu'il choisissait de préférence des chanteuses canon.

Et, inévitablement, Brenda.

— Alors, Brenda, qu'est-ce que tu réponds aux mecs qui te traitent de femme-objet ?

Brenda s'étira sur toute sa hauteur (1,50 mètre maxi), et rétorqua :

— Eh bien ! je crois que ce sont des machos qui ne pigent pas qu'être fière de son corps et le montrer, c'est une preuve de volonté, une revendication de femme, une affirmation de son moi profond.

— Et en plus, ça me donne une de ces gaules !

Brenda offrit à Charlie son sourire le plus fondant, comme s'il venait de ponctuer sa déclaration du plus bel hommage qu'on puisse rêver.

Je filai ensuite dans la loge de Joe London. J'y retrouvai Joe et Woody Monk en compagnie de Wally, le bassiste cocaïnomane des Muvvers. Un type impressionnant, qui me rappelait ce guerrier de l'âge de pierre qu'on a retrouvé congelé dans les glaces des Alpes depuis vingt mille ans – sauf que la crête de punk de Wally remontait à trente ans seulement. Joe et Wally répétaient un des premiers hits des Muvvers, mais ils avaient du mal à s'y retrouver.

— Mais non, mec, sur « *dream won't stop* », tu joues da da di da da da...

— « *Dream won't stop* », c'est dans la chanson, ça ? C'est pas plutôt « *cream on top* » ?

— « *Dream won't stop* », mec ! Putain, on l'a juste chantée trois milliards de fois !

Quand Joe me vit, il eut l'air surpris, puis il me reconnut. Il semblait vraiment content que je sois là. Je lui dis combien la BBC était heureuse que lui et les Muvvers aient accepté d'honorer cette soirée de leur présence.

— C'est mon job, mec! Aider les pauv'gosses! Eh! Wally, tu t'souviens de RockAid, avec Knopfler et Dire Straits?

— Euh... nan.

A question idiote, réponse idiote. Wally n'était pas le genre de type à se rappeler quoi que ce soit.

— Mark nous avait sorti un d'ces solos... Celui de « Sultans of Swing »... Da da da da di di da di... Dans l'public, les mecs piquaient du nez, allaient pisser, allaient s'marier, faisaient des gosses, mouraient... et Mark continuait: da da di di da da...! Nous, on gueulait: « Eh! Frimeur! Remballe le matos! » Mais rien à faire, Mark était dans son trip! Quand on est repartis, il était toujours sur scène! Sûr qu'il y est encore, à l'heure qu'il est!

A ce moment-là, Rod Stewart a passé la tête par la porte. Rod Stewart! Ça devenait géant...

— Salut!

— Rod, vieux salopard! Ça va? Sympa, d'te voir! Qu'est-c't'as foutu d'Britt? Euh... non, Alana?

— Alana s'est cassée, abruti, marmonna Woody.

— Ouais, désolé, mec, j'voulais dire Rachel?

— Rachel aussi!

— Ah? Euh... alors, bon, qu'est-c't'as foutu d'la nouvelle? J'ai vu son calendrier... Super pépée!

— Ravissante, corrigea Woody.

— Ouais, cool! La photo sur la plage, avec le cul couvert de sable... Ouah! C'était vraiment... cool!

— Salut!

— Ouais, salut Rod, on se r'voit sur scène!

Joe se retourna vers moi.

— J'adore ce type! Un mec réglo. Pas changé d'un pouce. Cool. C'est c'qui m'plaît avec ces concerts: t'es toujours avec des mecs réglos et des super pépées. Ce soir, on sera tous là pour défend'les gosses qui souffrent dans l'monde! Pas de problème d'ego; pas de frime; juste des mecs qui en veulent!

Toni, la femme de Joe, fit son apparition. Elle plia en deux son mètre quatre-vingts de top model pour entrer dans la loge. Elle avait l'air furieuse.

— Eh, Joe! Je viens de bavarder avec Iman Bowie…

— Une déesse! A s'taper le cul par terre! Et avec David, quelle perle!

— C'est pas de ça que je te parle. Dans leur loge, ils ont du champ' et nous on a quoi? Un chardonnay australien! Imagine qu'ils passent nous dire coucou, de quoi j'aurais l'air?

La BBC étant responsable des questions d'intendance, j'assurai la belle que j'allais y remédier sans tarder et sortis. Le concert allait commencer d'une minute à l'autre. Je mourais d'envie d'appeler Lucy pour lui raconter que j'avais vu Joe, Rod, les Mirage, Brenda… Mais je savais qu'elle voulait se reposer et était sans doute déjà au lit.

Trois bouteilles de vin plus tard, passé le classique « et si on finissait la soirée dans un endroit plus calme? », je me retrouve donc dans un taxi, direction sa tanière. Oui, nous nous sommes embrassés, oui, nos langues sont entrées dans la danse, oui, ses mains sont passées à l'action, au-dessus de la ceinture uniquement, et pas sous les vêtements – mais un chemisier en soie est-il encore un vêtement?

J'ai pénétré dans son appartement sans même m'en rendre compte – et ce n'est pas une figure de style. C'était la première fois qu'une telle chose m'arrivait. J'avais l'impression d'être une autre Lucy, un double pervers qui aurait échappé à mon contrôle cette nuit-là.

Carl m'a joué le grand jeu de la séduction, pour lequel il est merveilleusement doué. Il n'a pas cherché à me sauter dessus comme un rustre. Non, il s'est montré plein de sensibilité, dans l'acception la plus éloquente du terme. Alors qu'il m'avait roulé un palot dans le taxi, il est parvenu à contenir ses pulsions de rouleau compresseur. Dans ces conditions, comment nous sommes-nous retrouvés entortillés sur le sofa, Older de George Michael en musique de fond, sans même avoir fait honneur au cognac six ans d'âge qui nous tendait les bras sur la table basse? L'explication est simple: parce que j'en mourais d'envie! L'excès d'alcool avait fait sauter toutes mes inhibitions. Puis Carl a commencé à me chuchoter des petits riens sensuels à l'oreille et à ôter mes souliers avec doigté, comme s'il n'avait fait que ça toute sa vie. Et moi, je me suis laissé faire.

En moins de temps qu'il n'en faut pour le dire, me voilà flottant dans les airs, emportée dans ses bras, sans le moindre heurt, la moindre hésitation, pour atterrir dans une chambre impeccable, sur un grand lit tendu de lin blanc fraîchement apprêté. Aucun doute, ce prince était un homme à femmes... mais à femmes de ménage ! Il m'a délicatement déposée, nous avons encore échangé quelques baisers, puis il a entrepris de défaire mon corsage...

C'est à cet instant que je suis sortie de ma torpeur pour mettre le holà. Je ne sais toujours pas comment j'ai pu trouver ce courage, car jamais je n'avais été aussi excitée. Et pourtant, je l'ai fait : j'ai tout stoppé. Son autre main avait déjà commencé son petit bonhomme de chemin sous ma jupe, avec grâce et douceur, certes, mais sous ma jupe quand même. C'était la limite à ne pas franchir, le point de non-retour, bref : le terminus. Dieu sait comment, j'ai réussi à retrouver la parole et, quoiqu'en total désaccord avec mon désir le plus profond, sans même consulter mes hormones, je lui ai demandé de bien vouloir s'arrêter.

Ce qu'il a fait. Il a suspendu son exploration manuelle et s'est même donné la peine de me reboutonner. Cependant, toujours à moitié vautré sur moi, il m'a simplement murmuré à l'oreille :

— Lucy, écoute... Je vais te faire l'amour toute la nuit, tendrement, passionnément, intégralement. Je veux caresser ton corps sans relâche, je veux savourer chaque parcelle de ta peau sublime... Je veux me fondre en toi, ne faire qu'un avec toi, jusqu'au petit matin...

Cet homme est le diable en personne ! J'en mourrais d'envie, bien sûr ! Depuis combien d'années Sam n'a-t-il pas manifesté le désir de savourer chaque parcelle de mon corps ? Et de me caresser toute la nuit ? Quand je pense qu'il me faut des heures pour obtenir de lui un malheureux câlin sur l'épaule ! Et voilà que j'ai sous la main un homme sensationnel, qui ne demande qu'à... Mais non, c'est impossible, ça ne se fait pas. Je suis une femme mariée, et j'aime mon mari.

— Et demain matin ? lui ai-je demandé. Comment vois-tu la suite de l'histoire ?

Une nuit d'amour, c'est toujours alléchant, mais j'avais bien davantage à y perdre que lui.

— Eh bien ! demain matin, on commence par refaire l'amour, on continue jusque dans l'après-midi, je te demande de rester pour la soirée, et nous passons une deuxième nuit ensemble, puis toutes les nuits suivantes, jusqu'à la fin des temps ! Je t'aime, Lucy. Je veux faire ma vie avec toi. J'en suis sûr.

Voilà ce qu'il m'a répondu, mot pour mot. Je crois pourtant qu'il est de ces hommes dont les passions sont aussi violentes que passagères. Mais il est accro, c'est indéniable. Et je ne crois pas que c'étaient des paroles en l'air. Il désire vraiment que je m'installe avec lui, chez lui. Il prétend qu'il faut toujours faire confiance à ses impulsions. T'ai-je dit qu'après m'avoir déposée sur le lit, il s'est mis torse nu ? Quel corps superbe, absolument magnifique... Plus musclé que je n'aurais cru, mais cependant sans excès. J'ai dit non. C'est sans doute la décision la plus difficile, la plus courageuse que j'aie jamais prise.

— Carl, c'est impossible... Tu es un homme formidable, très désirable... Je sais que je pourrais être amoureuse de toi, si ce n'est déjà le cas. Mais je suis mariée, tu le sais. Et j'aime mon mari. Il ne m'excite pas autant que toi mais, tu sais, même la passion finit par s'émousser...

— Quelle épouvantable façon d'envisager la vie, Lucy. Comme je te plains.

Une fois de plus, il avait raison. Oh ! comme il avait raison. Mon Dieu, est-ce si terrible de le reconnaître ? Je désire une chose, j'en meurs d'envie, tout mon être la réclame, mais non, je dois me l'interdire, parce que je crois qu'il vaut mieux une vie raisonnable qu'une vie libre. Voilà ma triste façon de penser. On ne peut pas toujours faire ce que l'on voudrait. Pas si l'on tient à préserver ce à quoi l'on tient vraiment.

— Carl, je ne veux pas rester... Ma résistance a des limites. Ne me laisse pas te succomber... Appelle un taxi, s'il te plaît.

Il n'a pas cherché à me forcer, ce dont je lui serai toujours reconnaissante.

— Très bien, a-t-il dit, et il a commandé un taxi. J'ai bien vu qu'il était aussi bouleversé que moi.

Pour une raison qui m'échappe encore, Carl s'est mis dans la tête qu'il est mordu de moi. Oh ! mon Dieu, quel crève-cœur de devoir abandonner ce grand lit si accueillant...

— Cette fois, Lucy, m'a-t-il assuré, sois certaine que je ne t'appellerai plus jamais. Ce serait malhonnête de notre part.

Puis il m'a embrassée sur la joue, et je suis partie.

Le concert était vraiment effrayant. Je crois que je n'ai jamais rien entendu d'aussi bruyant. L'ingénieur du son de la Bib m'a dit que ça passait mieux à la radio mais, pour le public, ça devait être l'enfer. Tous les concerts dans des stades ou des arènes devraient être interdits. Peu importe la qualité des spectacles, ça pourrait aussi bien être Elvis revenu d'entre les morts, si vous êtes placé à deux cents mètres de la scène dans cette espèce de hangar d'avion, vous devez l'avoir mauvaise. Les spectateurs semblaient pourtant prendre leur pied – ou alors, ils faisaient comme si. Après tout, ils avaient payé leur entrée assez cher.

A la fin du concert, ils avaient prévu une rencontre avec le prince, mais je n'ai pas pu y prendre part parce que le directeur de BBC Manchester m'a éjecté de la file d'attente. Peu importe. On doit se sentir un peu idiot dans ce genre de rencontre avec la royauté. Je suis sûr que le prince s'est senti idiot.

Tard dans la nuit ou tôt le matin, Joe, Woody et moi avons donc atterri au bar de l'hôtel. Je me suis forcé à ne pas trop boire, même si je me suis servi un peu plus que je n'aurais dû. Joe n'arrêtait pas de nous payer des tournées. C'est le point commun de tous ceux qui veulent arrêter de boire : ils sont très attentifs à ce que le verre de leurs invités reste toujours plein. Ils satisfont leur vice par procuration, ou ils ne veulent pas passer pour des rabat-joies, je ne sais pas. Quoi qu'il en soit, au moment où Joe allait me prendre une cinquième bouteille de Pils, je lui ai dit que j'essayais de lever le pied en ce moment parce que j'allais faire une analyse de sperme ces jours prochains.

— Ah, désolé, mec ! Procès en paternité ? J'ai connu ça. Putain d'ADN... Plus possib'de tirer un coup en passant, maintenant...

Me voici donc de retour chez moi, encore ivre et étrangement mal à l'aise. Furieuse contre moi-même d'avoir failli commettre une grosse bêtise, mais tout aussi furieuse de m'être raisonnée. Je sais que j'aurai une mine affreuse demain matin, même si je parviens à échapper à l'effroyable gueule de bois que j'ai méritée. Tout ce qu'il faut retenir de cette soirée, c'est que j'ai su résister à la tentation. Quoi que j'aie pu penser ou désirer, je n'ai rien fait. Enfin, presque rien. Rien de grave, en tout cas, et c'est là ce qui m'importe. Bon, je l'ai laissé me peloter les seins, c'est vrai, mais je préfère me mentir à moi-même et faire comme si rien ne s'était passé. Idem pour les baisers profonds. Même si, j'en conviens sans peine, j'aurais aimé qu'il me fende la marmotte pendant des heures et des heures, à m'en faire péter la cervelle. Ça ne s'est pas fait, et c'est très bien ainsi.

Ce que j'ai compris ce soir, c'est que je suis toujours passionnément amoureuse de Sam. Et ce n'est pas un effet de l'alcool ou de la culpabilité. Non, je le pense vraiment. Pas tout le temps, bien sûr, ni avec le potentiel érotique déployé par Carl. Toujours est-il que Sam me plaît et que je le désire encore. Je suis très sérieuse. Même si je suis saoule. Sam me fait tourner la tête. Pourquoi ? Parce que je l'aime. Or l'amour, c'est très important, il faut le défendre, le chérir de tout son cœur. On ne peut pas passer sa vie à sauter de lit en lit, à ne souhaiter jouir que des premiers jours d'une passion. C'est impossible. L'amour et la sécurité que procure une relation suivie, honnête et durable, ne se gagnent qu'au long cours. Ne pas être capable de résister à une grosse, grosse envie de s'envoyer un autre mec de temps en temps, je trouve ça vraiment nul...

Je ne sais pas pourquoi, je me sens tout d'un coup très proche de Sam. Je n'ai pas pu me retenir de l'appeler à son hôtel pour lui dire combien je l'aime. J'espère qu'il ne s'est pas aperçu que j'ai trop bu – moi qui, précisément, lui ai demandé de lâcher la pédale sur l'alcool dans la perspective de notre FIV (à laquelle, d'ailleurs, je n'ai pas pensé une seconde de la soirée, comme l'ignoble morue que je suis). Pourvu que Sam ne se doute de rien... Après tout, ce n'est pas la première fois que je l'appelle pour lui dire que je l'aime... C'est mon côté expansif. Oh, et puis merde.

Je ne me sens vraiment pas bien... Je crois que je vais prendre une aspirine.

Je viens de parler à Lucy, ça m'a fait plaisir. J'étais en train de me dire qu'elle me manquait terriblement quand le téléphone a sonné. Elle était adorable. Je ne l'avais pas sentie aussi tendre depuis une éternité. Sans doute la séparation. Ça ne nous arrive pas souvent.

En fait, j'ai de la chance. Beaucoup, beaucoup de chance. Je ne mérite pas Lucy. Elle est belle, elle est drôle, elle est passionnante, et moi je ne suis qu'un blaireau. Pire qu'un blaireau. Un salaud, le dernier des salauds, j'ai trahi sa confiance en écrivant ce scénar et, maintenant, je suis sur le point de la trahir une deuxième fois, un truc horrible, je ne peux même pas y penser, et encore moins l'écrire…

Ça ne fait pas trop délire d'alcoolo, j'espère…

Ma chère Penny,

Une semaine s'est écoulée depuis cette nuit funeste que je ne nommerai pas, et je commence seulement à m'en remettre. Pas facile de se défaire de cet étrange sentiment de culpabilité et de frustration car, de toute évidence, j'éprouve une forme d'attirance pour Carl. Il est probable que, dans un autre monde, j'aurais déjà refait ma vie avec lui. Mais je ne veux plus me mettre de telles idées en tête. Je dois penser à autre chose et mettre un point final à cette aventure sans lendemain. Je veux désormais me consacrer exclusivement à Sam, à notre amour. Par chance, nous sommes sur la même longueur d'ondes. Il règne entre nous une entente parfaite. Je ne sais pas à quoi ça tient. Peut-être ce projet de FIV… Peut-être aussi parce que, depuis tu sais quoi, je tâche d'être plus aimable… En tout cas, je crois que nous donnons l'image d'un couple heureux.

Sam n'y est pas pour rien, en fait. Il est devenu beaucoup plus positif. Pour un changement, c'est un changement. Ce n'est pas moi qui m'en plaindrai.

Je continue à sniffer mon spray nasal tous les soirs avant de m'endormir. Ça ne me gênerait pas si je n'étais obligée d'imposer à Sam cet épouvantable concert de cornemuse… Comment fait-il pour supporter mes reniflements et continuer à me trouver désirable, comme il ne cesse de me le répéter ? Bah, quelle importance,

puisque nous sommes privés de sexe pour le moment – quoique,
théoriquement, il n'y ait aucune interdiction formelle. De toute
façon, c'est moi qui n'en ai pas envie. Sans doute ce foutu traite-
ment hormonal qui commence à faire effet. Sans compter que je
préfère me réserver pour le jour J…

Cher moi-même,

Lucy est au lit, en train de renifler et de cracher comme une truie. Pauvre amour. Et fichu spray nasal. Je me suis réfugié dans la chambre d'amis, où j'écris ces lignes. Et je crois que je ne suis pas prêt de m'endormir. Car j'ai pris une grave décision.

Je vais lire le journal de Lucy.

Je suis obligé d'en passer par là pour améliorer mon scénario. Pour que l'histoire soit encore plus émouvante et que la voix de mon héroïne sonne juste. Si j'avais le temps, je m'en tirerais très bien tout seul. Je poserais des questions à Lucy, j'essayerais de lui soutirer tendrement des informations. Je lui ai déjà piqué pas mal de répliques. « Asseyez-vous donc sur ce tison, je vous prie, et surtout, tâchez de vous détendre ! » par exemple. Mais le temps presse. Dans les grandes lignes, le scénario est terminé, je n'ai plus qu'à choisir la fin.

Lucy comprendrait que j'accorde tous mes soins au personnage féminin, non ? Si.

J'ai essayé d'y jeter un coup d'œil pendant qu'elle prenait son bain. J'avais l'impression d'être un voleur (je sais, c'est exactement ce que je suis). Mais il y avait un verrou, évidemment. Elle s'est acheté un de ces carnets reliés plein cuir chez W.H. Smith. Je pourrais essayer de le crocheter mais ça bousillerait le verrou et je serais démasqué. Non, je vais aller m'en acheter un. Je suis sûr qu'ils ont tous la même clé. Ça me coûtera 5 livres maxi.

Je sais, cette situation est terrible, mais qu'est-ce que j'y peux ? Si je ne foire pas mon coup, mon film sort dans six mois. Le rêve de tout scénariste débutant. Courage, Sam. Tu n'as plus le choix.

Ma chère Penny,

Aujourd'hui, j'avais rendez-vous à Spannerfield pour un check-up.

Apparemment, le spray n'apporte pas tous les résultats escomptés. La méthode est trop lente. Il va donc falloir passer aux injections. Rien d'effrayant, juste deux petites piqûres dans la cuisse. Je pourrai me les faire moi-même. Chouette.

J'ai discuté avec une autre femme. Elle en était à son sixième essai ! J'avais de la peine pour elle. Elle est du Middle East, et rien n'est plus important à ses yeux que d'avoir un enfant. Dans certains milieux, la pression sociale est encore plus forte sur les femmes. Au moins, je n'ai pas ce poids sur mes épaules. Merde alors, il y a vraiment des sacrés connards ! Comme si ce n'était pas déjà suffisamment déchirant, pour une femme, de se découvrir stérile, sans que son mari la culpabilise par-dessus le marché !

Vraiment, j'ai de la chance d'être tombée sur Sam – mis à part le fait que nous nous aimons, cela va sans dire. Sam est un excellent mari, compréhensif à sa façon, mais toujours prêt à me soutenir, et il ne m'impose jamais aucune exigence. A propos d'exigences, je lui ai interdit d'absorber une seule goutte d'alcool ; je ne veux que du sperme de première qualité ! Je m'attendais à ce qu'il me fasse la gueule. Pas du tout : il avait l'air ravi. « Tes désirs sont des ordres ! » C'est à n'y rien comprendre.

Cher etc.,

Saloperie de bordel de chiotte ! Je déteste arrêter de boire. A un pot de départ, aujourd'hui, j'ai dû me servir un Coca light ! On a beau se dire : « Ça va aller, essaye juste pendant un mois », c'est une vraie galère. D'abord, Trevor organise un petit dîner, puis il y a ce concours de fléchettes au pub, et enfin ce plateau-télé qu'il est *impensable* de ne pas accompagner d'un bonne bière…

Mais bon, je vais tenir. J'aime Lucy et je ne vais pas la laisser tomber, surtout au moment où je m'apprête à lui jouer un sale tour. Je suis allé faire un tour au W.H. Smith à côté de la Maison de la Radio mais ils n'avaient plus le carnet de Lucy. Je tenterai ma chance ailleurs demain. Ma décision est irrévocable, même si Lucy se montre de plus en plus tendre avec moi depuis quelques jours. Notre relation a grimpé d'un cran dans l'affection. C'est peut-être son traitement hormonal ? Il a des effets secondaires franchement flippants. Et puis, Lucy doit se sentir fébrile parce que nous avons désormais une véritable chance que le traitement marche et, si ça se trouve, nous serons dans quelques mois en passe de devenir... parents !

Seigneur ! Nous sommes tellement habitués à voir les règles de Lucy tomber avec une régularité de métronome que cette nouvelle perspective demande quelques ajustements. Quand nous discutons, je rappelle toujours à Lucy que nos chances restent minces pour ne pas qu'elle se monte la tête... mais si jamais ça se produisait !

J'ai eu un aperçu de ce qui nous attendrait aujourd'hui. George et Melinda sont venus prendre le thé avec Cuthbert. Il marche à quatre pattes, maintenant – du moins quand il en trouve le temps, entre son caca, ses hurlements et son vomi. C'est fou ce que ce gars-là peut vomir. Il y a comme un flot constant de vomi laiteux qui sort de sa bouche sans dents. Il ne crache pas son vomi, il ne repeint pas les murs non plus – mais c'est tout le temps *là*, dégoulinant de ses lèvres. Autrement dit, il peut quand même repeindre les murs (et les meubles) parce que, maintenant qu'il se déplace à peu près partout, il colle sa bouche à tout ce qu'il croise et laisse ainsi sur son passage un sillage de vomi mousseux. George en a tout le temps sur les épaules, comme si planait sur lui en permanence (et de préférence quand il enfile sa veste toute neuve) la menace d'un escadron de mouettes furieuses.

Cuthbert s'est aussi illustré en détruisant la maquette d'un bombardier Lancaster que j'avais assemblée et peinte avec soin l'an dernier, quand j'étais malade. Une réplique parfaite, jusque dans les plus petits détails. Je m'étais même fait envoyer d'Allemagne la peinture beige « coquille d'œuf » pour la soute... J'étais persuadé d'avoir placé la maquette hors de portée de Cuthbert (« Tout ce qui a de la valeur à un mètre au-dessus du sol », m'avait prévenu Lucy). Mais Cuthbert semble pourvu d'une rallonge, un peu comme une table de salle à manger. Sans crier gare, il peut ainsi atteindre deux fois sa taille. On ne le voit jamais venir. Et, tout à coup, on entend un cri atroce, on se retourne et on retrouve le bébé parmi des éclats de verre, des débris de vase de Chine ou des morceaux de plastique (là, il s'était roulé dedans, les réduisant finement en miettes). Et *vous* devez alors le consoler. Ben voyons ! C'est peut-être lui qui a passé une semaine à coller les pièces une par une ?

Penny,

Je vais sans doute devoir t'écrire un peu moins souvent. Le but primitif de ces lettres, tu t'en souviens, était de renouer avec mes émotions, de devenir en quelque sorte leur « partenaire » et de ne pas me laisser ballotter comme un vulgaire bouchon sur les flots du destin... Eh bien ! je crois que j'ai définitivement cessé d'être ce bouchon. Aussi impensable que cela puisse paraître, je me sens beaucoup mieux depuis que j'ai entrepris ce cycle de FIV et que j'ai, enfin, pris ma destinée en main. Je suis même assez confiante, mais je préfère ne le dire à personne. Je sais que, selon les estimations, il n'y a qu'une chance de réussite sur cinq, mais je suis la candidate idéale, le dessus du panier : je suis encore jeune, voire très jeune pour une FIV, et je n'ai aucun problème de santé. Quant à mon mari, il me prépare une de ces béchamels dont il a le secret. Rien que de bons présages.

Ça ne me fait ni chaud ni froid de mettre en route un bébé de cette façon. Il y en a que ça angoisserait. Moi, c'est exactement l'inverse : j'y consacre toutes mes forces.

J'en ai parlé à Joanna. Sa réaction ne m'a pas surprise. Elle a pris un air stupéfait et m'a répondu en hochant la tête : « Waow... C'est extraordinaire. La médecine finira par remplacer Dieu. » Dans sa bouche, ce n'était pas une remarque perfide, bien au contraire. Joanna est même toute disposée à m'encourager. Malgré tout, ça m'a froissée. La plupart des gens pensent encore que la FIV est une méthode de procréation artificielle fondamentalement contre nature. C'est sans doute vrai. Et qu'est-ce que ça change ? Ce n'est pas plus « naturel » de prendre des antibiotiques ou de monter en avion ! Si l'on ne soignait pas les dents des enfants, elles finiraient par tomber avant l'âge de trente ans, et s'il fallait cracher sur les vaccins, nous serions tous déjà morts d'une angine... Rien de ce que nous faisons n'est naturel ! Mais qui se soucie de manger des pommes hors saison ? Qui répugne à l'idée de pouvoir téléphoner en Australie ? Qui s'indigne de faire Highgate-Spannerfield (West London) en moins d'une heure (dans des conditions normales de circulation) ? Par contre, dès qu'on touche à la grossesse, c'est tout de suite les hauts cris ! Mais je ne m'en laisserai pas conter. Car la FIV, en fin de compte, qu'est-ce que c'est ? C'est la rencontre programmée d'un ovule et d'un spermatozoïde hors du corps. C'est mon ovule, et c'est le spermatozoïde de Sam. Si cette rencontre se produit, c'est dans mon corps que le développement suivra son cours. La médecine se contente de recréer les conditions optimales de la conception, mieux que n'y parviendra jamais ma tuyauterie interne. C'est un peu comme une césarienne, mais à l'envers. Des millions de femmes sur cette planète ne peuvent donner le jour à leur bébé que grâce à cette intervention, sans que personne ne s'en choque. Pour moi, l'opération consiste au contraire à replacer le bébé dans mon ventre, voilà tout. C'est ce que j'ai dit à Joanna. « Pardon, je ne voulais pas te vexer... », m'a-t-elle répondu. « Mais tu ne me vexes pas, Joanna ! » En fait, j'étais réellement vexée. Je n'ai pas besoin qu'on me regarde d'un air ahuri, comme si j'étais une bête curieuse, chaque fois que j'évoque ma FIV. Je n'ai pourtant pas l'impression de me livrer à une expérience monstrueuse...

Je viens de me faire mon injection quotidienne dans la cuisse. Sam ne le supporte pas. Il préfère regarder ailleurs. Comme si je le faisais par plaisir... Il fera une autre tête quand je lui demanderai de me faire mes injections dans le derrière ! Ça devrait lui donner à réfléchir. Mais peut-être est-ce le spectacle de mes cuisses qui le dégoûte... Il faut reconnaître qu'elles ne sont pas belles à voir. Pleines de petites ecchymoses, comme de minuscules morsures de Lilliputien. C'est à cause des piqûres. Peut-être que je ne m'y prends pas bien comme il faut...

Cher Sam,

Nigel et Justin m'ont encore demandé où en était la fin. Ils voudraient la voir le plus tôt possible. Je leur ai dit que j'y travaillais mais que je ne savais pas quand ce serait terminé. Lucy et moi terminons notre cycle de FIV dans quelques semaines et je préfère ne pas choisir une des deux fins avant de connaître nos résultats. Ça nous repousserait au mois prochain. Ils n'ont pas apprécié, mais je suis resté ferme. A mon grand étonnement, c'est Ewan qui se montre le plus substil dans cette histoire. Il dit qu'il ne s'agit que d'une scène sur une centaine et que, puisque tout le film repose sur le doute, l'attente, l'angoisse, il aime assez l'idée de laisser planer l'ambiguïté le plus longtemps possible jusqu'au dénouement. Il ajoute que, de cette façon, les acteurs partageront les mêmes angoisses que leur personnage. Merci du fond du cœur, Ewan.

J'ai à présent en ma possession quatre carnets achetés chez W.H. Smith. L'un d'eux a forcément la clé qui m'ouvrira le journal de Lucy. Demain, quand elle sera partie travailler, je rentrerai à la maison et je lirai son histoire.

Ma chère Penny,

Je n'avais pas l'intention de t'écrire ce soir, mais Sam s'est comporté de façon si curieuse que je ne pouvais pas garder ça pour moi. Ça a commencé quand je suis rentrée du bureau. J'ai immédiatement senti que quelque chose ne tournait pas rond. Sam était tour à tour brutal, presque colérique, et l'instant d'après affectueux et câlin comme un ourson. Lui qui, d'habitude, n'étale guère ses émotions, voilà qu'il me les offrait toutes à la fois sur un plateau ! Serait-ce ses hormones qui le travaillent ? J'ai entendu dire que, lorsque leur femme est enceinte, certains hommes, par une sorte d'empathie, se mettent à présenter les mêmes symptômes, à éprouver les mêmes sensations qu'elle. Qui sait ? Peut-être en va-t-il de même pour la FIV…

Moi-même, je ne me sens pas vraiment dans mon assiette. Je commence à avoir des bouffées de chaleur. Sans doute les premiers effets pervers des injections, dont le rôle, en quelque sorte, est de bâillonner mon système reproducteur pour laisser la médecine prendre le relais. C'est proprement incroyable… voire vaguement inquiétant. Car que font-ils d'autre, en somme, que provoquer une ménopause avant la lettre ? N'est-ce pas charmant ?

219

Cher Sam,

Je suis effondré. Je ne sais plus quoi penser. On raconte que les espions n'entendent jamais dire du bien d'eux. Les lecteurs de journaux intimes non plus.

Lucy est passée tout près d'avoir un amant !

Je suis terrassé. Sur le cul. C'est, et de très loin, la dernière chose à laquelle je m'attendais de sa part.

En plus, je suis obligé d'enrager en silence. Je ne peux pas lui en parler car j'ai découvert l'ignoble vérité de la plus ignoble des façons. Et même si je pouvais, qu'est-ce que je lui dirais ? Je n'arrive pas à rassembler mes pensées. Bien sûr, d'un côté je suis ivre de jalousie. La vision de ce fils de pute de Carl Phipps rôdant autour de ma femme, essayant de se la faire et réussissant à la peloter, même brièvement, me fait bouillir les sangs. Je suis livide. Je voudrais casser la gueule à ce bellâtre et dire à Lucy ce que j'ai sur le cœur.

En même temps, elle était bourrée et elle ¬ l'a pas fait. Un verre dans le nez, une star qui l'a toujours fait fantasmer et qui lui mettait une pression terrible (le fils de pute, le fils de pute !) – et pourtant, elle s'est retenue. Elle l'a repoussé parce qu'elle m'aimait. Aurais-je eu le même cran ? Moi qui suis capable de lire le journal intime de la femme que j'aime ? Soyons lucide : je suis ivre mort, allongé sur le lit de Winona Ryder, elle se désape, me propose une partie de jambes en l'air jusqu'au bout de la nuit, est-ce que je la repousse ?

C'est pour ça que je me sens bizarre. Je suis tiraillé entre la colère et l'exaltation, à l'idée qu'après toutes ces années passées au côté d'un ours comme moi (son carnet est plus qu'explicite à ce sujet), Lucy m'aime autant qu'au premier jour, à tel point qu'elle se refuse le premier écart qui se présente à elle.

A présent, je me sens plus serein et plus amoureux.

Sans compter qu'avoir découvert qu'elle a failli me trahir m'ôte quelques scrupules quant à ma propre trahison. Un partout, balle au centre.

Ma chère Penny,

Je ne me sens vraiment pas bien... Je comprends ce que Maman a dû ressentir il y a quelques années. Ses brusques changements d'humeur ne m'étonnent plus. Et dire que je n'ai même pas le droit de me coller des patches HRT[1] sur le cul !

Sam aussi paraît chaviré, comme en proie à des sentiments contraires. Il m'embrasse d'abondance, pour aussitôt me lancer des regards de fou, comme un homme jaloux... mais jaloux de quoi, de qui ? Des médecins, désormais seuls responsables de mon corps, qui cantonnent mon mari dans un rôle accessoire de badaud ? Jaloux de me savoir livrée au viol de mon intimité ?

Cher Sam,

J'ai fini le journal de Lucy et... c'est génial. Exactement ce dont j'avais besoin. Bourré de trucs marrants et de passages émouvants. Pas évident à lire puisque je suis la cible de la plupart de ses piques mais, au final, je ne m'en tire pas si mal. Je me sentais nul, non seulement de le lire, mais aussi parce que, de toute évidence, je me suis souvent mal comporté avec elle. Dorénavant, j'essaierai d'être plus à l'écoute de ses désirs. Peut-être la découverte ahurissante de sa quasi-infidélité et la douleur que j'en ressens m'y aideront-elles. Je n'aime pas ces histoires de destin mais, si ça se trouve, il était écrit que je découvrirais cet incident et qu'il me permettrait de remettre de l'ordre dans notre couple avant qu'il ne soit trop tard.

A côté de ça, j'ai recopié des tonnes de citations qui vont me permettre d'améliorer mon scénar. Compte tenu de l'importance du matériau utilisé, Lucy pourrait même figurer au générique en tant que coauteur. Ce qui signifie que je lui en aurais parlé. C'est inévitable. Oh, mon Dieu ! Comment vais-je lui présenter ça ?

Ma chère Penny,

Sam m'a accompagnée à l'hôpital aujourd'hui pour retirer mon stock d'aiguilles et de doses.

---

1. Hormone Replacement Therapy : compléments hormonaux (N.d.T.).

Sans vouloir noircir le tableau, les deux derniers jours m'ont paru assez pénibles. Après m'avoir fait la gueule pendant toute une soirée, Sam est redevenu un ange. Il fait tout ce qu'il peut pour se rendre aimable ; heureusement, car j'ai le moral presque à zéro. Il m'est d'un grand soutien. Qui plus est, son travail semble enfin lui donner entière satisfaction ; un vrai soulagement pour moi, car sa négativité finissait par me peser. En même temps, je dois confesser que je ne vois pas ce qui peut l'enthousiasmer à ce point... Ce matin, sur la route de l'hôpital, une chanson de Charlie Stone passait à la radio ; j'ai été frappée par le fait que je n'avais jamais rien entendu de plus puéril. Sam était bien d'accord avec moi. Pourtant, il avait l'air complètement subjugué. Je lui ai demandé par quel maléfice cette misérable chanson pouvait l'absorber à ce point. « Ce n'est rien, je... je réfléchissais. » Je vais finir par croire qu'il me cache quelque chose. Mais après tout, j'ai d'autres chats à fouetter. Il a droit à son jardin secret, et moi au mien. A propos de jardin secret... j'ai du mal à croire que l'épisode Carl Phipps se soit réellement produit. Comment ai-je pu me comporter de façon aussi lamentable ? Dire que j'ai bien failli sacrifier le peu que je possède... Je ne m'en blâmerai jamais assez, surtout depuis que notre FIV est sur les rails. Cette fois-ci sera-t-elle enfin la bonne ? Je ne voudrais pas nourrir de faux espoirs, mais je suis tentée de le croire...

Sam,

Je peaufine les derniers détails de mon scénario relatifs à la FIV. Pas le *dernier* détail – je n'y arrive toujours pas –, mais le résultat global me plaît bien. Ewan et le reste de l'équipe sont du même avis. Réunion de travail très fructueuse chez lui, l'autre soir. Morag, son épouse, nous a préparé un dîner succulent et a fait des remarques très pertinentes sur le scénario. C'est une splendide Écossaise, presque irréelle, avec des yeux verts, des taches de rousseur et une incroyable crinière blonde. Très séduisante. Mais elle n'arrive pas à la cheville de Lucy. Aucune femme n'arrive à la cheville de Lucy. C'est sans doute atroce à dire, mais l'électrochoc Phipps m'a *rappelé* combien Lucy était désirable. D'accord, je le savais, mais peut-être l'avais-je trop tenu pour une chose acquise. Être confronté au désir que d'autres hommes pouvaient avoir de Lucy m'a tiré de mon indifférence et m'a montré combien je devais m'estimer heureux.

J'aime Lucy de tout mon cœur. Plus que jamais auparavant. Et pas seulement parce que, grâce à elle, mon scénario est devenu béton.

Ewan trouve les nouveaux ajouts hilarants – en particulier tout ce qui concerne les piqûres. Il paraissait sincèrement heureux de pouvoir montrer à l'écran une aiguille qui ne soit pas remplie d'héroïne. L'idée lui semblait incroyablement audacieuse.

— Tellement nouveau ! Ça fait des années qu'on n'a pas vu ça ! Quoique... je me demande si on ne laisse pas filer un bon ressort comique, là. Est-ce qu'on pourrait imaginer que, à la suite d'une erreur de manipulation, les médicaments de la FIV se mélangent à la came de Colin et que Rachel s'injecte en réalité une dose d'héro ?

Il y a eu un silence gêné. Comme après un malentendu. J'ai répondu à Ewan que ce serait sans doute très drôle, à ceci près que mon héros ne se drogue pas. Ewan a accueilli la nouvelle avec un réel étonnement.

— Ah bon ? Mais c'est *fascinant*, ça... Et ces histoires d'injections dans le cul, d'entraînement sur une orange, c'est vrai ?

J'ai hoché la tête. Lucy et moi avons commencé pas plus tard qu'hier. Ewan a pris à témoin George et Trevor, s'extasiant sur le fait que des hommes et femmes adultes aient besoin qu'on leur *apprenne* à se servir d'une seringue. Sourire surpris et yeux écarquillés des deux intéressés. Quels faux-culs ! Trevor sait manier une seringue à cause des crises de Kit, mais aucun d'eux n'a jamais touché aux drogues dures (un peu d'ecstasy pour Trevor, et encore) ; quant à George, ses seuls paradis artificiels sont le scotch et la bière. Nous sommes vraiment des ploucs de base !

Ma chère Penny,

Ça y est, Sam vient de m'administrer une première injection dans la fesse. Après un dernier exercice sur une orange, il s'est résolu à pratiquer sur cible réelle. Je n'ai eu qu'un mot, le même qu'à l'hôpital, lorsque nous avons découvert les aiguilles en question : « Mais… cette saloperie fait bien dix centimètres de long ! » Normal, nous a expliqué le docteur, c'est une aiguille pour injection intramusculaire. Moi, j'appelle ça un estoc, un harpon, un javelot ! Sa place est au musée de l'Armée. Dix centimètres, au moins !

Ewan s'est montré impatient de connaître tous les détails de l'opération. Je lui ai expliqué que les injections intramusculaires de substance hormonale provoquent chez la femme une sorte d'hyperovulation, multipliant le nombre d'ovocytes dans une proportion excessive. C'est assez éprouvant physiquement et moralement – sans parler de l'aiguille de dix centimètres qu'on doit se prendre dans le cul.

Ewan et Morag m'ont adressé un sourire plein de compassion.

— C'est clair. A mon avis, c'est une scène emblématique de tout le film. Tiens, et si on l'intitulait : *Mon cul est une orange* ?

A mon désespoir, la proposition d'Ewan fut accueillie par Nigel, Justin et Petra avec force hochements de tête. Même Morag (que j'avais crue jusque-là sensée) a murmuré : « Excellente idée. » J'allais devoir lutter seul contre tous.

— Oui, excellente, sauf que le film s'appelle *Maybe Baby*.

— Pour l'instant, a lâché Ewan.

Je me suis tourné vers George et Trevor dans l'attente d'un soutien mais ils étaient plongés dans la contemplation de leur verre.

De toute façon, pas moyen d'y échapper. Il fallait en passer par là. Sam était presque aussi nerveux que moi. Il a fébrilement chargé l'arme fatale avec une ampoule de solution hormonale, puis il l'a tapotée pour s'assurer qu'il n'y avait plus d'air dans le réservoir. Question de vie ou de mort, paraît-il. Très rassurant.

— Prête ?

— Sam, cette saloperie mesure au moins dix centimètres…

— Ne compte pas sur moi pour la raccourcir… Et maintenant, à nous deux !

Mon heure avait sonné. Jupe levez-vous, culotte baissez-vous ! Et me voilà, cul tendu, retournée contre le lit comme une suppliciée, n'attendant que le bon vouloir de Sam, sa baïonnette à la main… Quelle humiliation ! Je l'ai senti me dessiner une croix sur la croupe droite avec un tampon d'ouate imbibé d'alcool. Quart supérieur, côté hanche : la leçon était bien apprise. De cette façon, théoriquement, on ne risque pas d'embrocher un centre nerveux et de paralyser le patient à vie. Très rassurant, ça aussi.

Attention... A la une, à la deux, à la trois ! Le grand plongeon. Le geste doit être net, précis, déterminé, comme si l'on tenait un crayon ou une fléchette. Sam a été parfait, je n'ai pratiquement rien senti... jusqu'à ce qu'il appuie sur le poussoir pour injecter le cocktail d'hormones. Très désagréable, mais supportable.

Je me suis redressée pour respirer un grand coup. Sam était tout pâle. Il m'a dit en blaguant : « Si je n'étais pas en cure de désintox, je crois que je n'aurais pas volé un petit remontant ! » J'ai l'impression que toutes ces épreuves nous rapprochent.

En fin de soirée, après avoir quitté les Proclaimer, j'ai reproché à George et Trevor de m'avoir lâché sur le choix du titre.

— Allez, quoi, Sam, *Maybe Baby*, c'est un jeu de mots à deux sous, non ? On a passé des années à la Bib à couper ce genre de calembours foireux, tu ne t'attendais tout de même pas à ce qu'on le laisse passer ?

George est un vrai salaud, parfois.

— Ça te plaisait bien, avant.

Une moue désinvolte.

— Oui oui, avant...

Avant qu'un jeune metteur en scène à la mode maqué à un studio hollywoodien dise qu'il n'aimait pas. Bon sang, je n'aurais jamais cru George si malléable. Et tellement ébloui par les feux de la renommée...

Et maintenant, au dodo. Sam, assis à la coiffeuse, écrit son journal. Jamais je n'aurais cru qu'il s'y consacrerait autant. Je me demande s'il me laissera le lire un jour. Ce ne serait pas très honnête de ma part, mais j'aimerais bien y jeter un œil... Plus tard, peut-être, quand nous serons plus sûrs de notre amour, j'oserai lui demander la permission... L'inverse est inenvisageable. Je ne le laisserai jamais lire le mien – en tout cas, pas avant d'avoir rayé le chapitre Carl Phipps. Staline a bien réécrit l'histoire de la Révolution... Chacun sa conception du révisionnisme.

Il faudra que je pense à mieux protéger mon journal. Aujour-
d'hui, je l'ai retrouvé ouvert dans mon tiroir... J'ai dû oublier de
le fermer à clé hier soir. Pourtant, je vérifie toujours... Aurais-je
négligé de donner un tour de clé complet ? Dieu merci, Sam n'est
pas tombé dessus. Tel que je le connais, il n'aurait pas résisté à
l'envie d'en lire quelques pages. Il est tellement malhonnête... Je
suis sûre qu'il n'hésiterait pas une seconde. Je ne sais pas ce que
j'aurais fait à sa place...

Après la discussion sur le titre, où j'ai fini par avoir le dernier mot, nous sommes revenus sur la scène de la piqûre dans les fesses. Nigel voulait couper « Espèce d'enculé ! », qui me paraissait plutôt intéressant vu les circonstances (en outre, m'entendre reprocher une vulgarité de la part d'un type qui me demandait d'en remettre une couche sur les gags scabreux dans nos shows télés du samedi soir, c'est un peu fort de café).

D'accord, je reconnais que ce n'est pas une sortie très élégante, mais toute la scène frise le mauvais goût. Colin est penché sur l'arrière-train de Rachel, brandissant une seringue, il se rappelle que l'infirmière lui a conseillé de frapper vite, sans trembler, alors il plante l'aiguille, Rachel hurle et il s'évanouit. Quand il se réveille, elle crie : « Espèce d'enculé ! » Je trouve ça pas mal, une ou deux répliques violentes dans la bouche d'une femme. Assez féministe, même.

Mais Nigel persiste à ne pas trouver ça drôle et George, toujours aussi chiant, prétend que c'est le genre de chute que j'aurais coupée dans un autre scénar.

Le ton est monté et je m'apprêtais à répliquer quand Ewan m'a vraiment fichu la trouille.

— On s'en fout, de toute façon. On n'entendra pas le dialogue, il y aura du *death metal* en fond sonore. Je mets toujours du *death* dans mes scènes de piqûres. C'est un peu ma signature. Vous connaissez ce groupe de Boston, les One-Eyed Trouser Snake ? Ça collera parfaitement.

Un peu inquiétant, ça, mais qu'est-ce que j'y peux ? Tout le monde sait que, dans un film, le scénariste se situe, par ordre d'importance, juste après le chat de la maquilleuse.

On aborda ensuite la question du casting.

— La fille, déclara Ewan à Nigel, dans les vingt-deux, vingt-trois ans.

J'intervins aussitôt pour dire que, dans mon esprit, elle devrait avoir une petite trentaine. Ewan *éclata* de rire ! Devant mon regard furieux, il entreprit de s'expliquer.

— Écoute, Sam, il ne faut pas que le spectateur fasse une fixette sur l'âge de la fille. Tout ce qu'on veut, c'est qu'elle soit baisable, non ? Alors voilà, on fait un *deal* : ce sera une actrice de vingt ans qui paraît plus vieille ou de vingt-huit ans qui paraît plus jeune.

Que répondre à ça ? Le pragmatisme – le cynisme – d'Ewan m'avait cloué le bec. Mais le pire était à venir.

— Et Colin ? demanda Nigel.

— Je pensais à Carl Phipps.

Ils devront d'abord me passer sur le corps. Je ne peux rien écrire de plus.

Ma chère Penny,

Aujourd'hui, j'ai vu Carl Phipps pour la première fois depuis ce qu'il est désormais convenu d'appeler « cette fameuse nuit ». Je savais que ça finirait par arriver tôt ou tard, mais ça m'a quand même fait un choc. Il ne suffit pas de décider qu'on ne fréquentera plus du tout certaines personnes pour qu'elles cessent soudainement de vous plaire ou pour qu'elles vous deviennent insupportables. Je ne saurais dire si ces « retrouvailles » l'ont autant troublé que moi, car nous avons soigneusement évité de nous regarder.

Il était simplement venu parler à Sheila du scénario qu'elle vient de recevoir, pour un film à petit budget coproduit en grande partie par la BBC. Elle pense que ça vaut peut-être la peine de briguer le rôle principal :

— Le script est très sympa. Même si, pour une raison que j'ignore, il est inachevé. Je ne sais pas qui est l'auteur, mais il paraît qu'Ewan Proclaimer est intéressé : on peut difficilement faire plus tendance.

Carl a voulu connaître le thème du film.

— C'est un couple stérile qui...

J'ai failli tomber à la renverse.

— C'est le thème porteur du moment... Lucy, toi qui connais un peu le sujet, veux-tu jeter un coup d'œil sur le script ? Tu n'auras qu'à dire à Carl ce que tu en penses.

Je suis devenue toute rouge, d'un rouge si profond qu'il n'a pas encore de nom scientifique.

— Merci bien, ai-je répondu aussi dignement que possible. Je crains de ne pas y apprendre grand-chose...

Les auditions pour le rôle de Rachel se sont déroulées aujourd'hui, dans une sorte de salle des fêtes sur Tottenham Court Road. Expérience très intéressante et au moins autant déroutante, car le directeur de casting s'était focalisé sur le bas de la fourchette définie par Ewan. Derrière une longue table à tréteaux étaient assis Ewan, Petra, une assistante aux cheveux bleus et un jeune type nerveux à catogan, l'assistant-metteur en scène. Trevor est passé mais est reparti presque aussitôt, sous prétexte que George et moi étions insupportables.

— Écoute, mon vieux, a commencé George, trop content de titiller Trevor, nous, quand une fille nous plaît, on se contente de la regarder. On ne va pas se l'envoyer derrière un arbre sur Hampstead Heath.

— Et *nous*, on ne fait pas tous comme ça, a lancé Trevor – qui devrait apprendre à ne pas être aussi réactif à propos de sa sexualité.

Ewan avait choisi un des monologues de Rachel, tiré mot pour mot du journal de Lucy. C'est la scène de la séance de visualisation. Deux ou trois comédiennes en ont tiré quelque chose de génial.

— Je connais des mégères qui en ont des tas. Pourquoi ? C'est injuste ! Je sais que c'est mesquin de dire ça, mais je suis persuadée que je ferais une bien meilleure mère que ces femmes qui, au supermarché, laissent leurs enfants entasser des paquets de bonbons dans le chariot sans rien dire. C'est comme ces gens, aux infos, qui semblent n'avoir d'enfants que pour les laisser semer la terreur dans les cités et devenir des chefs de bande ou des multirécidivistes. Tant d'injustice, c'est insupportable... Moi, mon enfant, je lui lirai des histoires de Beatrix Potter et de Winnie l'Ourson, *et quant à la colle, il ne connaîtra que l'odeur de la pâte à sel.*

Entendre ça dans la bouche d'une inconnue était à la fois enivrant et déchirant. Ça fonctionne tellement bien ! Et c'est tellement la voix de Lucy, les sentiments de Lucy... J'ai commis l'irréparable. Pendant que je regardais ces filles de dix ans plus jeunes que Lucy, je me sentais gêné. Mais le mal est fait. Je suis sûr que ça finira par nous être bénéfique à tous les deux. Et je ne peux plus faire marche arrière.

George était bluffé.

— Superbe tirade, Sam. C'est vraiment une femme qui parle. Là, tu as mis le doigt sur quelque chose...

Je me suis senti ragaillardi. Et accablé.

Il me suffirait de tout dire à Lucy pour que... Non, je ne peux pas. Pas tant que cette histoire de FIV lui chamboule les hormones. Et si elle m'interdisait d'aller plus loin ? Avec toutes les dépenses qui ont déjà été réalisées, la BBC pourrait me traîner en justice. De toute façon, elle a menacé de me quitter si je mettais à exécution mon projet de film. Comment pourrais-je lui dire la vérité ?

Une fille s'est fait tout particulièrement remarquer. Elle s'appelle Tilda. Pourquoi toutes ces actrices ont-elles des noms aussi ridicules ? Darcy, Tilly, Saskia, etc. En plus, je ne crois pas qu'elles les ont inventés, ce sont leurs vrais prénoms ! Comme si leur mère savait qu'elles deviendraient comédiennes et les avait baptisées en conséquence ? Ou c'est encore autre chose : à l'école, une gamine nommée Darcy ne peut être qu'une grande gueule, et il ne lui reste plus d'autre orientation que le théâtre et le cinéma.

En tout cas, Ewan partageait mon opinion sur Tilda – même si, comme toutes les autres candidates, elle était ridiculement jeune pour le rôle.

Pendant qu'elle faisait son bout d'essai, il n'a même pas levé les yeux du scénario, pour montrer combien il était concentré et professionnel. Il n'y a pas à dire, le pouvoir corrompt et le pouvoir absolu corrompt absolument. Et dans quel autre métier détient-on un pouvoir aussi absolu que dans celui de metteur en scène ? Les metteurs en scène règnent en tyrans sur leur minuscule univers, et leurs interprétations d'un texte, même très... atypiques, sont rarement contestées. Surtout par une charmante débutante de vingt et un printemps.

— OK, Tilda. Bon, alors tu vois, si on prend l'histoire dans sa globalité, il me paraît capital de souligner le fait qu'en dépit des angoisses de Rachel à propos de sa fertilité, elle demeure un être fondamentalement sensuel et sexuel. Tu me suis?

Je sentais Tilda déstabilisée. J'étais déstabilisé.

— Euh… Oui, je crois… Vous pourriez préciser?

— Eh bien! si on considère le thème central du film, il paraît impossible que, pour cette tirade, on ne voie pas les seins de Rachel.

J'étais aussi stupéfait que Tilda. Son visage a viré pivoine, elle a avalé sa salive et répondu:

— Bon… si le rôle le justifie… ça ne me pose pas de problème…

— Parfait, a lancé Ewan d'une voix indifférente.

Pendant un moment, je crus qu'il allait lui demander de se dévêtir tout de suite. George se rengorgeait de plaisir par anticipation. Dieu merci, il n'en fit rien. Je ne discute jamais les goûts de chacun en matière de beauté féminine, mais il y a des limites.

— Merci, nous vous recontacterons, annonça l'assistant.

Tilda battit en retraite aussi vite qu'elle le put. Terrible, tout de même, cette règle implicite qui veut qu'à notre époque, quel que soit le film, l'actrice principale doit, à un moment donné, montrer ses seins. Je suis prêt à parier que, s'ils font un jour un remake du *Magicien d'Oz*, ils s'arrangeront pour qu'au moment de l'ouragan, la petite Judy soit sous sa douche ou, à tout le moins, porte une robe transparente. Certains metteurs en scène soucieux d'équité s'efforcent de placer en contrechamp un gros plan sur des fesses masculines, mais ce n'est pas pareil. Je doute que des femmes se relèvent la nuit pour glisser la cassette dans le magnétoscope et se mater des arrêts sur image au moment où le héros tombe le peignoir.

Je viens de relire les quelques pages qui précèdent et je m'aperçois que je fais de plus en plus souvent référence aux belles femmes. Sans doute s'agit-il là d'un des symptômes de notre absence complète de vie sexuelle, à Lucy et à moi. Je commence sérieusement à ronger mon frein, mais c'est la vie. Et c'est aussi l'ironie de la vie: pour avoir des bébés, les couples comme nous, les couples stériles, les couples « in vitro », doivent cesser de faire l'amour.

Ma chère Penny,

Druscilla a mis au point un nouveau plan. J'ai presque honte de l'écrire. Elle s'est pointée à l'agence ce midi comme une furie, en brandissant une carte routière du Dorset et un horaire des chemins de fer. Voilà donc ce que Sam et moi sommes censés faire : nous rendre à Cerne Abbas, dans l'Ouest du pays, marcher jusqu'à la colline voisine, à la sortie du village, nous défroquer, puis nous prosterner sur le phallus du géant de craie dessiné sur la pente[1] par nos lointains ancêtres et – ne me dis pas que tu avais deviné – nous livrer à une copulation rituelle. Rien à voir avec Primrose Hill : l'endroit est incomparablement plus spirituel, et hautement propice à la fertilité ! Des centaines de couples s'y donnent rendez-vous chaque année, avec des résultats bien supérieurs à la FIV. Les nuits d'été, on fait la queue jusqu'au village ! Le druide du coin est obligé de bénir un des gros orteils du géant pour servir de lupanar d'appoint ! Logique : selon Druscilla, les pieds sont directement connectés aux parties génitales (du moins en réflexologie). Il n'y a donc aucune raison de ne pas prendre son pied… sur le pouce.

Va savoir pourquoi, l'idée de faire la queue, à poil, parmi une théorie de hippies, pour me faire enfiler sur un phallus antédiluvien encore tiède du précédent coït ne m'a pas entièrement séduite. Druscilla prétend au contraire qu'il se dégage, lors de ces liturgies païennes, une prodigieuse force collective. Les couples qui se rencontrent à Cerne Abbas deviennent souvent copains pour la vie. On les retrouve faisant le tour de l'Inde en camping-car, quand ils ne se sont pas convertis à l'échangisme. Dans le pire des cas, ils s'envoient au moins une carte pour le solstice d'hiver. « C'est à toi de voir, m'a dit Druscilla. Qu'est-ce que tu aimes mieux ? Faire la queue avec une bande de hippies en rut ou abandonner ton corps à un gang de savants fous intergalactiques ? »

---

1. Le géant de craie de Cerne Abbas, qui mesure près de 55 mètres de haut, est représenté en érection, brandissant une massue au-dessus de sa tête. Sa signification n'est pas précisément connue (N.d.T.).

Je lui ai répondu qu'ayant engagé une procédure de FIV, je me voyais mal l'interrompre en cours de route. Les mânes des Anciens attendent depuis la nuit des temps que Sam et moi nous décidions à nous frotter le lard sur une immense biroute crayeuse; ils peuvent bien patienter encore un peu! Je lui ai promis que je saurais m'en rappeler le moment venu. Je lui ai même pris ses horaires de trains, au cas où. Ça ne m'engage à rien, puisqu'ils seront caducs dans un mois ou deux. Depuis que le rail est privatisé, ils n'arrêtent pas de les modifier. On ne s'y retrouve plus d'une semaine sur l'autre.

Bon. Voici ma décision: si la FIV échoue (ce qui, statistiquement, est le plus probable, même si j'ai bon espoir), d'accord pour un aller-retour dans le Dorset. Ça nous fera toujours quelques jours de vacances, en amoureux. Après tout, notre nuit sur Primrose Hill ne nous a laissé que de bons souvenirs (mis à part certain rongeur importun...). Ça pourrait être rigolo de faire le tour des sites les plus fertiles de Grande-Bretagne et de s'envoyer en l'air aux quatre coins du pays...

Cher Sam,

Journée de travail assez pénible sur le film. Nouvelles auditions, pour le rôle de Colin cette fois-ci, et bien sûr cette enflure de Carl Phipps faisait partie des candidats. C'était horrible de rester assis sans rien dire pendant que ce bellâtre satisfait, ce peloteur de femmes mariées récitait *mes répliques*. J'avais l'impression qu'il tenait encore dans les mains les seins de Lucy et que... mais non, je ne dois pas me prendre la tête là-dessus, ça me fait sortir de mes gonds et je sais que je n'ai pas le droit de monter sur mes grands chevaux. Reste que je lui aurais quand même bien cassé la gueule.

Nous faisions passer les comédiens un par un et non par lots, comme nous avions procédé avec les filles. Ce tact s'explique par le fait qu'Ewan veut « une pointure » pour le rôle. A ce propos, j'ai remarqué que, malgré ce que prétendent les professionnels, le cinéma n'est pas épargné par le sexisme. C'est la terrible loi du marché. Il y a beaucoup moins de rôles intéressants pour les femmes que pour les hommes, donc elles sont plus vulnérables et acceptent des salaires moins élevés et des conditions de travail plus difficiles.

Ewan avait choisi la scène où Colin reçoit les résultats de son analyse de sperme. Voir cette scène interprétée était une expérience troublante. L'assistante aux cheveux bleus lisait les répliques de Rachel. Elle portait un jean taille basse qui laissait voir la naissance de ses fesses – et le petit dragon chinois qu'elle y avait fait tatouer. Elles m'étonneront toujours…

— *Nagent dans la mauvaise direction : 41 %,* lut-elle de cette voix triste qu'ont souvent les personnes qui récitent par cœur.

Carl Phipps l'ignora et, s'adressant directement à Ewan :

— *Mes spermatozoïdes sont idiots !* cria-t-il (beaucoup trop fort à mon goût ; tout le monde peut crier). *Ils nagent à contre-courant dans ma bite depuis des années. Ils sont paresseux, ils se traînent, ils ne savent même pas où aller ! On dirait un pub à l'heure de la fermeture !*

Ewan éclata de rire, assez logiquement puisque je trouve la réplique très drôle. Mais le jeu de Phipps était abyssal. De la pure merde. Taillé à la hache dans le plus solide ébène. Un véritable scandale écologique, avec la disparition de la forêt amazonienne. J'en fis part à George.

— Ah bon ? Moi, j'ai trouvé ça plutôt convaincant. En revanche, le gag est un peu téléphoné. Pas la peine d'appuyer autant tes effets. Fais confiance au public.

Décidément, George grimpait chaque jour un peu plus au classement du plus beau salopard.

— Superbe, Carl, superbe ! s'exclama Ewan.

— C'est vraiment sympa à vous d'avoir accepté de venir passer ce bout d'essai, ajouta Justin.

J'oubliais : en tant que star au talent incontesté, Carl n'aurait pas dû, en temps normal, se plier à un exercice aussi ingrat qu'une audition. Comme si le fait qu'il ait joué dans une adaptation potable de *The Tenant of Wildfell Hall* faisait de lui l'acteur rêvé pour interpréter un personnage de cadre de la BBC frustré et stérile.

— Aucun acteur n'est trop bon pour se payer le luxe de négliger une audition, Ewan, minauda Carl.

Quelle pauvre merde.

Après que cette vermine puante eut débarrassé le plancher (et tenté sans doute au passage de violer la femme de ménage), nous avons débattu tous ensemble de sa misérable performance. Je m'attendais à une volée de bois vert ; je fus stupéfait d'entendre Ewan annoncer qu'il avait enfin trouvé son Colin et de voir tout le monde acquiescer. J'étais scandalisé et m'insurgeai bruyamment. Je n'en aurais pas eu le cran d'ordinaire, mais j'en faisais mon affaire personnelle.

— Non non ! intervins-je, attendez ! Je ne suis pas du tout d'accord ! Il est complètement à côté de la plaque ! Ce qu'il a fait, c'est tout sauf Colin !

— Qu'est-ce que tu entends par là, Sam ? me demanda Ewan.

— Euh… il était coincé, un manche à balai dans le cul, un vrai portemanteau !

— Exactement, approuva Ewan avec un large sourire. Un Anglais plus vrai que nature.

Ma chère Penny,

C'est l'arrière-train tout endolori que je t'écris ces lignes… Jusque-là, Sam avait réussi le sans-faute. Mais, ce soir, il a loupé son coup et m'a fait un mal de chien. Le pauvre, il ne l'a pas fait exprès. Il s'est confondu en excuses… J'étais en train de lui parler de ce scénario que nous avons reçu à l'agence, autour de la stérilité, la FIV, etc., dont le titre provisoire est Maybe Baby, *coproduit par la BBC et les Films Lignes de fuite. Je me sens un peu coupable, maintenant, d'avoir interdit à Sam d'exploiter le même filon. Lui m'assure que ce n'est pas dramatique, que je ne dois surtout pas m'inquiéter pour lui. Facile à dire. C'est quand même bien moi qui lui répète constamment de puiser son inspiration en lui-même, de récolter les fruits de sa propre expérience. Et pour une fois qu'il m'écoutait, je l'ai censuré ! Pis : je trouve que ce film repose sur un bon sujet. Ça a surpris Sam – le dépit, sans doute… Peut-être n'a-t-il pas tout à fait abandonné le projet de me convaincre ? Peine perdue : je ne laisserai jamais étaler notre vie privée sur pellicule. D'ailleurs, ce serait trop tard, puisque l'idée vient d'être récupérée par un autre.*

Quoi qu'il en soit, je me réjouis que la BBC soutienne ce type de projet. Il était temps que ce problème soit abordé au grand jour, surtout pour les gens qui, comme nous, le vivent quotidiennement. Il faut parler de l'infertilité, la démystifier, et cesser de marginaliser les couples stériles. Je suis persuadée que la comédie peut y contribuer. Tu me diras que je ne manque pas d'air, surtout vis-à-vis de Sam, mais si tu veux bien y réfléchir, mon raisonnement se tient. Ça ne me gêne pas qu'un film parle de sexe, dès l'instant où ce n'est pas ma propre vie sexuelle qu'on exhibe sur l'écran (je ne vois d'ailleurs pas qui ça pourrait intéresser...).

J'irai donc voir Maybe Baby *dès sa sortie en salles, pour la bonne raison que le film ne s'inspire pas de notre histoire, comme je l'ai expliqué à Sam. Je n'aurais pas supporté le spectacle de mon intimité, de ma souffrance et de tout le reste...*

Cher Sam,

J'ai eu un choc ce soir. Je m'apprêtais à administrer sa piqûre à Lucy quand elle s'est mise à me parler de *Maybe Baby*. J'aurais dû m'y attendre : je savais que ce pourri de Phipps était dans le fichier de Sheila, sinon comment aurait-il pu harceler ma femme si facilement ? Mais c'était tout de même un choc. Pendant quelques minutes, je n'ai pas pu m'empêcher de me sentir excité, parce que Lucy trouvait le projet très intéressant ; selon elle, « ramener le sujet de la stérilité dans la normalité via le médium de la fiction » est une excellente idée. Opinion que je partage ô combien – surtout si je gagne un BAFTA Award !

Mais je n'allais pas tarder à redescendre de mon nuage. Elle est toujours aussi stricte sur la question de sa vie privée et je sens que l'eau coulera sous les ponts avant que survienne le moment idéal pour lui avouer la vérité.

J'étais sur le point, comme chaque nuit, d'enfoncer l'aiguille dans le quart supérieur de son derrière lorsqu'elle a commencé à me raconter que le premier rôle avait été proposé à un de leurs protégés : Phipps ! J'ai serré les dents, m'apprêtant à changer de sujet mais elle a entrepris de tresser des lauriers à ce fils de pute : selon elle, ce rôle lui irait comme un gant, un homme si sensible, si généreux, si talentueux – et si séduisant. Je le jure : je n'avais pas l'intention de la blesser en plantant la seringue ; je ne suis pas un boucher. J'ai juste tressailli en l'entendant faire l'éloge de ce porc. Les pages de son journal ont défilé devant mes yeux et je me suis dis que, même si elle avait repoussé ses avances, Lucy continuait à fantasmer sur Phipps.

Maintenant, je m'en veux terriblement d'avoir été si maladroit avec la piqûre. Lucy est au lit, je viens de lui apporter une tisane et des toasts beurrés. Elle est craquante, avec ses petites jambes repliées sous la couette et ses mains serrées autour de son mug. Ce soir, j'ai résolu de toujours faire attention à elle, de ne jamais plus la faire souffrir. En tout cas, pas après lui avoir avoué mon misérable forfait. Mais elle comprendra, n'est-ce pas? Elle comprendra, j'en suis sûr.

Ma chère Penny,

J'ai fait une chose que je m'étais pourtant juré de ne jamais faire. Je suis rentrée chez Natalys. Juste quelques minutes, pendant l'heure du déjeuner... Je ne sais pas quelle sale mouche m'a piquée. Tout y est si craquant... Les layettes, les jouets... Et ces petites voitures avec d'énormes roues! Je ne sais pas pourquoi, j'adore. J'ai fait quelques dépenses. Ce n'est pas encore interdit, que je sache... J'ai simplement acheté une paire de grenouillères et un ballon en peluche avec un grelot dedans. Ça ne peut pas faire de mal de positiver – *bien au contraire... Et puis, si la FIV échoue, je pourrai toujours en faire cadeau à ma cousine qui vient d'accoucher...*

Cher Sam,

Les événements se précipitent autour du film. Le fait que le producteur principal soit une télévision est un atout : ils sont habitués à travailler dans l'urgence. Et, avec le premier film américain d'Ewan dans cinq mois, difficile d'imaginer planning plus serré. Tous les rôles sont distribués : Colin est joué par Carl Phipps (ô ironie du sort), Rachel par Nimnh Tubbs. Nimnh n'est pas aussi connue que Carl mais elle est très en vue depuis qu'elle a joué toutes les jeunes premières de Shakespeare et, récemment, Hedda Gabler (« Une interprétation qui marquera le nouveau millénaire », *Daily Telegraph*) au Théâtre national. Avant le début des répétitions, je dois absolument trouver comment on prononce son prénom – il ne me reste donc… qu'*une semaine!* Les répétitions au cinéma ne sont pas une pratique courante, mais Ewan aime réunir les acteurs principaux une semaine avant le premier clap, pour « créer un esprit d'équipe », comme il dit.

Ma chère Penny,

Aujourd'hui, je suis allée faire un tour à la boutique Disney, sur Regent Street, pendant l'heure du déjeuner. Ce n'est vraiment pas raisonnable… sauf que je rêvais depuis longtemps de m'offrir la vidéo de Blanche Neige. C'est tout de même un classique du cinéma mondial! Quant aux jouets, aux autres vidéos et à la mignonne petite panoplie de Pocahontas, je leur trouverai bien une utilité quand nos amis viendront nous voir avec leurs enfants (même si je n'en ai pas moi-même).

J'ai beaucoup réfléchi à la chambre d'enfant. Si la FIV marche (croisons les doigts), nous l'installerons dans l'actuelle chambre d'ami, qui ne sert qu'occasionnellement à Sam de caisson insonorisé lorsqu'il a trop bu et ronfle si fort que je suis obligée de le chasser du lit. La fenêtre donne sur un très bel arbre; ainsi on pourra voir les saisons passer. Avec un peu de chance et quelques efforts, on pourra même y faire nicher quelques oiseaux. Il faut que je note de passer dans une animalerie acheter un de ces petits sacs de graines à suspendre aux branches, ainsi qu'un bouquin sur les oiseaux.

Oh, Penny, je sais ce que tu penses (mais encore faudrait-il que tu existes pour penser). Eh bien! laisse-moi te dire que tu te trompes (ou plutôt que je me trompe, puisque tu n'existes pas). Acheter des jouets n'a rien de malsain ni de pathétique. N'ai-je pas le droit de rêver ou de me permettre un petit caprice de temps en temps? Et qui te dit que c'est un caprice? Et si mes rêves se réalisaient? Hein? Mais je préfère ne pas y penser, ce serait trop merveilleux…

Cher Sam,

Quoi que je pense du choix de Carl Phipps pour interpréter Colin, je ne reprocherai pas à Ewan d'avoir retenu Nimnh Tubbs.

Elle est merveilleuse. Elle est belle. Elle est bouleversante. Aujourd'hui, elle s'est échauffée avec quelques passages tirés du journal de Lucy et, sur le plateau, on aurait pu entendre une mouche voler. Elle réussit à faire passer le rire et les larmes dans une même séquence. Quand elle a lu la scène où Rachel dit qu'elle se sent coupable de prier uniquement quand elle a besoin « d'un coup de pouce de Dieu », tout le monde a applaudi – moi le premier.

Et, pour être tout à fait honnête... c'est vrai, Carl Phipps n'est pas si nul que ça. Il émane de lui une sorte d'intensité, de puissance qui ne paraît à aucun moment forcée ou artificielle. Quand il parle, j'en oublierais presque que c'est moi qui ai écrit ses répliques. Lui et Nimnh ont joué la scène où Colin admet qu'il n'a pas envie d'avoir un enfant.

— *Mais, si je perçois cet enfant comme une partie de toi, comme un prolongement et une preuve de notre amour, alors oui, c'est ce que je souhaite le plus au monde pour notre couple.*

Ici, Phipps a fait une pause et a plongé ses yeux dans ceux de Nimnh. J'aurais juré qu'ils étaient au bord des larmes tous les deux (les deux acteurs, pas les deux yeux de Nimnh – enfin si, les deux yeux de Nimnh *aussi*). J'ai entendu dire que les acteurs réussissaient à se faire venir des larmes en se chatouillant les narines avec leurs cheveux ; je jure que, dans le cas présent, je n'ai rien remarqué. Ensuite, Carl a pris la main de Nimnh et a continué :

— *Maintenant, si ça ne doit pas arriver, ça n'arrivera pas. C'est comme ça que je vois les choses. Si nous avons des enfants, ils représenteront une autre part de nous-mêmes, de notre amour. Et si nous n'en avons pas, eh bien ! notre amour ne s'en trouvera pas amoindri.*

Ça alors ! C'est *exactement* ce que je ressens avec Lucy. Pas étonnant, d'ailleurs, puisque je suis l'auteur du texte, mais c'était quand même très émouvant. Même George, qui est plutôt du genre dur à cuire, paraissait remué. Il m'a dit que c'était du bon boulot ; je lui ai répondu que, si j'avais à le réécrire, je n'en changerais pas un mot.

Puis Ewan a annoncé une pause et s'est retiré dans un superbe isolement, tandis que de jolies assistantes aux lunettes à

238

verres jaunes lui apportaient du thé. Le reste de l'équipe a mis le cap sur la machine à café et une boîte de biscuits posées sur une table à tréteaux. J'en ai profité pour me présenter à Nimnh qui, comme toute actrice qui se respecte, était en train de remuer un sachet d'infusion dans un bol d'eau chaude.

— Bonjour ! Je suis l'auteur. J'apprécie beaucoup votre approche du rôle, Nimmn... Nhimmn... Nmnmn...

En même temps que je bredouillais, je m'aperçus que je n'avais pas pensé à vérifier la prononciation correcte de ce prénom. Mais elle semblait avoir l'habitude.

— On prononce « Nahvé ». C'est du gaélique.

Sa voix était assaisonnée d'une pincée d'accent celtique dont elle paraissait particulièrement fière.

— J'ai une conscience très aiguë de mes racines celtes. Ma famille est originaire des îles sauvages de l'Est de l'Irlande. Dans mes veines coule un sang d'un vert profond.

Certes, certes. Que répondre à ça ? Je ne me suis pas long-temps posé la question : Carl a fait son apparition.

— Bonjour, je suis Carl. Vous, c'est Sam, n'est-ce pas ? Je connais un peu votre épouse : elle travaille dans la boîte de mon agent.

C'est ça, mon pote, tu la connais un peu, et tu n'es pas près de la connaître mieux que ça, pauvre raclure de bidet.

— Scénario magnifique, bravo ! Vraiment génial.

Je l'ai remercié et ai profité qu'il tourne le dos pour lui verser du ketchup dans sa tasse. Une maigre vengeance, mais c'est tou-jours bon à prendre. Puis l'assistante a annoncé la reprise. Avant de rejoindre le plateau, Nimnh m'a montré le passage du scénario qu'ils allaient répéter.

— Quand j'ai lu ça ce matin, j'ai pleuré.

Le plus terrible, c'est que moi aussi. C'était un ajout de der-nière minute ; et pour cause : Lucy venait de l'écrire. Elle a pris l'habitude d'emporter son journal à Spannerfield ; si jamais l'attente se prolonge, elle se remet à écrire.

— *A mesure qu'approche le jour de ma renaissance ou de mon déclin, l'attente semble avoir pris corps en moi d'une façon presque physique, comme si j'avais avalé quelque chose de pesant et de légèrement empoisonné. Comme une nausée matinale pour*

239

femme stérile et frustrée. Oserai-je espérer que cette attente cessera bientôt?

C'était presque insoutenable. Nimnh lisait le monologue (et plutôt bien, qui plus est), mais c'est Lucy que j'entendais. Je voyais Lucy, seule dans une salle d'attente bondée, couchant sur le papier ses pensées les plus intimes. Et je les étalais à présent au grand jour.

— *Lorsque je croise une mère et son enfant dans la rue, je ressens une intense exaltation et un intense désespoir. Ils me rappellent brusquement que je ne porte rien d'autre en moi que l'attente. Et peut-être n'y aura-t-il jamais rien d'autre. J'ignore pourquoi les femmes éprouvent un tel besoin de donner la vie par elles-mêmes, qu'elles guettent avec envie le moment où leur corps pourra abriter la vie. Mais je sais que les femmes qui peuvent avoir des enfants ne prêtent guère attention à ce genre de considération. Et n'éprouvent guère la douleur qui accompagne la peur de ne jamais tomber enceinte.*

Tout le monde a adoré le monologue. Ewan m'a félicité pour la façon dont je construis mon histoire « par strates successives ». George s'est dit impressionné de me voir exprimer aussi facilement ma sensibilité féminine.

— Ce n'est pas moi, mon vieux. Je ne t'ai pas dit? J'ai pris un coauteur. Une femme.

Ma chère Penny,

Je viens de relire les pages les plus récentes de ce journal. Quelle honte... C'est larmoyant, horriblement sentimental. Remplissage, radotage, inepties. Comment ai-je pu t'infliger ce torchon? Toutes ces conneries sur « ce désir obscur que je sens en moi », etc. Et, pendant ce temps, les trois quarts de l'humanité crèvent de faim! Quel nombrilisme! Ma seule consolation, c'est que – merci mon Dieu! – personne ne lira jamais ce tissu d'âneries. En attendant, il reste que ce journal m'aide à évacuer mes émotions – mieux qu'un mouchoir, en fait.

Aujourd'hui, nouvelle prise de sang. La routine. Rien à signaler.

Plus que quelques semaines de patience. J'ai les ovaires pleins comme des paniers à œufs: au moins cinquante de chaque côté!

Cher Sam,

J'ai officiellement donné ma démission de BBC Radio. Ça va compliquer pendant quelque temps notre situation financière car l'avance reçue pour le film fond comme neige au soleil mais je devais le faire. D'ailleurs, j'avais tellement pris de jours de congé que mes employeurs commençaient à soupçonner quelque chose. Tant que vous ne poussez pas le bouchon trop loin, ils vous laissent tranquille jusqu'à la retraite mais là, j'étais sur le point de passer les bornes et j'ai préféré partir avant d'être viré.

J'ai déboulé dans le bureau de Charlie Stone pour un dernier adieu. Il m'a écouté d'un œil torve puis a répondu :

— Euh... OK, bon vent. Vous êtes qui ?

Une épitaphe parfaite pour la fin de ma carrière à la radio.

Je n'ai pas dit à Lucy que j'avais plaqué. Comment lui expliquer ? Elle n'a pas la moindre idée de ce qui se trame dans son dos. Alors, un mensonge de plus ou de moins...

Ce matin, réunion au sommet avant le début du tournage dans les bureaux de Lignes de fuite, à Soho, parce qu'Ewan ne voulait pas se coltiner le déplacement en banlieue. George, Trevor et Nigel se sont donc coltinés le déplacement en ville. Je me rends compte que Nigel n'est pas le gros dur qu'il aimerait être. La BBC finance le film à 80 % mais il se laisse traiter comme un gosse par trois frimeurs locataires d'un demi-étage à Soho.

Et pourquoi ?

A cause du cinéma. Le monde entier est envoûté par le cinéma, la magie des salles obscures. En tout cas, le monde des médias londoniens, c'est-à-dire le monde entier pour tous ceux qui y travaillent. Toutes les autres formes d'expression artistique paraissent ternes et lugubres comparées au cinéma. Les romans, le théâtre, la télévision ? Intéressants, c'est sûr, mais, au bout du compte, chiants. Chiants et démodés, tout juste des bornes sur le chemin qui mène au glorieux univers du cinéma. Quand un romancier publie un nouveau livre, la première question que les journalistes lui posent est : « Est-ce qu'il va être porté à l'écran ? » Si un acteur joue dans une série télé à 10 millions de livres, il se contentera de dire : « Bah, ce n'est que la télé. » Les directeurs des théâtres subventionnés passent leur temps à commander des pièces aussi cinématographiques que peuvent l'être des intrigues à quatre acteurs et une chaise, puis rongent leur frein en attendant qu'elles aient suffisamment fait leurs preuves pour quitter la scène et atterrir sur grand écran.

Après quatre-vingt-dix ans, la magie d'Hollywood opère toujours. Plus que jamais, nous voulons faire partie de cet univers. Un type bossant pour la BBC n'y aura jamais accès ; un type bossant pour Lignes de fuite a sa chance, Ewan en est l'exemple vivant. C'est pour cela que nous marchons sur ses traces.

La réunion a commencé on ne peut mieux pour moi. Chacun a reconnu qu'en l'état, le scénario était parfait. « Superbe », pour être exact. Et Ewan n'a pas caché sa satisfaction.

Il n'était pas le seul : Petra a agité une liasse de fax où Los Angeles et New York faisaient part de leur contentement. Bref, tout le monde était satisfait.

Le bonheur, quoi.

Puis est venue l'inévitable exception. Un classique de toutes les réunions, aussi positives et créatives soient-elles. Tout commence en général par la formule : « A un détail près. » Je l'ai fait moi-même des centaines de fois : « Tout le monde ici trouve votre texte formidable, à un détail près… »

— La fin, a déclaré Nigel.

Et tous d'approuver.

Je m'y attendais un peu.

— Plus précisément, l'absence de fin, a ajouté Petra.

J'allais devoir jouer serré. Dans l'attente d'un dénouement heureux ou non pour Lucy et moi, je n'ai pas le courage de choisir quelle fin donner à mon scénario. Lucy a raison, une fois de plus : ça doit venir du cœur. Tout part de l'intérieur et, pour l'instant, impossible de dire quel destin je réserve à mes personnages. J'ignore tout de ma réaction quand le verdict tombera – comment imaginer la leur ? Et, en même temps, ça ne signifie pas que Rachel et Colin connaîtront le même sort que Lucy et moi. C'est peut-être ce qui va se passer, mais rien n'est sûr.

— Mais… il ne s'agit que d'une page… la dernière… les toutes dernières lignes, même. Je m'en occuperai dans quelques jours, comme promis.

— Sam, Ewan commence le tournage la semaine prochaine ! s'est exclamé Nigel.

— Et il va commencer par tourner la fin, peut-être ? ai-je répliqué en regardant Nigel dans les yeux, juste avant qu'il se mette à fixer son mug d'un air qui devait vouloir dire : « Je me prononcerai en temps voulu ».

— Si je puis me permettre, est intervenue (énergiquement) Petra, c'est un peu difficile de se mettre dans la poche les distributeurs américains *et* leur argent si nous n'avons même pas une histoire complète à leur vendre.

— Et pourtant, je ne sais pas encore comment se termine mon scénario. Désolé.

Ewan s'est relevé des profondeurs de son futon pour aller prendre une olive.

— Écoutez, c'est mon film, pas vrai ?

La phrase favorite des metteurs en scène. Vous avez écrit le scénario. Des gens ont versé des sommes faramineuses pour le produire. Des centaines de personnes vont participer à sa réalisation. Mais, sur l'écran, ce sera « son » film, « Un film d'Ewan Proclaimer ». Dans d'autres circonstances, je n'aurais pas manqué de le faire remarquer (et encore) mais, Ewan plaidant pour ma chapelle, j'ai laissé filer.

— Comme je l'ai déjà expliqué, si Sam veut attendre le dernier moment pour écrire sa fin, ça ne me pose aucun problème. Ce sera plus motivant pour les acteurs, nous serons tous sur le qui-vive… Après tout, Rachel et Colin sont deux personnages qui traversent une crise et passent sans cesse de l'espoir au désespoir. Je serai très heureux de plonger mes acteurs dans le même état d'attente face à l'inconnu. L'improvisation n'est-elle pas le sang qui irrigue les veines de la création ?

La messe était dite.

A Hammersmith, près de la bretelle d'autoroute, cernée de toutes parts par la circulation automobile, se dresse une petite église que j'appelle « l'église solitaire », car elle est devenue quasiment inaccessible aux fidèles. Chacun l'aperçoit au moins une fois dans l'année en passant devant à 90 km/h. On peut voir sa flèche émerger derrière la bretelle lorsqu'on rattrape l'A4 en venant de la M4. C'est une église magnifique. Dommage qu'on manque de recul pour l'apprécier à sa juste valeur.

En sortant de l'hôpital, j'ai profité de mon temps libre pour me promener un peu au hasard. J'ai dû marcher quatre ou cinq kilomètres sans m'en rendre compte car je me suis soudain retrouvée devant l'église solitaire (dont le nom exact est Saint-Paul, je crois). Je n'en avais jamais vu les deux tiers inférieurs. Je ne suis pas rentrée. Je suis restée sur le parvis, assise sur un banc, à chercher la force de prier. Mais ai-je prié ? Je ne sais pas. Combien de personnes peuvent-elles prétendre qu'elles prient ? Très peu, sans doute. Il faut, pour cela, être habité d'un intense sentiment religieux. Je me suis concentrée de toutes mes forces. Je voulais comprendre en quoi je **mérite** *d'avoir un enfant. Je n'ai trouvé qu'une réponse : parce que c'est la chose que je désire le plus au monde. Peut-on appeler cela une prière ? Sans doute : une prière au destin.*

Le jour J approche. Deux ou trois semaines tout au plus et je serai fixée.

Trevor et George m'ont invité au resto à midi. Nous commençons à tourner demain et ils ont absolument insisté pour que nous ayons une petite réunion de travail préparatoire. J'ai accepté avec joie. Maintenant que je ne suis plus cadre à la BBC (avec notes de frais), je n'ai plus autant qu'auparavant l'occasion de déjeuner chez Quark. Ce serait comme au bon vieux temps !

Ils étaient déjà là quand je suis arrivé. Avec la mine des mauvais jours. George ne prit même pas la peine de reluquer l'arrière-train de la serveuse et Trevor se dispensa de nous expliquer que, bien qu'il n'éprouvât lui-même nul besoin de s'imbiber, il ne voyait aucun inconvénient à ce que nous nous bourrions la gueule.

En un mot comme en cent, ça n'allait pas vraiment être comme au bon vieux temps. Ils allèrent droit au but.

— Sam, commença George (mais je sentis bien qu'il prenait aussi la parole pour Trevor), il va falloir que tu dises toute la vérité à Lucy.

Ça m'a cueilli complètement à froid. C'était absurde. George et Trevor sont de bons amis de Lucy, et j'aurais dû prévoir qu'ils se seraient inquiétés de voir divulgués sur grand écran des détails aussi intimes – même s'ils ignoraient toute l'ampleur de ma trahison.

— C'est impossible. Pas en ce moment : nous sommes sur le point d'achever un cycle de FIV.

— Ah! oui, à propos, intervint Trevor sur un ton ironique, comment ça se passe? Tu ne nous dis jamais rien. Note bien, ce n'est pas grave. Il nous suffit de lire le scénario.

Je les sentais sincèrement préoccupés. Ils savaient, tout comme moi, qu'un pseudonyme ne dissimulerait pas longtemps ma véritable identité.

— Il y a beaucoup d'enthousiasme et d'excitation autour de ce film, reprit George. Que comptes-tu faire si c'est un succès? Tu sais très bien que tu ne pourras pas échapper aux médias. Et s'ils percent à jour ta petite combine avant Lucy? Et si elle l'apprenait par les journaux? Mon Dieu!

— Même si c'est un four, tu ne peux pas lui cacher que tu as écrit un film en secret. Bon sang, mais c'est ta femme!

Ils ont raison, je le sais. Pas besoin d'un déjeuner à 50 livres (merci, joyeux contribuable!) pour me l'entendre dire. Ils ne pensent qu'à notre bien, c'est sûr, mais, au bout du compte, c'est mon problème et celui de Lucy.

Je leur ai promis de tout lui raconter quand je connaîtrai la fin de l'histoire.

Ma chère Penny,

De façon assez théâtrale, le hasard a voulu que ma dernière injection avant la collecte des œufs (prévue après-demain matin, 7 heures) me soit administrée par Sam à minuit précis. Il est maintenant minuit et quart et je sens que je ne vais pas pouvoir trouver le sommeil.

Sam s'est révélé un excellent infirmier. Il ne m'a fait mal qu'une seule fois. A l'hôpital, j'ai rencontré des femmes dont le mari (mais le mot « partenaire » serait plus approprié) a déclaré forfait. Ne pouvant compter sur lui, elles doivent se rendre tous les jours à l'hôpital, à 7 heures le matin, pendant des semaines, pour une simple injection! Inimaginable. Comme si ce n'était pas déjà suffisamment emmerdant d'aller se faire pomper des litres, que dis-je, des citernes de sang!

Sam m'a confié qu'au début, il n'en menait pas large, mais qu'il a fini par s'y faire. Je veux bien le croire. Moi-même, je n'aimerais pas devoir lui enfoncer des piques de cuisson dans le

derrière ! Il a été très courageux. Magnifique, même, du début à
la fin de ce cauchemar. L'aurait-il fait sans mon insistance ?
Sans doute pas. Peu importe : il m'a donné beaucoup de
courage, à moi aussi. Toujours impliqué, toujours curieux,
toujours là quand j'avais besoin de lui. Alors que certains maris
se cachent la tête dans le sable, tant ces vicissitudes leur font
horreur. Exactement le contraire de Sam. Son entrain m'a
rendu les choses beaucoup plus faciles. J'ai essayé ce soir
de trouver les mots pour le remercier, d'autant que, je le sais, il
n'a jamais été absolument certain de vouloir des enfants. Enfin,
pas vraiment...

Elle a tort quand elle m'accuse de ne pas vouloir d'enfant, et
je le lui ai dit. Je lui ai dit que je désirais sincèrement, du fond
du cœur, que nous ayons un enfant, parce que je l'aime et
qu'un enfant serait comme le prolongement et la preuve de cet
amour. Une autre partie de nous. Mais si cela ne se produit pas,
alors notre amour ne s'en trouve pas amoindri et... et là, je me
suis aperçu que je récitais une réplique du scénario ! Impossible
de me rappeler si je l'avais déjà dit, ou déjà écrit dans mon journal, ou déjà lu dans celui de Lucy ou inventé de toutes pièces
pour le film ! Brusquement, j'ai compris que j'étais incapable de
dire quelles émotions avaient été ressenties par Lucy ou par
moi. Je me suis dit qu'il fallait cracher le morceau maintenant,
tout de suite. J'ai failli. J'ai commencé mais je ne suis pas allé
jusqu'au bout. Ce n'était pas le moment. Demain, on lui prélève
ses ovocytes.

Sam a la tête ailleurs. Sans doute la perspective de devoir
s'astiquer derechef demain – peut-être pour la dernière fois, qui
sait ? Mon Dieu, faites que nous marquions enfin un point
contre l'adversité !
Sam est resté très discret sur ce sujet. J'ai bien senti qu'il voulait
m'en parler, mais il a préféré ne rien dire. Quant à moi, je n'ai
pas voulu le forcer. Alors nous nous sommes étreints très fort, si
fort que la température est montée d'un cran. J'ai dû lui rappeler
que, si nous faisions l'amour ce soir, nous risquions de nous
retrouver avec des décuplés... Douche froide instantanée.

Je me sens incroyablement proche de Sam. Je l'aime, d'un amour à toute épreuve. Et cette sécurité me donne force et courage. C'est ce que je lui ai dit. J'ai cru qu'il allait se mettre à pleurer... Il était au bord de me faire un aveu. Mais, une fois de plus, il est resté muet.

Cher Sam,

Ce matin, je suis allé avec Lucy à Spannerfield pour la collecte des ovocytes et du sperme. Nous étions sur place comme prévu à 6 h 50 pour l'ouverture à 7 heures. Il y avait déjà une longue file d'attente d'hommes et de femmes silencieux, au regard bovin. La plupart des femmes venaient pour leur piqûre, puisque les pauvres n'ont pas un mari aux nerfs d'acier comme moi pour la leur administrer lui-même. Une dizaine de couples seulement s'étaient inscrits pour la totale et nous fûmes bientôt conduits dans une grande salle bordée de part et d'autre de rangées de lit séparés par des rideaux.

C'est un sympathique infirmier du nom de Charles qui s'est occupé de nous. Lucy le connaissait déjà mais c'était une première pour tous les maris (ou compagnons).

— Bien, Lucy, nous allons retirer ceci et enfiler cette ravissante chemise de nuit pendant que, Sam, nous irons déposer un peu de sperme dans notre banque. Je vous laisse donc un petit pot où vous verserez votre contribution dès qu'une chambre se sera libérée.

Un autre flacon à branlette. Génial. Aurais-je pu deviner, quand j'étais gamin, que chacun de mes insouciants astiquages de poireau servaient en réalité de répétition à ce qui allait être l'un des moments les plus importants de ma vie?

Lucy avait revêtu une sorte de nuisette qui s'ouvrait entièrement dans le dos. Son commentaire à propos de cette tenue a failli me faire lâcher la notice d'instructions que je lisais avec une attention toute relative – je la connaissais par cœur.

— Pas mal du tout, hein? Je me verrais bien le porter à une première...

J'en eus le souffle coupé.

— Une première? hoquetai-je d'une voix alarmée. La première de quoi?

— Euh... de rien, mon chou, répondit Lucy en me jetant un regard inquiet. N'importe quelle première, je... je plaisantais...

Charles fit alors son apparition pour m'ordonner d'aller accomplir mon devoir. Il glissa la tête entre les rideaux et pointa sur moi un index de mauvais augure.

— Votre chambre est prête !

Résigné et vaincu, je pris mon flacon et sortis.

Deux chambres étant réservées aux branleurs, la file d'attente était quelque peu désengorgée. Charles m'annonça que je pouvais rester à l'intérieur aussi longtemps que je le désirais car nous étions tous là pour la journée.

Un peu léger comme réconfort, mais peu importe ; cette visite à la veuve Poignet fut de toute façon la plus stressante de toutes celles que je lui ai rendues. Assis seul dans cette petite pièce, le pantalon sur les chevilles (après m'être dûment lavé la queue, comme indiqué sur la notice), je réfléchis à l'incroyable poids de mes responsabilités. Mon épouse, que je chéris tendrement, venait de supporter six semaines durant les examens les plus impudiques : des substances avaient été injectées en elle à toute heure du jour, contraignant dans un premier temps son corps à une ménopause précoce avant de le plonger dans un cycle de fertilité excessive et grotesque, menant à une surproduction d'ovocytes telle que ses ovaires en devenaient douloureux. Des jours et des jours encore, elle s'était traînée à travers Londres pour attendre des heures durant avec d'autres femmes désespérées que diverses sécrétions corporelles soient prélevées sur elles et que leur féminité la plus intime soit exhibée et tripotée par des inconnus. Tout ça pourquoi ? A cause de son fervent désir d'enfant, un désir qu'aujourd'hui j'avais enfin la possibilité de combler.

Maintenant, si je ne parvenais pas à éjaculer convenablement dans le flacon, m'assurant tout particulièrement que j'y déposais bien la première goutte, toutes ces terrifiantes opérations seraient réduites à néant. Ainsi, avec cette pression sur les épaules, je m'emploie, seul dans cette pièce, à raffermir mon pénis afin de me masturber correctement pour réaliser le rêve de la femme que j'aime.

Sam a accompli son devoir. L'air livide, il m'a simplement dit qu'il espérait en avoir fourni suffisamment. J'y compte bien! Ils n'ont besoin que d'un seul spermatozoïde!

La collecte des ovocytes est une expérience bizarre. J'étais à côté de Lucy pendant que les médecins prenaient les choses en main et je me faisais l'impression d'être un invité mal à l'aise à sa propre soirée. Le moment venu, ils ont poussé Lucy en fauteuil jusqu'au bloc tandis que je suivais maladroitement derrière, l'air d'un parfait crétin dans ma blouse verte à capuche et mes sandales en caoutchouc.

Je me suis installé dans la zone d'observation et j'ai bientôt entendu le ronflement irrégulier de Lucy, qui était placée sous anesthésie générale. Ses jambes étaient écartées et placées dans des étriers. Aussitôt, le docteur s'est mis au travail. Toutes les manipulations étaient effectuées à travers un petit moniteur de contrôle placé entre les jambes de Lucy – l'image était retransmise par je ne sais quel dispositif à résonance magnétique – et le docteur crut bon de m'en faire profiter.

— Là… vous voyez, le petit point blanc, sur l'écran? C'est mon aiguille. Vous la voyez bouger? Je l'approche du follicule et… voilà… je le perce. Vous le voyez se dégonfler?

Je ne répondis pas car c'était plus un constat qu'une question. En outre, j'étais bien trop impressionné pour parler. Je ne voulais déconcentrer personne par mes paroles ou par mes gestes. Néanmoins, aucune des phases de l'opération ne m'échappait: le point blanc aspirant les petites bulles translucides, qui s'évanouissaient au fur et à mesure.

— A présent, je vais aspirer le fluide qui se trouve à l'intérieur du follicule pour prélever les ovocytes qui s'y trouvent.

L'un après l'autre, les tubes à essai se remplissaient d'un pâle liquide rouge puis étaient posés devant un petit guichet donnant sur ce qui devait être le laboratoire.

C'était stupéfiant. La femme derrière le guichet annonçait d'une voix tonitruante: « Un ovocyte… un deuxième… un troisième… » comme une serveuse de restaurant. Je repensai à la scène des *101 Dalmatiens* où la nourrice s'exclame, surexcitée: « Un onzième… euh, non, un douzième… ah! non, un treizième… »

Finalement, tous les ovocytes furent prélevés et le docteur retira son camion de déménagement d'entre les jambes de ma femme avant de démonter l'équipement dont il l'avait harnachée.

Sur le chemin de la maison, Sam m'a raconté toute l'opération. J'étais encore un peu vaseuse, et je ne suis pas certaine que ces histoires de médecins puisant des œufs dans mon vagin m'aient aidée à me rétablir. Heureusement, c'est bien fini. Il paraît qu'ils m'ont prélevé douze ovocytes, comme prévu. « Pourvu que j'aie éjaculé autant de spermatozoïdes... », a gémi Sam. Sans doute un trait d'humour.

Curieux de penser qu'au même moment, à l'hôpital, tandis que nous rentrions chez nous, le sperme de Sam faisait des tours de manège dans une centrifugeuse, en attendant de se trémousser dans un tube à essai en compagnie de mes ovules...

Sam et moi sommes au moins d'accord sur un point : voilà une expérience que nous ne sommes guère impatients de renouveler ! « Ce ne sera peut-être pas nécessaire », lui ai-je dit dans un bel élan d'optimisme. N'oublions pas qu'avec la FIV, il n'est pas rare d'accoucher de jumeaux, voire de triplés... « Arrête, tu vas nous porter la poisse... », m'a répondu Sam. N'empêche : j'ai comme une étrange impression que ça va marcher... J'ai dit à Sam : « J'ai d'excellentes vibrations, tu sais. » Quelques secondes plus tard, je dégobillais dans la boîte à gants... Tout va bien : les médecins m'avaient prévenue. Enfin, tout va bien pour moi – pas pour Sam, qui a dû se taper le nettoyage...

Cher Sam,

Nous avons commencé à tourner aujourd'hui. Moment d'exaltation rare. Le lieu de tournage est un ancien entrepôt sur les docks transformé en hôpital. J'ai pris le métro plutôt que la voiture avec chauffeur qu'ils s'étaient proposés de m'envoyer. Lucy aurait pu se demander pourquoi les cadres de BBC Radio étaient soudain traités avec tant de déférence. Quand je suis parti, elle était encore au lit. Je lui ai bu un peu de tisane. J'aurais tellement voulu lui annoncer où j'allais passer la journée. Ç'aurait été fabuleux :

— Au revoir, ma chérie. Je pars rejoindre la centaine de personnes qui vont travailler sur MON FILM.

C'est tout ce dont j'ai toujours rêvé. Ce qui est terrible, c'est que Lucy a partagé le moindre de mes rêves et, maintenant que je suis en passe d'en réaliser un, je ne peux pas le lui dire. Il n'y a rien de pire au monde... Le destin peut être si cruel, parfois.

Je lui dirai la vérité bientôt, je le jure. Quand nous aurons les résultats de la FIV. George prétend que c'est absurde de se donner cette échéance, qu'il n'y aura jamais de « bon moment ». Pourtant, je sais qu'il ne faut pas que je lui en parle maintenant. Elle est trop vulnérable. Elle a pris une semaine de congé (bien que ce ne soit pas indispensable, à en croire les médecins) et paraît s'être repliée dans son monde. Un monde de douceur, de sérénité – mais un monde fragile. Elle m'a expliqué qu'elle essayait de se détendre et de méditer. Qu'elle aspirait à un état de calme intérieur absolu. Eh bien! quel état de calme intérieur pourrait-elle atteindre si je lui disais : « Ah! Au fait, trésor, je viens de terminer l'adaptation cinématographique de l'histoire de notre calvaire – et figure-toi que tu en as écrit plus de la moitié ! »

Comment présenter la chose? C'est devenu un tel bordel, je n'en reviens pas. Mais je n'avais pas d'autre choix, c'est certain. Si? Non, pas que je me souvienne. Tout est si brumeux dans mon esprit...

Néanmoins, je dois dire que la journée a été formidable. Enthousiasmante, même. Il m'a suffi de voir les caméras, les câbles, les camions, les grues, les techniciens, les acteurs, tous réunis *à cause de moi* pour me sentir regonflé à bloc. Je n'ai pas arrêté d'être abordé par des gens qui me demandaient si je voulais du café ou qui me disaient : « Quelle histoire géniale ! Quand je l'ai lue, j'ai pleuré. »

Ewan a commencé par la scène de la cœlioscopie et, dans un premier temps, j'ai cru qu'il avait viré Nimnh parce qu'une autre actrice occupait sa place sur le plateau. J'étais en train de rassembler mon courage pour aller dire à Ewan ma façon de penser quand j'ai aperçu Nimnh assise dans un fauteuil de camping, en train de fumer une cigarette. Après plus ample information, j'ai appris que cette nouvelle actrice venait pour se faire filmer les fesses à la place de Nimnh. Sa « doublure fesses », vous imaginez?

Apparemment, il y avait eu une prise de bec tôt dans la matinée entre Nimnh et Ewan, ce dernier insistant pour filmer Rachel de dos avec la blouse ouverte. Nimnh était scandalisée.

— Bon sang, il ne s'agit pas de mater son cul, s'était défendu Ewan. Je veux montrer sa vulnérabilité. Tu piges ? Cette fille n'est plus qu'un morceau de viande, dépouillée de toute dignité. Son cul est *littéralement* dans la ligne de mire ! Il faut le montrer !

Nimnh s'était contentée de croiser les bras et de lui opposer une fin de non-recevoir, déclarant qu'elle n'avait pas joué Desdémone et Ophélie à la Royal Shakespeare Company pour accepter qu'on utilise son cul pour faire exploser le box-office. Je partageais complètement son point de vue même si, comme tout homme présent sur le plateau, j'aurais préféré pouvoir admirer le cul en question.

Ma chère Penny,

Le prélèvement des ovocytes, c'était il y a trois jours. Aujourd'hui, on devait tout remettre en place – à condition qu'il y ait quelque chose à replacer : premier point d'interrogation. Nous n'avons pas dit un mot de la maison à l'hôpital. Nous n'avions qu'une idée en tête : nos ovules et nos spermatozoïdes ont-ils relevé le gant ? Ont-ils conçu ? Pas si sûr...

Première bonne nouvelle : nous avions donné naissance à sept embryons. Un excellent ratio, à ce qu'il paraît. Une gynéco nous a pris à part dans un petit bureau pour nous expliquer d'un air grave que, si certains de ces embryons étaient viables, d'autres l'étaient moins, et qu'il y en avait même un qui était bon à jeter à la corbeille car, bien que fécondé, il était déjà malformé, etc.

Bref, résultat des courses : deux embryons irréprochables et deux autres simplement satisfaisants. « Si vous insistez, nous pouvons vous en replacer trois, mais je ne saurais trop vous recommander de n'en transférer que deux. » J'étais trop heureuse de pouvoir me contenter d'une paire ! Sans compter que le risque d'accoucher de triplés ne me chantait guère... J'espérais qu'ils congèleraient les deux autres embryons, mais il semble que ce ne soit pas la politique maison. Tant pis.

Au cours de l'entretien, on nous a demandé de faire un certain nombre de choix mais, en fin de compte, soyons francs, que pouvions-nous faire d'autre qu'écouter et obtempérer ? Je ne sais même pas distinguer l'avant de l'arrière d'un embryon au stade bicellulaire ! Y a-t-il seulement un avant et un arrière ?

La messe était dite. Deux embryons seraient replacés dans mon utérus et, sauf objection de notre part, les six autres donnés au laboratoire de recherche de l'hôpital, selon la procédure en vigueur à Spannerfield. Dont acte.

Le transfert d'embryons est l'affaire de quelques instants. Même pas besoin d'anesthésie. Montez sur le chariot, écartez les jambes, faites-vous injecter les embryons : c'est prêt ! Incroyablement rudimentaire, surtout si l'on songe à la complexité des techniques scientifiques qui rendent possible cette simple opération. Avant tout, on commence par vous montrer les embryons dûment fécondés sur un petit écran de télé. Apparaît alors un énorme tuyau – en réalité, un cathéter de l'épaisseur d'un cheveu – qui les aspire d'un coup. Ensuite, un infirmier apporte le cathéter à la gynéco. Elle vous l'enfonce dans la foufoune au bout d'une sorte de seringue très longue et très fine, en se guidant sur un moniteur à ultrasons, et va déposer les embryons dans l'utérus. L'opération ne dure en tout qu'une minute, à moins que les embryons ne restent collés à la paroi du cathéter – ce qui ne nous est pas arrivé.

C'est beaucoup plus facile que le prélèvement des ovocytes ! Le seul vrai désagrément, c'est qu'il faut avoir la vessie pleine – pour une meilleure qualité d'image, paraît-il. Même après la fin de l'opération, il faut encore attendre trois quarts d'heures avant d'être autorisée à pisser. Atroce ! J'avais si peur que mes pauvres embryons ne résistent pas à cette formidable pression...

Enfin, on nous a laissés rentrer chez nous. Au moment de partir, Charles, l'infirmier, est venu nous remettre une épreuve couleur de l'image de nos deux embryons, sur lequel on pouvait distinguer qu'ils s'étaient déjà divisés en de nouvelles cellules. « Ils sont à vous, nous a-t-il dit en nous la tendant. Et bonne chance ! »

Une fois à la maison, Sam a préparé du thé. Je me suis assise sur le canapé. Je ne pouvais détacher mes yeux de cette image. Peut-être la première photo dans l'album de nos enfants... Tout le monde n'a pas la veine d'avoir un portrait de soi lorsqu'il n'était constitué que de deux ou trois cellules ! Sam n'a pas manqué de me rappeler que ces deux-là n'auront peut-être pas cette chance. Je sais, je sais... Mais je persiste à penser qu'une telle disposition d'esprit ne peut avoir que des répercussions négatives sur le plan physique. Bien sûr, le résultat ne dépend pas de ma seule volonté, mais je veux tout faire pour donner à Dick et Debbie le meilleur départ possible dans la vie.

Eh oui ! je leur ai donné des prénoms. Où est le problème ? Ce sont mes enfants, non ? Jusqu'à preuve du contraire, ils existent ! A tout le moins, ils existaient lorsque la photo a été prise. Quant à savoir s'ils vivent encore à l'heure qu'il est... A l'évidence, Sam n'est pas convaincu de la nécessité de personnaliser ces « choses ». Et pourquoi pas ? Ce sont des embryons fécondés ! C'est un pas de géant ! Qui eût dit que nous en arriverions à ce stade ? Surtout, rester positifs ! Nous n'avons fait qu'un petit bout du chemin...

Sam est revenu à la charge : « Pas plus d'une chance sur cinq... » Ça va, j'ai compris ! Je le saurai, que Dick et Debbie sont cotés à cinq contre un. Ça n'empêche pas qu'ils peuvent gagner ! 20 %, ce n'est pas rien. Ils ont bien réussi à vivre jusqu'à la photo... J'ai dit à Sam : « Tu te rends compte ? Nous venons, toi et moi, de créer deux entités vivantes. Tout ce qu'il leur reste à faire, c'est s'accrocher pendant quelques jours. Tenir bon. C'est tout ce qu'on leur demande. »

C'est drôle : l'enthousiasme de Lucy, la force de sa volonté sont contagieux. Plus j'observe la photo de ces deux petits amas transparents, plus ils me paraissent vivants. Ce sont déjà des embryons, après tout. Ils ont déjà vécu. Et on ne peut pas nier qu'ils ont même l'air assez costauds – pour des organismes tricellulaires, j'entends.

— Évidemment, qu'ils sont costauds ! Quand tu vois les épreuves qu'ils ont déjà traversées : happés par un aspirateur, jetés dans un flacon de plastique froid, envoyés dans une centrifugeuse, secoués jusqu'à ce qu'ils se mélangent, étalés sur une lamelle de microscope puis encore aspirés et enfin injectés à l'aide d'une seringue. Un vrai parcours du combattant !

Lucy a raison : si jamais Dick et Debbie finissent par voir le jour, ils seront para-commandos ou trapézistes.

Ça pourrait marcher. Ça va marcher. Pourquoi est-ce que ça ne marcherait pas ? Ils n'ont qu'à tenir encore quelques jours, le temps de donner naissance à d'autres cellules.

Lucy s'est alors mise à chuchoter à son estomac :

— Allez, Dick et Debbie, tenez bon !

Sur le ton de la plaisanterie, mais je voyais qu'elle le pensait sincèrement. Alors j'ai repris, plus fort :

— Al-lez-Dick-et-Deb-bie !

Lucy a enchaîné :

— Al-lez-Dick-et-Deb-bie !

Et nous nous sommes retrouvés comme deux supporters réunis autour du ventre de Lucy, criant et riant.

Quel que soit le résultat des courses, c'était un bon moment.

Ma chère Penny,

Ceci est peut-être la dernière lettre triste que je t'écris. Notre longue attente touche à son terme. Sam m'a fait mes trois dernières piqûres dans le derrière. Plus qu'un suppositoire vaginal, le neuvième, et ce sera fini. J'espère que Dick et Debbie réalisent ce que j'endure pour eux. Sam dit que, s'ils sont aussi courageux que nous l'espérons, je pourrai le leur dire de vive voix dans huit mois et demi. Pourvu que nous ne nous fassions pas de faux espoirs... Je te rappelle qu'il n'y a qu'une chance sur cinq... « Mais un enfant de nous, il n'y en aura jamais qu'un sur un million », m'a dit Sam, avant de m'embrasser interminablement.

Une chose est sûre, je suis en pleine forme. Je crois que je suis bel et bien déréglée, moi qui, d'habitude, sens l'arrivée de mes règles une semaine à l'avance. Sam pense comme moi que c'est très bon signe.

Après-demain, prise de sang. Nous serons définitivement fixés. J'ai demandé à Sam de prendre sa journée. Il travaille beaucoup trop ces temps-ci (Dieu sait à quoi... Son Charlie Stone n'a qu'un mot à la bouche, le seul sans doute qui lui traverse l'esprit : « bite »). Je veux qu'il soit près de moi ce jour-là.

Lorsqu'on a eu fini de s'embrasser, Sam est soudain devenu très sérieux. Il m'a dit : « Quand tout ça sera terminé, pour le meilleur ou... euh, pour le meilleur, bien sûr, il y a certaines

choses dont il faudra que je te parle. » « Aucun problème, Sam ! »
« Non, sérieusement, je crois que nous avons des choses à nous
dire, au sujet de ces derniers mois, de ce que nous avons vécu, de
ce que nous venons de traverser... Il faut qu'on parle, tous les
deux. » C'était très encourageant : Sam, d'ordinaire, n'est pas du
genre communicatif. Il a ajouté qu'il voulait me parler de ses pro-
jets d'écriture et des sacrifices que nous devrons consentir pour
cela, entre autres choses.

Et puis, il m'a proposé de partir quelque part ce week-end, quel
que soit le résultat du prochain examen. Partir et... parler.

Quelle bonne idée ! Premier voyage en famille pour Dick et
Debbie...

Nous y avons réfléchi un peu, puis nous nous sommes encore
embrassés. Sam m'a dit : « Je t'aime », je lui ai répondu : « Je t'aime
aussi », re-bisous, puis il a posé sa tête sur mon ventre, et c'est
dans cette position que je t'écris, chère Penny. Quoi qu'il arrive
maintenant, et même si Dick et Debbie n'arrivent pas à terme, je
suis au moins sûre d'une chose : la FIV a ressoudé notre couple et
nous a fait beaucoup de bien à tous les deux.

Il est minuit et demi. Lucy et moi avons passé une soirée délicieuse et décidé de partir en week-end la semaine prochaine.
J'en profiterai pour tout lui raconter.

Elle dort depuis une bonne heure. Moi, je n'arrive pas à
fermer l'œil parce que je ne peux pas m'empêcher de penser à
Dick et Debbie – et parce que j'ai enfin trouvé le dénouement de
mon film. Je viens de terminer la scène et je l'ai faxée à Ewan
qui, d'après ce que j'ai compris, ne dort jamais.

INT. JOUR. APPART. RACHEL ET COLIN.

Les résultats doivent tomber dans l'après-midi. Colin et
Rachel sont assis dans le canapé, le téléphone est posé sur la
table basse. Ils attendent, anxieux. Chacun cherche un récon-
fort auprès de l'autre. Ils se tiennent par la main. Le téléphone
sonne. Colin s'apprête à décrocher mais Rachel serre ses mains
si fort qu'il ne peut se dégager. Moment tendu et comique pen-
dant lequel Colin essaye d'extirper sa main de la poigne de Lucy
pour décrocher. Il y arrive enfin. Il écoute, sans dire un mot.

L'espoir et l'angoisse de toute une vie passent dans le regard de Lucy. Puis Colin sourit, un sourire qui s'élargit jusqu'à envahir l'écran. Il se contente de dire « Merci » et raccroche. Il regarde Rachel, Rachel le regarde ; il lui dit : « Doug et Daisy ont réussi ! »

FIN

C'est tout. Quoi qu'il nous arrive, à Lucy et à moi, c'est comme ça que se termine mon film. C'est la fin que je sens ce soir, celle que je veux.

Ewan vient d'appeler. J'espère qu'il n'a pas réveillé Lucy. Je vais débrancher le téléphone dans la chambre.

— C'est larmoyant, ça va faire pleurer dans les chaumières… J'adore !

Apparemment, tout le monde veillait, ce soir : Petra aussi a appelé. Elle paraissait soulagée.

— Tu as fait le bon choix, Sam. Je peux te l'avouer, maintenant : si j'étais partie à LA avec autre chose qu'un fœtus en bonne santé, ils retiraient leurs billes du projet !

George – qui ne dort plus du tout à cause de Cuthbert – a appelé plus tard, tandis que je sirotais un whisky au salon.

— Bien joué, vieux.

Je lui ai dit que ça s'était imposé à moi ce soir.

D'une façon ou d'une autre, je sais que tout va bien se passer, maintenant.

Ma chère Penny,

Ce matin, j'ai eu mes règles.

Ça a commencé vers 11 heures, sans prévenir. Des règles abondantes. La fin de tous mes rêves.

Je ne suis pas enceinte. Je ne l'ai jamais été. Les deux embryons que j'avais baptisés Dick et Debbie sont morts il y a déjà une semaine.

J'ai pleuré pendant une heure, assise sur le siège des w.-c. Je crois que je n'avais jamais autant pleuré de toute ma vie. J'en ai encore les yeux endoloris, comme transpercés par un poignard.

Mais mes larmes n'étaient pas que pour mes deux bébés qui ne verront jamais le jour. Ce n'était que le début d'une journée cauchemardesque, le premier cercle d'une spirale de merde. Car je pleurais aussi l'échec de toute ma vie, une vie que je croyais parfaitement connaître, mais à laquelle il m'est apparu que j'étais devenue étrangère.

J'écris ces lignes dans mon lit, seule. Car, désormais, je suis seule. Sam n'est pas là, et il ne reviendra pas. J'ignore où il se trouve, et je ne veux pas le savoir. Je l'ai plaqué.

Et, pour que je n'oublie jamais ce jour maudit, en voici le résumé.

M'étant vidée de toutes mes larmes, au point que je craignais de me déshydrater, il a bien fallu que je mette Sam au courant. Nous avions vécu cette interminable attente ensemble, aussi je pensais qu'il souhaiterait être près de moi dans ce moment si difficile. Et puis, j'avais besoin de sa présence. Après avoir été convaincue de porter la vie en moi pendant une semaine, je me sentais soudain plus désespérément seule que je ne croyais possible de l'être.

Hélas ! quand j'ai appelé à son bureau, à la BBC, j'ai été sidérée de m'entendre répondre qu'il n'y travaillait plus depuis plusieurs semaines. Je suis tombée sur une bonne femme qui n'a pas voulu me dire où il était parti, prétextant que cela relevait « du domaine privé ». « Mais enfin je suis sa femme ! Je suis malade, j'ai absolument besoin de le joindre. Dites-moi où il est. » Elle a fini par céder, mais à contrecœur. Et pour cause : comment pouvait-elle imaginer que la propre épouse de Sam ne sache pas où il se trouvait, ni qu'il avait changé de job ? Je me posais la même question.

J'ai sauté dans un taxi. J'ai d'abord pensé qu'il me cachait une aventure. C'est ce que j'espérais découvrir en me rendant à l'adresse que m'avait donnée mon interlocutrice. Sam, dans les bras d'une femme… J'aurais encore préféré ça.

L'adresse était celle de studios de cinéma situés dans un immense entrepôt, dans les Dock Lands. Dehors, les habituels camions de tournage, les remorques, les génératrices. A l'intérieur, un vaste hangar sombre rempli de décors, et des dizaines de personnes allant et venant. J'ai croisé un petit groupe de comédiens costumés en infirmiers. Un peu plus loin, j'ai reconnu le décor d'un cabinet gynécologique, avec les étriers et tous les instruments. Rien ne manquait. Je suis restée là un moment, cachée dans l'ombre, ne sachant que penser, ne pensant plus vraiment. Tout était si confus… J'avais peur. Peur de ce que j'étais sur le point de découvrir. Lentement, les choses se sont précisées, comme une mise au point. Les projecteurs éclairaient un décor de chambre à coucher, autour duquel semblait graviter toute cette activité. Une chambre assez semblable à la mienne. Un acteur était en scène, que j'ai immédiatement reconnu : Carl Phipps. J'étais abasourdie. Près de lui, Nimnh Tubbs, une actrice de la Royal Shakespeare Company. Quelqu'un a réclamé le silence, et ils ont commencé à jouer. C'était une simple répétition car les caméras ne tournaient pas. Carl, assis à un bureau, faisait semblant de taper sur un portable :

— Mais qu'est-ce que tu peux bien trouver à écrire ? Se pourrait-il que je sois un handicapé du sentiment ? Oh ! je sais ce que tu penses… Tu penses que je retiens mes spermatozoïdes ! Que s'ils refusent de remonter le fleuve de ta fécondité en bondissant comme des saumons pour venir donner de la tête contre tes ovules, c'est parce que mon attitude d'hostile lâcheté a déteint sur eux…

Mon sang s'est glacé. N'avais-je pas déjà entendu Sam me dire la même chose, dans les mêmes termes ? Qu'est-ce que tout cela signifiait ? Pourquoi Nimnh Tubbs était-elle assise sur le lit, son journal intime ouvert sur ses genoux, comme je le fais chaque soir ? Comme je le fais en ce moment même, Penny ?

A ce moment, le réalisateur, un jeune Écossais, les a interrompus :

— Nimnh, tu dois réagir, là ! Fais-moi la bonne femme déboussolée, à moitié déséquilibrée, le genre complètement perturbée, OK ?

Nimnh a hoché la tête d'un air entendu. Visiblement, elle voyait très bien de quel « genre » il voulait parler.

Je suis peut-être idiote, ces derniers mois m'ont sans doute abrutie, mais j'avoue que je n'avais toujours pas compris de quoi il retournait. Je suis restée plantée là, certaine que j'allais me réveiller de ce cauchemar… Puis, la répétition a pu reprendre. De nouveau des mots familiers…

— Vois-tu, je crois que Dieu ne m'a pas simplement créé pour assurer la reproduction de l'espèce.

A quoi Nimnh a répondu :

— Mon pauvre ! Dieu a donné la vie à des millions d'autres êtres le jour où il t'a créé... Si ça se trouve, il ne se rappelle même pas ton nom !

Soudain, j'ai compris. Ces mots, c'était mes mots ! A la lettre près. C'est alors que j'ai aperçu Sam. Tout est devenu très clair. J'avais été flouée.

Le réalisateur a appelé Sam. Nimnh ne trouvait pas le ton qui convenait. C'était à l'auteur de le lui expliquer.

L'auteur ! Mais c'était moi, l'auteur !

L'homme qui fut mon mari a pris la parole :

— Tu vois, Nimnh, pour moi, cette scène représente le point ultime de sa descente dans une sorte de folie malheureuse, d'obsession maladive. Tu te souviens, quand elle s'efforce de ne pas pleurer en passant devant Natalys ? Aie toujours cette scène clé à l'esprit...

Sa trahison m'est alors apparue dans toute son ampleur. Jamais je n'avais parlé à Sam de Natalys... Il n'y a qu'à toi que j'en ai parlé, Penny.

Sam avait lu mon journal.

Et il était là, à faire l'important d'un air fat et pénétré !

— Ne perds pas de vue, Nimnh, que cette femme vient de commencer un voyage qui la conduira jusqu'à l'abandon de sa propre dignité, de sa propre individualité. Elle l'ignore encore, mais elle ne va pas tarder à se ridiculiser dans des clubs de visualisation pour hippies, elle ira jusqu'à adopter un bébé gorille en niant que ça ait quelque chose à voir avec sa stérilité... Elle va délibérément, cyniquement réduire sa vie sexuelle à une simple maintenance technique, dénuée de plaisir et d'envie, transformant son infortuné mari en verrat, brutalement vidé de sa semence...

Hilarité générale. Ils étaient tous morts de rire. Comme je les comprends. Sam est si cocasse, vraiment.

A la fin de ce beau monologue, je me suis avancée jusque sur la scène. J'étais trop ahurie pour me demander si c'était une bonne ou une mauvaise idée. Une jeune femme aux cheveux teints en bleu, un talkie-walkie à la main, a voulu m'en empêcher, mais rien n'aurait pu m'arrêter. En entendant les protestations énergiques de la jeune femme, ils se sont tous retournés et *m'ont vue débouler. Je me demande ce que Sam a pensé à ce moment-là.*

Quant à moi, mes idées étaient très claires. Elles tenaient en un mot : « Ordure. » C'est tout ce qui m'est venu à l'esprit.

— *Espèce d'ordure !*

Carl paraissait aussi surpris que Sam, mais c'était bien le cadet de mes soucis. J'étais entièrement subjuguée par la découverte de ce nouveau Sam, un Sam que je ne connaissais pas.

— *Ordure... Tu n'es qu'une sale ordure, Sam. Doublée du dernier des salauds. Je te hais.*

C'était vrai. Je le haïssais, et je le hais encore. Il a tenté de s'expliquer, mais je ne lui en ai pas laissé le loisir.

— *Au fait, j'ai eu mes règles, si tu veux savoir. Tout est foutu. Tu peux dire une prière pour Dick et Debbie. Ils sont morts.*

Le réalisateur, Carl, Nimnh, la fille aux cheveux bleus, tous pouvaient m'entendre, mais je n'en avais plus rien à taper. Je me foutais de tout. Ils ont fait ceux que cela ne regardait pas, en se détournant d'un air embarrassé. Alors je leur ai lancé :

— *Vous feriez mieux d'écouter ce que j'ai à lui dire ; n'attendez pas que Nimnh vous rejoue la scène demain !*

George est apparu en courant. Quoi, George aussi était dans le coup ? Et Melinda ? Pas Melinda, quand même !

Carl a profité de cet instant de trouble pour me demander ce qui se passait.

— *Tu n'as qu'à demander à Sam, s'il a encore quelque chose à t'apprendre sur moi ! Qu'as-tu fait, Sam ? Tu as lu mon journal. Tu as volé mes pensées les plus intimes. Tu t'es conduit comme un cambrioleur...*

Je ne me rappelle pas si j'ai pu lui dire tout ce que j'avais sur le cœur, ou si je suis simplement restée devant lui, à bégayer de rage. Mais je pleurais, ça oui, d'ailleurs je n'en reviens toujours pas, car ça ne me ressemble guère de laver mon linge sale en public. Mais l'échec de la FIV avait fait voler en éclats la barrière de ma pudeur...

Carl et Sam m'ont alors éloignée du plateau en me prenant par les bras. Sam bredouillait des excuses pitoyables. Quant à Carl, il tentait de me calmer et d'obtenir des explications. Sam s'est alors tourné vers lui, les larmes aux yeux.

— *Toi, mêle-toi de tes oignons, d'accord ? Je sais tout, figure-toi !*

Carl tombait des nues. Sam s'est enhardi :

— *Écoute, mon petit vieux…*

C'était trop facile. J'ai hurlé :

— *Eh bien oui, Sam, tu sais tout !*

Plus personne ne faisait vraiment attention à nous, pas même le réalisateur, qui ne paraissait pas du genre à se choquer pour si peu.

— *Grâce à moi, tu sais tout sur Carl ! Tu sais qu'il m'a draguée, tu sais qu'il m'a embrassée ! Et puis, tu sais aussi tout sur moi, hein ? Normal : tu t'es servi dans mes pensées, espèce de salaud ! Veux-tu que je t'en donne un dernier échantillon ? Un que tu n'auras pas à piller dans le journal des autres ! Alors écoute-moi bien :* JE TE HAIS ! *Je te hais plus que je ne saurais haïr quiconque. Je ne veux plus jamais te voir ni te parler. Plus jamais !*

Voilà ce que je lui ai dit, en substance. Du fond du cœur. Je n'ai pas changé d'avis.

Après, je suis sortie en courant, Sam et Carl sur mes talons. La scène eût été risible si ça n'avait été le jour le plus horrible de ma vie.

Nous étions là, tous les trois, debout, sur un quai des docks. Sam tentait de m'expliquer qu'il avait tout fait pour éviter ça, que ça n'aurait jamais dû arriver. Carl, en retrait, se demandait s'il devait intervenir.

Ayant retrouvé suffisamment de calme pour le regarder dans les yeux, j'ai lâché :

— *Sam, je ne retirerai pas un mot à ce que je viens de te dire. Je t'avais prévenu que je te quitterais si tu me faisais ça. Tu ne m'as pas écoutée. Je te quitte.*

Il a maladroitement objecté que je n'étais pas dans mon état normal, que je prenais l'échec de ma FIV « trop à cœur ». Trop à cœur ! Ça non plus, je ne suis pas près de l'oublier.

— *Tu as lu mon journal, Sam. Tu sais que ce que je désirais le plus au monde, c'était d'avoir un enfant avec toi. Ce n'est plus le cas. Je n'en veux plus. Je suis contente que Dick et Debbie soient morts… Tu entends ? Je suis contente que ces enfants de salaud n'aient jamais vu la lumière du jour !*

Il m'a regardé un moment d'un air défait, comme paralysé. Puis il s'est mis à pleurer.

Il venait de réaliser qu'il m'avait perdue à tout jamais.

J'ai terminé mon scénario il y a trois mois. Peu après, j'ai serré Lucy contre moi pour la dernière fois et j'ai été heureux pour la dernière fois.

Depuis, pas une seconde, le jour comme la nuit, Lucy n'a cessé de me manquer, au plus profond de mon âme.

J'ignore pourquoi, ce soir, j'ai décidé de reprendre ce journal. Je me suis dit que c'était la seule chose à faire. J'ai sans doute suffisamment rebattu les oreilles de mes amis avec mon malheur et il ne me reste plus qu'une seule personne à qui je puisse me confier sans aggraver mon sentiment de solitude : moi-même.

J'ai commis la pire erreur de ma vie en traitant Lucy de cette façon. Tous les jours, j'essaye de comprendre ce qui a pu me passer par la tête pour être aussi stupide ; je n'ai toujours pas la réponse. Je devais croire que Lucy ne pensait pas ce qu'elle disait, qu'elle ne mettrait pas à exécution ses menaces de me quitter. Je n'arrête pas de retourner ces questions dans ma tête, je me dis que sa réaction aurait peut-être été différente si elle n'avait pas découvert la vérité d'une façon aussi terrible. Mais peut-être pas. Quelle importance, à présent ? Une chose est sûre : tout est de ma faute.

Nous n'avons pas encore demandé le divorce, mais j'imagine que ça ne saurait tarder. Nous ne nous sommes presque plus adressé la parole, mais nous nous envoyons de nombreux messages pour régler quelques détails pratiques – le ton n'est jamais agressif, juste froid. Notre relation s'est comme épuisée. Ce sera une séparation moderne : pas de tribunal, pas de confrontation dramatique, pas de scène, pas de larmes. Tout sera réglé dans le délai exact prévu par la procédure. Lucy n'aura pas à témoigner devant la cour de mon manque d'ambition, du fait que je l'ai trahie et délaissée. L'heure n'est plus aux ruptures brutales : de nos jours, les mariages se défont sans heurts.

Le film est terminé. En tout cas le tournage ; le montage est en cours. Mais tout ça ne m'intéresse plus. En fait, je me suis complètement désintéressé du projet du moment où j'ai franchi les portes du studio pour partir à la poursuite de Lucy et la convaincre de pardonner l'impardonnable. George et Trevor me donnent des nouvelles, de temps à autre. Tout le monde est, paraît-il, très content de la façon dont les choses se passent. Marrant : c'est le couronnement de ma carrière et je n'en ai rien à foutre. Je suis même allé jusqu'à essayer de faire stopper le tournage. Combien de scénaristes ont fait ça avant moi ? Après que le sordide de mon comportement eut apparu dans toute son horreur, j'avais le sentiment que c'était un geste honorable. Mais je n'en avais pas le pouvoir. La BBC et Lignes de fuite détiennent les droits exclusifs du film et, dans la mesure où elles ont déjà investi deux millions de livres, elles sont quelque peu réticentes à l'idée de tout arrêter. Sauver mon mariage ne figure apparemment pas parmi leurs priorités.

J'ai tenté d'expliquer à Lucy quelles avaient été mes intentions et elle m'a répondu dans une lettre assez caustique qu'elle se contrefichait du film et de son état d'avancement et qu'elle ne voulait même pas récupérer ce que je lui avais volé. Par un effet pervers, j'ai l'impression que, maintenant que notre histoire est devenue la propriété exclusive d'une grande entreprise et ne nous appartient plus ni à l'un ni à l'autre, Lucy s'est fait une raison. Toute autre preuve que nous ayons un jour formé un couple a disparu.

Je lui ai donné tout l'argent que m'avait rapporté le film jusqu'à présent, ce qui n'est pas énorme, même si on m'a assuré qu'en cas de succès je toucherais beaucoup plus que le solde de mon compte. De toute façon, une moitié revient à Lucy et, avec l'autre, je lui rachèterai sa part de la maison. Elle ne veut plus y vivre. Elle ne supporte même plus d'y mettre les pieds. Elle a demandé à sa sœur et à sa mère de venir chercher ses affaires à sa place. Ça m'a presque foutu en l'air. Ça m'a complètement foutu en l'air.

Elle s'est acheté son propre appartement mais elle n'y passe pas beaucoup de temps, semble-t-il. L'ironie et la cruauté suprêmes de cette histoire, c'est qu'elle et Carl Phipps se sont mis en couple. Lucy ne me l'a pas appris elle-même, bien sûr, puisque, comme je l'ai dit, nous ne nous parlons plus, mais elle sait que je sais parce qu'elle raconte tout à Melinda qui raconte tout à George. Ce n'est pas la meilleure façon de communiquer mais c'est tout ce qui me reste. Je me mets en quatre pour en apprendre davantage, j'assaille George de questions pour lui extirper les moindres détails scabreux. Ça nous met tous les deux mal à l'aise, mais que faire d'autre ? Je suis au bout du rouleau. Je pense tout le temps à Lucy. Apparemment, sa relation avec Phipps est très épanouissante, très positive, très glamour, ce dont bien sûr je me réjouis et ce qui bien sûr me file la gerbe.

Cependant, je souhaite tout le bonheur possible à Lucy. Du fond du cœur. Et j'espère que Carl Phipps a pris conscience de la chance qu'il a. Même si je ne suis pas le mieux placé pour dire ça. Même si je n'ai pas le droit de dire ça.

Je me suis lancé dans un nouveau scénario. Je suis les conseils de Lucy : j'explore mon intériorité. Le personnage principal est un connard solitaire, pitoyable, faible, qui mérite tout ce qui lui arrive. C'est une comédie.

Encore six semaines de passées.

Six misérables semaines.

J'ai découvert quelque chose de très intéressant depuis que j'ai foutu ma vie en l'air : contrairement à ce qu'on dit, le temps n'est pas le meilleur remède à tous les chagrins. Chaque matin, je me réveille en espérant que le simple fait d'avoir occupé quelques heures inutiles à dormir va un peu soulager la souffrance que je me suis infligée à moi-même – et chaque matin, je suis déçu. Rien n'a cicatrisé. Mon estomac est toujours nauséeux, mon esprit broie toujours du noir. Je me dégoûte toujours et j'aime toujours Lucy qui, à l'heure où j'écris ces lignes (2 heures du matin), est au lit avec Carl Phipps. Trevor prétend que quatre mois et demi ne suffisent pas pour se remettre d'un coup pareil et que, si je compte vraiment sur le temps pour panser mes blessures, je ferais mieux de raisonner en termes d'années, voire de décennies. Un maigre réconfort, comme on l'imagine.

Je le crains, l'isolement et la décrépitude me guettent. Je suis ivre mort tous les soirs et je n'ai pas lavé mes draps depuis un mois.

Au fait, ça me revient : j'ai repris mon journal parce que j'ai reçu ce matin une lettre de Lucy qui m'a mis KO debout. D'ailleurs, ce n'est pas une lettre, c'est un e-mail. Ça m'a tué.

Quand nous vivions ensemble, Lucy était incapable ne serait-ce que de programmer la minuterie du four. Ce salopard a dû lui apprendre à se servir d'un ordinateur. Quelqu'un d'aussi cool et *hype* que lui ne voudrait pas d'une fille capable d'accomplir un geste aussi ringard que poster une lettre.

Je lui avais écrit pour lui demander si elle voulait que nous divorcions et si elle savait où se trouve la clé de la remise parce que la pelouse du jardin atteint un mètre.

Je colle dans ce journal la réponse de Lucy.

« Cher Sam,

La clé de la remise se trouve sous le deuxième pot de fuchsia à droite de la porte. Si c'est la première fois que tu te préoccupes du jardin, alors je suppose que toutes les fleurs sont fanées. S'il y a des rescapées, s'il te plaît arrose-les tout de suite avec la lotion nourrissante qui se trouve dans la remise. Si tu remarques des pucerons, remplis le pistolet d'eau savonneuse et vaporise délicatement chaque plante. N'utilise SURTOUT PAS de produit chimique.

Oui, je crois que je veux divorcer dans la mesure où nous ne sommes de toute évidence plus mariés et qu'il est peut-être temps de formaliser cette situation. Mais je te trouve injuste de me demander si c'est *moi* qui souhaite le divorce car je n'ai jamais voulu que notre mariage s'écroule. La seule raison pour laquelle je veux divorcer, c'est ce que tu m'as fait ; par conséquent, j'aurais plutôt tendance à dire que c'est *toi* qui veux le divorce. Ce point étant éclairci, considère que je demande le divorce. Mais pas dans l'immédiat, car je n'ai pas encore la force d'affronter ça.

Je ne peux pas croire que nous en soyons arrivés là, Sam. Comment as-tu pu être aussi idiot ?

Bien à toi, etc.,

Lucy »

Elle a vraiment écrit « etc. » ! Je crois que je n'ouvrirai plus jamais cet e-mail.

Cher Sam,

Quatre mois se sont de nouveau écoulés et je ressens le besoin de reprendre ce journal pour rassembler mes pensées.

La semaine prochaine, sortie en salles de *Maybe Baby*. Il y a beaucoup d'agitation à la Bib et chez Lignes de fuite ; la première promet d'être un événement. La télévision sera là et tout le gratin est invité. J'ai lu quelque part que ç'allait être *le* film anglais de l'année. Je reconnais volontiers que chaque semaine voit sortir *le* film anglais de l'année. Je ne voudrais pas paraître cynique, mais le phénix du cinéma anglais renaît de ses cendres si souvent ces temps-ci qu'il doit avoir le tournis.

Lucy assistera à la projection.

Je ne pensais pas qu'elle accepterait, mais elle vient de le confirmer à l'attachée de presse. Bien sûr, elle sera accompagnée de Carl Phipps. Avec un couple tellement couvé par la presse, nul doute que l'événement sera bien relayé dans les médias. Sans compter que s'y ajouteront Ewan et Nimnh. Ewan a plaqué sa femme Morag pour Nimnh. Une pratique courante dans le milieu du cinéma. Ce type est vraiment une enflure ; une compagne sensible, intelligente et sublime ne lui suffit pas. Il faut qu'il les essaye toutes. Moi qui viens de perdre une femme sensible, intelligente et sublime qui comblait toutes mes espérances, je ne suis intéressé par aucune autre et ne le serai plus jamais.

D'un point de vue sentimental, la première sera un défi pour moi. Au début, je me disais que je n'irais pas, pour ne pas risquer de tomber sur Lucy et Phipps. Mais George et Trevor ont insisté pour que je sois là. Le film, m'ont-ils dit, est excellent, il faudra fêter ça. Ils ont raison ; moi-même, j'en ai visionné une copie vidéo et ça m'a beaucoup plu. Ewan Proclaimer est peut-être une enflure doublée d'un arrogant, sa réputation de réalisateur talentueux n'est pas usurpée. Les deux vont sans doute de pair. Enfin, ont ajouté George et Trevor, cette histoire est la mienne (et celle de Lucy) et, si une personne doit être présente le soir du triomphe, c'est bien moi. Comme me l'a expliqué George avec sa délicatesse coutumière, j'ai déjà bousillé ma vie entière en sacrifiant la seule chose qui valait vraiment la peine pour écrire ce film ; au point où j'en suis, je peux bien assister à la soirée.

Ma chère Penny,

Je pensais ne jamais reprendre ce journal. Il m'a causé tant de tort que je ne voulais plus en entendre parler. Et puis, il est arrivé une chose qui mérite d'être relatée, car elle marque à la fois la fin de cette triste aventure et le début d'une autre. Or à qui puis-je en parler, sinon à toi ? Je ne veux pas en parler à Carl, ça n'en vaut peut-être pas encore la peine ou, si ça en vaut la peine, je préfère attendre d'être sûre de moi. C'est donc toi, Penny, qui seras ma seule et unique confidente.

Voilà : je crois que je suis enceinte. J'ai trois semaines de retard. Le test de grossesse est positif. J'ai rendez-vous demain avec le docteur Cooper.

L'événement tant attendu est-il enfin arrivé ? J'ose à peine l'espérer...

PENNY !

Le docteur Cooper est formel : je suis enceinte ! C'est l'unique et le plus beau jour de ma vie ! C'est presque trop de bonheur !

Mais ne nous réjouissons pas trop vite. Ce ne sont que les premiers jours. Rien n'est joué.

J'ai dû me concentrer pour contrôler ma respiration.

Un bébé, Penny ! Tu te rends compte ? Moi qui n'ai jamais rien attendu d'autre de la vie...

Il est un peu plus tard. Je me suis préparé une camomille pour retrouver mon calme. Mon cœur cognait si fort en sortant de la consultation, j'avais l'impression qu'il allait tout briser à l'intérieur de moi. Je dois absolument maîtriser ma joie. Et c'est pourquoi, Penny, je dois te faire un aveu : il y a tout de même une petite ombre au tableau. Tu sais bien de quoi je veux parler. Tu te doutes bien que mon amour pour Sam ne s'est pas évaporé sans laisser de traces. Or Sam, que j'ai tant aimé pendant tant d'années, avec qui j'ai partagé les bons comme les mauvais moments et auprès duquel j'ai traversé toutes ces épreuves, ne sera pas là pour partager ce merveilleux instant avec moi. Et cela me fait de la peine.

Que ce soit clair : je ne regrette aucunement qu'il ne soit pas le père. J'ai aimé Sam de tout mon cœur, mais l'amour ne sert à rien s'il n'est pas réciproque. J'ai cru que Sam m'aimait, et je suis sûre qu'il le croyait aussi, mais c'était une idée fausse. Il l'a assez prouvé. Quand on aime quelqu'un, on ne se sert pas de lui, on ne le trahit pas aussi éhontément. Il n'y a pas d'amour sans respect, sans estime, sans confiance mutuelle. L'amour est un contrat par lequel chacun s'engage à protéger l'autre. Sam ne m'a pas protégée. Sam ne m'a pas aimée. Il n'a aimé personne, et surtout pas lui-même. Je le plains.

Ça n'a pas été facile de tourner la page de notre vie commune et de tirer un trait sur ce qu'il m'a fait. Heureusement, j'ai Carl. Il s'est révélé un véritable ami, attentif et aimant. Il m'a soutenue pendant la pire épreuve de ma vie. Je ne crois pas que je m'en serais sortie sans lui.

Le lendemain de cette épouvantable scène sur le tournage de Maybe Baby, j'ai reçu une lettre de Carl. Il me proposait de nous voir. J'étais si découragée, si troublée, si avide de réconfort et d'affection, que je me suis littéralement jetée dans ses bras. Et je ne le regrette pas.

Nous n'avons pas couché ensemble la première nuit, ni même la suivante, mais c'est tout de même venu assez vite.

Comment te dire, Penny, c'était… merveilleux !

Était-ce le choc que je venais de subir ? le désert de ma vie sexuelle depuis tous ces mois ? Je n'avais jamais été aussi réceptive. Carl n'y est pas pour rien. Certains hommes se contentent de faire crac-crac, et c'est tout. Avant Carl, je n'y avais jamais fait attention. Mais il m'a fait l'amour comme si c'était la seule chose au monde qui lui importait. Et sans doute n'avait-il rien d'autre en tête.

Pendant plusieurs semaines, nous avons vécu une permanente fête des sens. J'ai pris tous mes congés d'un coup, ne vivant que pour faire l'amour à Carl. Sheila m'a sévèrement mise en garde, tu cherches à noyer ton chagrin, tu n'as pas encore fait ton deuil, attention au retour de flamme, etc. Druscilla, elle, dit que la passion est sa propre récompense. Pour une fois, c'est elle qui a raison.

Carl est le premier homme que je connaisse (mais on ne peut pas dire que j'en ai connu des tonnes) qui sache et aime prodiguer des massages à une femme. Je ne parle pas de vagues tâtonnements suivis d'un abordage à la hussarde, je parle de véritables massages, consciencieux et consentants, apaisants et relaxants, sans arrière-pensée ni mauvaise grâce. Je ne connais rien de meilleur. Nous sommes allongés tous deux, nus, sur son lit, et Carl se fait un plaisir de me travailler le cou et les épaules pendant une heure au moins. J'ai cependant remarqué qu'il aime se regarder lui-même en train de me masser. Il m'arrive de le surprendre en train de se délecter de l'image de ses muscles jouant et roulant dans le grand miroir en face de son lit. Ça ne me dérange pas. Quelle raison aurait-il de me regarder ? Je n'ai pas les muscles aussi bien dessinés que lui !

Nous ne vivons pas encore ensemble, mais nous passons le plus clair de notre temps chez l'un ou chez l'autre. Le dimanche, c'est magique. Carl se surpasse. Croissants, café frais, robe de chambre, journaux du matin, exactement comme à l'hôtel ! J'en raffole. Presque autant que nos petits week-ends dans son cottage des Cotswolds, feu de bois et murs de pierre, très Hauts de Hurlevent. Avec Carl, je prends enfin le temps de vivre. Je crois que nous sommes heureux.

Bien sûr, tout n'est pas parfait. J'ai mes moments de déprime. Comme Carl, je suppose. Qui n'en a pas ? Il ne suffit pas de claquer des doigts pour oublier dix années de vie commune avec un homme que l'on a aimé, surtout si rien ne laissait présager une fin si brusque. Carl aussi a un passé, il trimballe ses propres casseroles. Sauf que lui, ce n'est pas une femme, c'est... comment dire ? Carl ne se hait point. Rien de répréhensible, ne me fais pas dire ce que je n'ai pas dit ; c'est même plutôt attendrissant. Disons que, parfois, j'ai l'impression que Carl est heureux d'être Phipps, et que cela pourrait suffire à son bonheur.

Donc, pour cette histoire de bébé, prudence. Carl ne cesse de me dire qu'il m'aime et qu'il regrette que je ne puisse avoir d'enfants, mais je ne sais pas comment il réagira quand je lui annoncerai que j'en attends un. Je ne veux pas lui mettre le couteau sous la gorge. J'aimerais qu'il soit aussi fou de joie que je le suis à la perspective de fonder une famille mais, s'il ne se sent pas prêt, mieux vaudra ne pas insister et penser à autre chose.

J'aime Carl, j'en suis sûre. Pas du même amour que pour Sam, bien entendu. Il n'y a pas deux histoires d'amour semblables. Sinon, à quoi serviraient-elles ? D'une certaine façon, mon *histoire avec Carl est plus excitante (je te laisse imaginer pour-quoi) mais, d'un autre côté, elle l'est également moins. Ce n'est pas toujours simple de vivre avec un homme aussi bavard que Carl. Pourtant, ça devrait me plaire ! Sam était le prototype de l'homme planqué derrière son journal, ce dont j'avais horreur. Seulement voilà, le sujet de conversation favori de Carl, c'est Carl. Je suis tou-jours admirative de voir comme il parvient à détourner les sujets les plus ingrats pour les ramener au seul qui vaille la peine : Carl Phipps. La métaphysique ? Ça me rappelle cette pièce en vers de John Donne que j'ai jouée pendant des années, et qui… Le Schles-wig-Holstein ? Quelle coïncidence ! J'y ai tourné une publicité pour un dentifrice, c'était à Flensburg si je me souviens bien, et… C'est une seconde nature, un travail de chaque instant. Il faut dire que c'est un peu son fonds de commerce. Carl est et sera toujours, fon-damentalement, un acteur. Son art représente tout pour lui, et je ne saurais l'en blâmer. Pourtant, j'aimerais pouvoir lui expliquer sans le blesser qu'il y a des métiers plus durs, plus exigeants, même sur le plan affectif, que celui d'acteur : pompier, par exemple, ou auxiliaire médical… En fait, j'ai fini par le lui dire. Il m'a répondu qu'un acteur dans un grand rôle shakespearien dégage autant d'adrénaline qu'un conducteur impliqué dans un accident de la route. Il paraît que c'est scientifiquement prouvé.*

Il faut croire que j'attire les obsédés du boulot. Au moins, Carl se passionne pour son métier. Il croit en lui. Ce pauvre vieux Sam, lui, voyait tout en noir…

J'écris ces lignes dans l'appartement de Carl, qui m'en a laissé une clé. Je suis impatiente de lui apprendre la grande nouvelle… J'ai bien essayé de l'appeler sur son mobile, mais les mobiles sont interdits sur le plateau. Pas celui de Maybe Baby *! Le film est prêt depuis des mois. Non, il est invité sur le tournage d'une série poli-cière pour ITV. Il joue le rôle d'un tueur de charme. Je suis sûre qu'il sera parfait (lui prétend que non, mais je vois bien qu'il pense le contraire). Quant à* Maybe Baby, *il sortira bientôt en salles. Il semble même que ce soit un petit événement. J'ai accepté de me rendre à la première, après-demain. Je n'ai d'abord pas voulu en entendre parler, mais j'ai fini par me laisser convaincre. Peut-être cela m'aidera-t-il à tirer enfin un trait sur une histoire qui tarde un peu trop à s'achever.*

271

Et puis, je serai malgré tout heureuse de revoir Sam, savou-
rant son triomphe (que dis-je? notre triomphe! Et mes droits
d'auteur, alors?).

Mais j'entends Carl qui rentre. C'est le moment de lui annon-
cer la nouvelle.

Je viens de parler à Carl. Il est transporté d'émotion. Ses yeux se
sont embués, il s'est mis à me parler d'une voix tremblante de la
paternité, de son propre père, du grand cycle des générations, de
la course du temps, de l'ordre des choses et de notre place dans
l'univers, etc. Puis il a enfilé son grand manteau et il est parti
faire un long tour. Quand il est revenu, l'air grave, on aurait dit
qu'il venait d'essuyer une tempête. Je lui ai proposé de sortir fêter
ça ensemble, mais ça ne lui disait rien. Donner la vie est une ter-
rible responsabilité, m'a-t-il expliqué; bref, il préférait rester chez
lui pour se livrer à la méditation. Seul. Dommage, j'aurais bien
aimé trinquer, même si je n'ai droit qu'à l'eau...

J'espère au moins qu'à la première de Maybe Baby, *on pourra*
s'amuser un peu. Il ont prévu une petite fête après la projection.

Cher Sam,

J'écris ceci avant la première de *Maybe Baby*. Je devrais être
en train de nouer ma cravate parce que la soirée s'annonce clas-
sieuse mais impossible de remettre la main dessus. Impossible
aussi de me dégoter un pantalon. Je ne retrouve plus rien dans
la maison, en ce moment. Il faut dire que j'ai tout rangé – mais
par terre, avec les emballages de pizzas et les canettes de bière
vides. D'où un certain désordre. George m'attend dans le salon.
Il a très gentiment accepté d'être mon cavalier à cette soirée, à
condition que je me lave les cheveux et que je taille ma barbe.
C'est fait. Je porte également le caleçon tout neuf dont Melinda
m'a fait cadeau. Je suppose que je devais commencer à sentir.

Ce soir, je verrai Lucy. C'est sans doute la raison pour laquelle
j'ai rouvert mon journal; une dernière mise au point.

J'ignore comment je réagirai en la voyant, en particulier au
bras d'un autre homme. Je suis tellement amoureux d'elle.
Chaque jour qui passe, je suis surpris par la force de cet amour.

Je ne le soupçonnais même pas quand nous vivions ensemble. Quand je songe à toutes ces soirées où j'ai laissé filer l'occasion de la serrer contre moi ou de la caresser parce que je préférais bosser ou regarder la télé... Seigneur! Si elle me laissait une seconde chance...

Au fait: j'ai mis le point final à mon nouveau scénario. Le titre: *Qui va à la chasse...* Ça parle de ça, justement. Mon personnage fout sa vie en l'air puis prend conscience de tout ce qu'il a perdu. Vous me croirez ou non: la Bib vient de l'acheter! George et Trevor pensent qu'il est encore meilleur que *Maybe Baby*. Lucy avait raison: puiser dans son intimité pour nourrir sa création, il n'y a que ça de vrai.

Ma chère Penny,
Étrange soirée... Je ne sais que penser.
La première de Maybe Baby *était une réussite. Avant toute chose, je dois dire que j'ai trouvé le film très émouvant. Sam peut se vanter d'avoir fait du beau travail. J'ai toujours eu confiance dans son talent d'écrivain. Je n'irai pas jusqu'à dire que j'ai été enchantée de revivre ces mois de souffrance étalés sur grand écran, mais il faut reconnaître que c'était fait avec sensibilité et une bonne dose d'humour. Je pense que c'est une excellente chose de faire rire sur un tel sujet. C'est beaucoup plus fort. Aurais-je autant apprécié le film si je n'avais pas eu ce grand bonheur en moi? Oui, sans doute. Mais l'expérience aurait été plus douloureuse...*

Ce fut une très belle soirée, bien plus excitante que je ne l'aurais imaginé. Ce n'est pas tous les jours qu'on est invitée à la première d'un film que l'on a coécrit sans le savoir! J'étais venue accompagnée de Carl. Quelle étrange sensation de se trouver la cible de tous les regards... Les flashes crépitaient autour de nous, des micros se tendaient, sortis de nulle part, des gens brandissaient des carnets d'autographes en criant: « Carl! Carl! », et même: « Gilbert! » (ce qui l'a passablement agacé, car voilà quand même trois ans qu'il a joué dans The Tenant of Wildfell Hall*...). Carl était très beau, un physique de James Bond intello... Quant à moi, je portais un nouveau modèle de chez Liberty's, une* *robe très chic au décolleté assez osé, dont je suis très contente. Une fois de plus, l'ami Wonderbra a fait des merveilles de mes pauvres petits seins… mais maintenant que je suis enceinte, peut-être vont-ils enfin se décider à pousser!*

Bien sûr, l'agitation que Carl et moi avons suscitée était en grande partie due au fait qu'il s'agissait de notre première sortie publique « en couple ». Tous les journalistes étaient désireux de connaître nos projets d'avenir. Nous nous sommes contentés de leur sourire benoîtement et de faire les louanges du film.

La soirée d'hier a été la plus extraordinaire et pourrait même se révéler (l'avenir nous le dira) la plus heureuse de ma vie. D'abord, le film a été un triomphe – il y a eu une *standing ovation* à la fin, je crois que le public était sincère. Beaucoup de vedettes étaient présentes, parmi lesquelles deux ou trois connaissances, ce qui m'a beaucoup touché. Dans la salle de réception, c'était la cohue, des journalistes de la télé et de la radio interviewaient la moindre tête connue. Tandis que j'essayais de me frayer un chemin jusqu'au buffet, j'ai entendu Dog et Fish couvrir le film d'éloges.

— Superbe, disait Dog. Si vous aimez les comédies truffées de gags, ça ne peut faire qu'un carton!

— En ce qui nous concerne, ajoutait Fish, nous préférons les comédies avec une assiette de crudités à part.

Je pense qu'ils répétaient leur prochain sketch.

Charlie Stone a fait une apparition remarquée : on ne parle que de lui en ce moment et les photographes l'ont littéralement mitraillé. Peut-être parce que la pulpeuse Brenda s'accrochait à son bras…

— Trop *cooool*, les gags! déclarait-il à une équipe de « Morning News ». Et la môme Nimnh… la môôôôme Nimnh! On se la mettrait bien sur le bout, pas vrai les mecs?

— C'est une fille qui a beaucoup de présence, ajoutait Brenda.

Même Joe London avait fait le déplacement, avec sa femme Toni et son bassiste Wally. L'avis de Joe était positif, quoique embrumé.

— Pas mal! Mais c'est un film pour les p'tites poulettes, pas vrai, Toni?

— J'ai a-do-ré, a susurré Toni. C'était drôle et triste. Curieux, non ? Les deux à la fois...

Le journaliste a demandé à Wally ce qu'il pensait du film.

— Quel film ?

Mais ce n'est pas le plus important. J'ai noté tout ça en vrac parce que je suis très excité et que je ne voulais rien oublier. Le principal événement de la soirée, ce n'était pas le film. C'était Lucy.

Et maintenant, Penny, accroche-toi bien : Carl et moi n'avons aucun projet d'avenir. Nous ne sommes pas « en couple ». Nous nous sommes séparés. A son plus grand soulagement, me semble-t-il.

Regardons les choses en face. Dès le premier instant où je lui ai annoncé que j'étais enceinte, j'ai su dans mon cœur qu'il ne voulait pas avoir d'enfant. Il s'est déclaré enchanté, mais c'était un mensonge. Pour être tout à fait juste, j'ajouterai qu'il se mentait aussi à lui-même.

Finalement, je suis repassée à l'attaque dans la limousine qui nous conduisait à la première. Le moment ne m'a pas paru plus mal choisi qu'un autre.

— Carl, es-tu sincèrement heureux que je sois enceinte ?

— Si je suis heureux ? Mais ma chérie, je suis fou de joie.

Pour un acteur professionnel, la performance était plutôt médiocre. Carl est bien meilleur à l'écran. Après avoir laissé passer un ange, il a ajouté :

— Je suis heureux, puisque tu es heureuse. C'est tout ce qui m'importe.

Traduction : « C'est une catastrophe... Ton sale môme va me foutre ma belle petite vie en l'air... »

— Mais Carl... Si toi, tu n'es pas heureux, ça ne pourra jamais marcher.

Nouveau silence. Il cherchait le courage et les mots pour s'extirper de ce piège sans abîmer son smoking. Enfin, arborant une expression magnifiquement torturée, il a fini par admettre :

— C'est un choc, c'est certain. Tu m'avais dit que tu ne pouvais pas avoir d'enfant. Aussi je ne me suis pas protégé.

— Je croyais être stérile, c'est vrai. Mais il semble que je ne le sois plus...

— ... et c'est une nouvelle formidable, vraiment, sensation-nelle, a-t-il conclu sans daigner m'adresser un regard.

Voilà comment j'ai enfin pris conscience de ce que je savais depuis le début, mais que j'avais redouté de devoir affronter.

Carl ne veut pas d'enfant. Pourquoi en voudrait-il ? Il est parfaitement heureux. Il a tout ce qu'il peut souhaiter. Il ne lui manque qu'une carrière américaine, et ce n'est certainement pas à un gosse chialant et vomissant qu'il la devra. Le fond de l'affaire, c'est que Carl ne veut surtout pas perdre sa liberté. Ce qu'il veut, c'est une copine, pas une femme. Et encore moins une mère.

Nous nous sommes tombés dessus nez à nez devant le buffet.

Oh, Seigneur ! Elle était superbe. Si séduisante, si sexy, si belle. C'était presque paralysant. Pour un peu, je serais resté planté devant elle, sans rien dire, à la contempler. D'ailleurs, je suis resté planté devant elle, sans rien dire, à la contempler.

Et pourtant, c'était le moment le plus triste de la soirée. Je me tenais là, en cette heure de gloire, devant la femme de mes rêves, plus sublime encore que dans mon souvenir. Nous avions écrit ensemble un film magnifique et, pourtant, je l'avais perdue à tout jamais et elle me haïssait.

Nous avons bavardé quelques minutes et elle m'a donné de ses nouvelles. C'est comme ça que je l'ai appris, de but en blanc : Lucy est enceinte.

J'étais fou de joie pour elle. Sincèrement. Même si, dans le même temps, j'avais des envies de suicide. Je lui ai dit que j'étais ravi et que Carl était l'homme le plus chanceux de la terre. Je le pensais aussi, du fond du cœur. A côté de moi, Othello est un mari compréhensif mais je sais que je souhaite à Lucy tout le bonheur possible.

Et puis, tout à coup, la soirée a pris un tour inattendu.

— Je l'ai quitté.

Mon cœur a fait une embardée.

— Tout à l'heure, en fait, juste avant le début de la projection. Pendant que le président de BritMovie nous expliquait que le phénix du cinéma anglais renaissait enfin de ses cendres.

Je restai bouche bée.

— Il ne veut pas d'enfant. Alors, je vais en faire un toute seule. C'est la dernière mode. Fini, les hommes. En plus, grâce à toi et au film, j'aurai un peu d'argent pour l'élever.

Bon sang ! J'étais abasourdi. Était-ce le moment de me placer ? Après tout, Phipps avait séduit Lucy quand elle était au creux de la vague, pourquoi ne tenterais-je pas ma chance ? Cette fameuse « seconde chance » ? Je commençais à peine d'entrevoir les développements possibles de cette situation quand l'attachée de presse est venue m'enlever Lucy pour une interview. (Elle était du reste bien plus sollicitée que moi, le scénariste vedette. Ce n'était guère surprenant : d'un côté la splendide créature dans une robe moulante, de l'autre le barbu dans son costume mal repassé. Je n'aurais pas hésité non plus.)

— Eh bien ! au revoir, Sam…

Tout à coup, elle n'était plus là.

Ma décision était prise. Pour être franc, c'était plus une pulsion qu'une décision. C'était carrément désespéré. Je jouais mon va-tout. Je me suis mis à crier :

— Lucy, reviens ! S'il te plaît, reviens, reviens avec moi ! Je ferai tout ce que tu veux ! Je suis le dernier des salauds mais, je te jure, je ne voulais pas te faire souffrir ! Dis-moi comment je peux te le faire oublier ! Je t'aime !

— Sam, c'est absurde. Nous ne pouvons pas revenir en arrière. Je suis enceinte d'un autre homme !

C'était ma chance.

— Je m'occuperai du bébé ! Je l'élèverai, je serai son père !

J'étais sincère. J'adorerais élever l'enfant de Lucy. Peu importe qui est son père biologique. L'enfant de Lucy est une partie de Lucy et tout ce qui vient de Lucy est digne d'être aimé.

Quelle stupéfiante déclaration ! J'étais soufflée. J'avais l'impression d'être ailleurs, survolant la scène de l'extérieur, comme dans un film au ralenti.

— Sam, voyons… Même un enfant de toi, tu n'en as pas voulu. Laisse donc ceux des autres tranquilles…

Était-ce le bruit de la foule ? Ma voix sonnait bizarrement. Sam avait l'air complètement abattu, presque dément, un visage à la Raspoutine (la barbe, sans doute). Le brouhaha était assourdissant, un mélange de bruyantes congratulations et de voix réclamant à boire. Soudain, alors qu'un calme relatif semblait être revenu, Sam a tonné :

— *Tout le monde peut se tromper, bordel de merde !*

Le moment était merveilleusement choisi.

C'est le gag préféré du destin. Couper le son quand le barbu se met à crier des obscénités. Tout le monde s'est retourné vers nous. Lucy a piqué un fard. Bon sang, j'avais envie de l'enlever et de disparaître sur-le-champ.

Un instant, j'ai cru qu'elle allait me frapper. Au lieu de ça, elle m'a longuement regardé puis elle est repartie, poursuivie par l'attachée de presse.

Ma chère Penny,

Ce matin, en me réveillant (je ne me souviens même pas de m'être endormie...), j'ai trouvé devant la porte un énorme bouquet de fleurs, accompagné d'une petite carte :

> *PUISQUE JE SUIS CONDAMNÉ À UNE PEINE ÉTERNELLE,*
> *VEUX-TU QUE JE LA PURGE AVEC TOI ?*

C'était assez bien tourné, je trouve. Qu'il essaye seulement de la réutiliser dans son prochain scénario, et je l'étrangle.

Et maintenant, je suis en proie à la plus grande perplexité. Tout se bouscule dans ma tête. J'aime Sam, c'est évident. Mais je ne peux quand même pas reprendre le cours de notre vie où nous l'avons abandonné et faire comme si rien ne s'était passé.

Si ?

En fait, quelque chose s'est passé. Quelque chose d'inimaginable. Sam m'a proposé d'élever mon enfant. Quelle meilleure preuve peut-il y avoir de son amour ?

Je crois pouvoir dire que ma joie est à son comble.

Je viens de recevoir un e-mail de Lucy. Elle veut que nous vivions ensemble. Elle veut que nous fondions une famille.

Je n'ai jamais été aussi heureux.

Ma chère Penny,

Encore une sale journée… Pourtant, maintenant que tout est fini, je me sens étrangement forte et sûre de moi.

Je ne suis pas enceinte. « Autant que je puisse juger, vous étiez enceinte, m'a dit le docteur Cooper, mais vous ne l'êtes plus. Une fausse-couche très précoce… » Il paraît que c'est très courant. A supposer que j'aie vraiment été enceinte. Bref, je ne suis pas près de trouver une solution à mon problème d'infertilité. Sam était avec moi. Après la consultation, nous sommes retournés à la voiture, et nous avons pleuré ensemble. Puis nous sommes allés nous saouler.

Cher Sam,

Depuis maintenant six mois, Lucy est revenue vivre avec moi. Ce sont les six mois les plus merveilleux de ma vic, indépendamment du fait que nous avons tenté une deuxième FIV et qu'elle a échoué. Les docteurs nous ont dit que certains signes laissaient présager une issue heureuse (les examens sanguins étaient formels) mais que, au dernier moment, Debbie et Dick II n'avaient pas tenu le coup. Dans la foulée, nous sommes partis passer de fabuleuses vacances en Inde – pas comme cadeau de consolation, c'était un voyage dont nous rêvions depuis toujours et nous n'avons pas été déçus.

J'écris ces lignes allongé sur le lit d'une ravissante chambre d'hôtel dans le Dorset. Lucy ne porte rien d'autre qu'une culotte de soie qui me fait chavirer le cœur. Elle est en train de ranger dans un sac à dos une bouteille de champagne, une boîte de truffes et une épaisse couverture. Dehors, la chaude journée d'été touche à sa fin. D'ici à peu près une heure, nous crapahuterons dans la nuit jusqu'à la colline où se dresse le membre du géant de craie. Ça marchera peut-être, ça ne marchera peut-être pas. Mais, quel que soit le résultat, une chose est certaine : j'ai hâte d'y être.

Ben Elton par lui-même

Pour commencer, je vais me faire un peu mousser. En 1992, je tournais avec Ken – Kenneth Brannagh, si vous préférez – dans *Beaucoup de bruit pour rien*... Bon, je le reconnais, c'était beaucoup moins glorieux que ça en a l'air, présenté comme ça. En fait, je jouais juste Verges et je n'avais que trois répliques. Mais j'ai bien tiré mon épingle du jeu, en me tenant juste derrière Michael Keaton, qui jouait Dogberry. Un conseil au passage pour les jeunes comédiens qui débutent : si vous n'avez qu'un tout petit rôle, collez vous toujours à la star la plus proche, comme ça vous ne risquez pas de sauter au montage.

Bref, sur ce film, lors de l'une de ces interminables pauses forcées qui semblent occuper l'essentiel d'un tournage en ces temps d'intense trafic aérien, Ken me suggéra de passer à la mise en scène. « Tu vas voir, tu vas adorer, me hurla-t-il à l'oreille alors qu'un escadron entier de charters Alitalia déchirait le ciel de la Messine de Shakespeare. Et, en plus, après, tu ne pourras plus t'en passer. C'est le plus beau métier du monde. Putain d'avions de merde ! »

Huit ans plus tard, l'occasion a fini par se présenter et je dois reconnaître que Ken avait raison, même si les contrôleurs aériens européens semblent toujours être payés au nombre de tournages survolés. Metteur en scène est sûrement le meilleur job que j'aie exercé. Bien loin devant celui qui consiste à faire le mariole sur une scène de théâtre.

Les gens me demandent si je le referais. Je n'hésiterais pas, mais l'industrie du cinéma est une industrie lourde et je ressens comme une chance et un privilège d'avoir pu tourner ne serait-ce qu'un seul film. Le secret du financement d'un film, c'est de tenir un sujet brûlant pour appâter les producteurs. Si possible, une catastrophe naturelle. Un été, c'étaient les météores qui menacent de heurter la Terre, l'année d'avant les manipulations génétiques et les dinosaures qu'elles engendrent, etc. Moi, j'avais trouvé mon créneau hollywoodien : la stérilité. Ça tombe sous le sens, quand on y réfléchit. La fécondation in vitro, l'insémination artificielle, les mères porteuses, les ovules, les spermatozoïdes : autant de sujets parmi les plus « chauds » du moment. La couille est une valeur montante, c'est ce dont j'ai réussi à convaincre les producteurs.

Chacun de nous connaît quelqu'un qui est passé par là. Si l'on en croit les journaux, la majorité des mamies américaines est enceinte de six à huit gosses en moyenne. Il n'est pas de lesbienne hollandaise qui ne chouchoute son étalon gay, dont le spermatozoïde tant convoité devra parler quatre langues, jouer au tennis comme un dieu et être végétarien. Partout, de jeunes couples brisés de chagrin et des mères porteuses en rupture de ban se déchirent devant les tribunaux pour la garde du bébé et le remboursement du pactole. Chaque matin, les talk-shows reposent inlassablement la question : « Génétique : sommes-nous les Frankenstein de demain ? »

Si la fertilité est un sujet brûlant, c'est précisément parce que le feu est dans la maison. Et oui, mon petit, la couille n'est plus ce qu'elle était. Tout le monde nous le dit : nos compteurs spermatiques sont dans le rouge. Concrètement, le baby-boomer n'a pas autant d'œufs dans son panier que grand-père. Ce constat a fait naître en moi l'idée d'un film sur la stérilité. A ceci près que *Maybe Baby* n'est pas un film « sur la stérilité ». Si c'est un film sur quoi que ce soit, ce que franchement je n'espère pas, ce serait plutôt sur ce qui arrive à deux personnes quand elles désirent tellement une chose qu'elles en oublient la valeur de ce qu'elles ont déjà. Et le fait que, même quand vous traversez de dures épreuves, la vie ne s'arrête pas : votre travail, vos amis, votre vie sentimentale vous attendent au coin du bois. John Lennon a dit une fois que la vie, c'est ce qui vous arrive quand vous êtes occupés à autre chose.

Cela dit, il est inutile de nier que le moteur de ce film est l'histoire d'un couple qui essaye désespérément d'avoir un enfant et qui n'y arrive pas malgré tous ses efforts. C'est un sujet qui m'est familier : ma femme Sophie et moi avons vécu cette situation. Nous avons essayé diverses thérapies, stoppé la bicyclette (moi, pas elle) et tenté par trois fois la fécondation in vitro.

Nous avions conscience, en commençant le traitement médical, que cela finirait par se savoir. Le processus implique de passer beaucoup de temps dans les salles d'attente des hôpitaux, le plus souvent avec un petit pot en plastique dans la main, et beaucoup de gens ont quand même déjà vu ma tronche à la télévision.

Donc, avec d'un côté un film qui parle de stérilité et de l'autre mon expérience de l'insémination artificielle, il n'était pas étonnant que beaucoup de gens aient fait le rapprochement et m'aient demandé, en sortant des premières projections, à quel point ce qu'ils avaient vu était vrai. Notre désir de bébé nous a-t-il conduit, ma femme et moi, à des expédients aussi hilarants que ceux auxquels recourent Hugh Laurie et Joely Richardson dans le film? Avons-nous vraiment fait l'amour dans le parc de Primrose Hill, nous sommes-nous pliés aux rituels de fertilité d'une amie comme celle que joue Emma Thompson? Est-ce que notre mariage s'en est trouvé menacé? Ma femme a-t-elle été attirée sexuellement par un de ses collègues? Les gynécologues sont-ils aussi horribles que ceux joués par Rowan Atkinson et son infirmière Dawn French?

Dieu merci, non, non et non. Si la réalité était aussi intéressante que la fiction, on n'aurait plus besoin de se raconter d'histoires. *Maybe Baby* n'est pas mon histoire. On peut dire que je me suis particulièrement documenté, voilà tout. Je ne vais pas vous raconter la fin du film mais je peux vous dire qu'en ce qui nous concerne, le traitement a finalement été couronné de succès. Nos jumeaux sont arrivés quinze jours après le début du tournage. Ils étaient prématurés de neuf semaines puisqu'ils n'étaient pas censés se montrer avant le clap de fin. Venant de l'union d'une bassiste et d'un comique, on aurait pu s'attendre à un meilleur sens du *timing*.

Ce fut une journée ô combien mémorable. Tout a commencé au beau milieu de la nuit, comme cela semble être la règle pour ce genre de chose. Ma femme était passée sur le plateau la veille, pour jouer une passante enceinte, mais l'acharnement des contrôleurs aériens avait eu raison de notre plan de travail et la scène avait été repoussée. Sophie était vraiment énorme à ce moment-là et Joely Richardson lui avait proposé de se faire filmer rapidement – on ne sait jamais quand ça peut arriver. Nous avons bien ri, pensant avoir encore pas mal de temps devant nous, mais ma femme n'est jamais apparue dans le film parce que, cette nuit-là, nos jumeaux ont choisi de frapper à la porte. A deux heures du matin, nous avons été obligés d'appeler un taxi.

Les médecins ont donné à ma femme des calmants pour ralentir le processus d'un jour ou deux ; ils voulaient administrer des stéroïdes aux fœtus pour accélérer le développement de leurs poumons. Les poumons, nous a-t-on expliqué, sont la dernière étape du développement du fœtus et posent souvent problème chez les prématurés. Vers 10 heures du matin, le médecin chef vint nous dire que nous avions un jour ou deux de délai. « Je vais juste jeter un dernier coup d'œil au col… » nous dit-il en disparaissant entre les cuisses de ma femme. « OH ! OH ! Ils arrivent ! ILS ARRIVENT ! » hurla-t-il alors et la chambre se remplit en quelques secondes de centaines d'infirmières et de médecins.

Tandis qu'ils aidaient ma femme à accoucher, je ne pouvais pas m'empêcher de penser aux petits poumons et au temps qui leur avait manqué pour se développer complètement. La joie et le soulagement que j'ai ressenties en entendant leurs premiers cris sont indescriptibles. Parfois, quand ces mêmes cris me réveillent au beau milieu de la nuit, j'essaye de me rappeler combien les tout premiers m'avaient rendu heureux.

A 11 heures, tout était terminé et, Dieu merci, les bébés étaient aussi bien portants que des prématurés de neuf semaines peuvent l'être. Sophie me dit de retourner sur le plateau. J'étais mal à l'aise de la quitter comme cela, mais il y avait plus de cent personnes qui m'attendaient là-bas et, après tout, je ne pouvais rien faire de plus pour elle. En mon absence, Hugh Laurie avait pris les choses en main et il s'était très bien débrouillé – un peu trop bien à mon goût, d'ailleurs. En fait, je ne dis jamais à personne quelles scènes il a tournées, de peur que des gens ne se rendent compte que ce sont leurs préférées…

1999 a été pour moi une année un peu folle. On m'a donné la chance de réaliser mon premier film et j'ai fondé une famille. Ken avait raison, metteur en scène est le plus beau métier du monde. Mais juste derrière papa.

B.E.
(*Sunday Telegraph*, 21 mai 2000)

PANDORA ET BBC FILMS

présentent

MAYBE BABY

Un film de BEN ELTON

avec

HUGH LAURIE	Sam Bell
JOELY RICHARDSON	Lucy Bell
MATTHEW MAC FAYDEN	Nigel
ADRIAN LESTER	George
STEPHEN SIMMS	Trevor
JOANNA LUMLEY	Sheila
EMMA THOMPSON	Druscilla
JAMES PUREFOY	Carl Phipps
TOM HOLLANDER	Ewan
ROWAN ATKINSON	Mr James
RACHEL STIRLING	Joanna
DAWN FRENCH	Charlene
KELLY REILLY	Nimnh

Écrit et réalisé par	Ben Elton
d'après son roman	*Maybe Baby*
	(Éditions de l'Archipel)
Image	Roger Lanser
Décors	Jim Clay
Montage	Peter Hollywood
Costumes	Anna Shepard
Casting	Mary Selway
Musique composée et orchestrée par	Colin Towns
Chanson « Maybe Baby » écrite par	Charles Hardin
	Norman Petty
Interprétée par	Paul McCartney
Productrice exécutive	Mary Richards
Producteurs délégués	Ernst Goldschmidt
	David M. Thompson
Produit par	Phil McIntyre

Cet ouvrage composé
par Atlant' Communication
à Sainte-Cécile (Vendée)
a été achevé d'imprimer sur CAMERON par

BRODARD & TAUPIN
GROUPE CPI

La Flèche
en septembre 2000
pour le compte des Éditions de l'Archipel
département éditorial
de la S.A.R.L. Écriture-Communication.

Imprimé en France
N° d'édition : 369 – N° d'impression : 3990
Dépôt légal : octobre 2000